Marianne Fredr

MARIANNE FREDRIKSSON

Syndafloden

Wahlström & Widstrand   Stockholm

© Marianne Fredriksson 1990
Tryckt i Danmark hos
Nørhaven Rotation 1997

ISBN 91-46-16222-4

Till *Katarina Holmertz*
med tack för sakkunnig kritik och aldrig sviktande
entusiasm.

Samt till *Sven Fredriksson*
som löste alla tekniska problem kring det stora
skeppsbygget.

Kapitel 1

Flickan låg på båtens botten, naken, tung av kärlek och svårmod. Det förvånade henne, hon hade inte förstått hur ensam hon var förrän nu, att det fanns en stor ensamhet i kärleken.

Men hon kom att tänka på en sång som han skrivit, om sorgen som döljer sig i glädjens skugga. Hur kunde han veta? Var det för att slippa undan som han somnat, som han alltid somnade efteråt?

Morgonvinden ökade som den brukade efter soluppgången och båten rullade mjukt i dyningen. Runt omkring dem stod vassen, gul som mogen säd men spänstigare och mycket högre. Den sjöng, vasspipa gned mot vasspipa och melodin var ljus och skör.

Vemodig som jag själv, tänkte flickan och slöt ögonen mot himlen, lade fyra fingrar på hjärtat och önskade sig en lång resa. Men då mindes hon att hon måste se på honom, ta vara på stunderna och samla dem för minnet. Försiktigt reste hon sig på armbågen, öppnade ögonen.

Han är vacker, lik sin båt, smidig och fint skuren. Men varför är han så ledsen?

I nästa stund tänkte hon att det var hans sorg hon älskade.

Nu vaknade staden bortom vassarna, hon kunde höra fiskmånglarna i kanalen nedanför, åsnorna som slant över gatstenen och kärrhjulen som skrek under de tunga lasterna. På torget övade soldaterna, kommandoorden skar genom luften, överröstade vassen, väckte pojken. Rädslan drog samman hans ansikte, de långa ögonfransarna fladdrade innan han nådde vakenheten och hennes ögon.

Hon kände väl alla orons tecken. I hennes land var alla rädda.

– Ingen fara, viskade hon och han slappnade av, log mot henne och strök hennes hår med en hand som var mjuk, utan hetta och krav. Det är med henne som med mor, tänkte han. I hennes närvaro kan inget ont hända.

Han steg upp för att dra på sig kläderna men blev sittande på relingen och såg på henne: de långa benen, den sotsvarta triangeln som dolde hennes hemliga ingång, midjan, de små brösten och bröstvårtorna som var styva ännu och röda av hans mun och händer.

Hon är som ett träd, tänkte han, ett ungt och starkt träd, djupt rotat.

Nu kände han lusten hårdna och måste flytta blicken till hennes ansikte, det mörka håret, den djärva munnen.

Och ögonen, ja, de var som han mindes dem, fyllda av en kärlek som var större än hans.

Och han tänkte som han gjort redan första gången han såg henne, att hon var en människa som på allvar räknade med sin själ och därför var medveten om sitt ansvar.

Jag får inte skada henne.

– Vad funderar du på, sade hon.

– Jag tänker på fåglarna som kommer att reda sina bon i ditt hår, sade han.

Hon skrattade förvånad, men ville inte vara sämre:

– Jag tänker att du är lik din båt, välgjord i varje detalj, sade hon.

8

– Snabb och lätt, sade han. Inte mycket att ha i hårt väder.

Han log, men det var inte bara ett skämt och för ett ögonblick kunde hon känna hur hon föll mot avgrunden, skammen och döden.

Hans oro gällde det nära och påtagliga, de måste ta sig ut ur den skyddande vassen, fram till spången som löpte längs flodstranden upp mot tvättplatsen, där Milkas tjänstekvinnor bykte och sköljde.

– Klä på dig, sade han och hörde att rösten var onödigt kort. Men hon lydde och när hon reste sig blev han medveten om det oväntade, det kroppen känt redan i sömnen. Båten rullade i dyningen. Han hade satt den ordentligt fast i lerbotten, den borde inte ha vatten under kölen.

– Floden stiger, sade han förvånad.

– Det är kärleken, sade Milka och fnittrade. Den är så stor att den svämmar över.

– Tokflicka, sade han och ömheten gjorde ont.

Långsamt stakade han sig ut mot öppet vatten, tyst så att åran aldrig skrapade mot botten. Men där vassarna glesnade och flodvattnet återtog sin blå öppenhet hejdade han sig.

– Vattnet är så högt att vi kan dra oss fram hela vägen genom vassen, sade han och flickan som var klädd nu och höll på att fläta sitt hår nickade och försökte tänka på tvätten, på att högvattnet skulle underlätta sköljningen.

Jafet stakade sig norröver innanför den skyddande vassridån. Det var tyngre än han trott för han hade inte räknat med motströmmen. Aldrig någonsin förr hade det varit så strömt.

Det tog tid som de inte hade för hon borde redan ha varit tillbaka bland tvätterskorna.

– Vi har makterna mot oss, viskade han och hans förbittring steg som floden och han kunde inte tänka som han brukade, att han skulle göra en sång om det, om vattnet som steg och strömmen som ökade, okänsliga för människornas kärlek och rädsla.

Men han kom fram till slut. Flämtande och våt av svett hakade han fast i spången och hjälpte henne upp på den.

– Vi ses, viskade han. Nästa torsdag som vanligt.

Hon svarade honom inte, stod där bara på bryggan med huvudet högt över vassarna. Efter en stund såg han att hennes läppar rörde sig och förstod vad de försökte säga:

– Han är här. Han står på kajen och ser på oss.

Hon vände sig inte om när hon gick, rak i ryggen och med högburet huvud, tillbaka till tvätterskorna. Kvinnorna bykte och sköljde men ingen talade och deras rörelser var stela som om de drog räta linjer genom luften.

De har också sett honom, tänkte flickan, tog klappträt och bankade en mantel som om hon slagit honom, den sjufalt förbannade Skuggan.

Kapitel 2

De har syskontycke, tänkte Skuggan där han stod på kajen och iakttog de båda unga. Pojken är vackrare, men flickan har något mer, en styrka som drar de rädda till sig.

Han hette Mahalaleel, son av Kenan, som en gång varit överstepräst i staden Sinear. Men Kenan var död som alla Nordrikets präster.

Och ingen mindes längre sonens namn. Han var överuppsyningsman nummer fyra och tänkte på sig själv som Överuppsyningsmannen. Så nämndes han också av över- och underordnade.

Folket kallade honom Skuggan, för han följde deras liv och handlingar lika ofrånkomligt som skuggan följer kroppen. Bara en fanns som lade annan betydelse i öknamnet, det var Noas hustru som sagt att Överuppsyningsmannen inte kastade någon skugga på jorden därför att han bar sin skugga inom sig.

Han hade för länge sedan upphört att förvåna sig över människornas dårskap och något behov av att förstå dem hade han aldrig haft.

Ändå skakade han på huvudet åt de här båda, Harans dotter och Noas son som riskerade anseende och liv för några brunstiga möten.

Hor straffades med döden i den nya lagen.

Men han tänkte inte dra dem inför domstol, inte än. Noas son var dessutom svår att komma åt. Det irriterade honom. Som pojken själv som var lika obegriplig som sina sånger.

Och därmed var han tillbaka vid problemet med sångerna som sedan månader tillbaka sjöngs av folket i Nordriket. De hade en egendomlig makt över sinnena, tjänade som tröst och skänkte gemenskap. Så mycket hade han förstått och han tyckte inte om det. Men han kunde inte få tyst på dem, de nynnades i gränderna, på torgen och i värdshusen längs floden så fort han själv eller hans män vänt ryggen till.

Förbjuda dem kunde han inte, det fanns inget hot mot det nya riket i orden. Han kunde dem utantill, senast denna morgon hade han rabblat texterna ur minnet, vänt på orden. De var ledsamma och obegripliga allihop. Som en av dem han mindes bäst, sången om prästen som skulle räkna de rättfärdiga en gång och vars ögon var blå som friheten.

Dumheter, tänkte Skuggan. Han var själv blåögd som många ättlingar till Nordrikets gamla präster.

Han hade talat med Habak, en krogvärd som hade ett vekt sinne och som i likhet med sina yrkesbröder fick fortsätta sin verksamhet endast därför att han varje morgon meddelade vad som förtalts på värdshuset kvällen innan. Habak hade sett länge på Överuppsyningsmannen och sagt att sångerna bar fram den sorg som fanns i landet, folkets sorg.

Värdshusvärden hade samlat allt sitt mod för att säga det.

Men Överuppsyningsmannen brydde sig inte om Habak. Karln var obegriplig och ljög som de flesta av sina likar.

Då satte han större tilltro till en lutspelare som påstått att Jafets sånger hade sin kraft i musiken, i melodierna som på ett magiskt vis snärjde sinnena.

Själv var Skuggan tondöv.

12

Han var belåten med morgonens upptäckt och tänkte att han skulle ta god tid på sig innan han beslutade hur han bäst skulle utnyttja den.

Mannen som kallades Skuggan kände ingen vrede, hade få känslor. Det var en bra förutsättning för hans arbete, även de många som hatade honom fick erkänna att hans ondska var opersonlig. Det ökade skräcken, Överuppsyningsmannens handlande gick aldrig att förutse.

Själv ansåg han sig fullt begriplig, styrd enbart av förnuftet som den som inte behöver älska eller hata. Fanns det något undantag gällde det Noa och hans familj. Där kände han ett agg, lika gammalt som han själv och med rötter i den gemensamma barndomen.

Han hade sett många dö, hade med egen hand verkställt åtskilliga dödsdomar. Det var naturligt, livet hade ställt honom i tjänst hos makten och han var plikttrogen och noggrann. Bara en gång hade en avrättning skänkt honom nöje, det var när han skar inälvorna ur Noas far, den lismande prästen.

Men det var länge sedan. Kvar i dag fanns bara en irritation mot släkten som slunkit undan i gränslandet.

Det var torsdag, han skulle bege sig på resa söderut längs floden. Han gick mot vakten vid torget där hans åsna stod sadlad, nickade åt mannen som höll djuret och såg en stund från åsneryggen på soldaterna som övade.

De många skulle snart vara en kropp, tänkte han belåtet.

Han red ensam som vanligt, utan vakter. Det var inte ofarligt, Överuppsyningsman nummer tre, som var en känslig man, brukade säga att man kunde lukta hatet i byarna längs floden.

Men Skuggan var aldrig rädd. Han skulle inte dö ännu, han hade för mycket ogjort.

När han red ut genom södra stadsporten tänkte han återigen på Noas far och på tiden när Kungen proklamerat det oerhörda: att han avskaffat Gud.

Skuggan hade hört till budbärarna, de officerare ur den nya armén som haft till uppdrag att samla folket utanför templen i landets alla byar för att förkunna att Gud inte fanns och därför inte skulle åkallas i framtidens Nordrike.

På den tiden hade det ännu funnits människor som vågat ställa frågor. Han mindes plötsligt en gammal man som ropat:

"Tror ni att ni kan döda Gud?"

Skuggan hade behållit sitt lugn och svarat att man inte behövde döda någon som aldrig funnits. Men mannen hade skrikit, att Han som alltid funnits, före marken och människorna, skulle ta en fruktansvärd hämnd. Den gamle hade velat säga mer men hann inte innan soldaterna skar halsen av honom.

Överuppsyningsmannen kände ett visst obehag vid minnet av den gamles ord och alldeles utan samband kom han att tänka på flodvattnet som stigit en dryg tum bara de senaste dagarna.

På fälten utanför staden såg han en kvinna på knä. Hon hade hackan bredvid sig och blicken höjd mot himlen. Ännu levde det människor, kvinnor mest, som visste att Gud fanns. Men bara några få vågade tro att Han lyssnade till deras böner nu när offren förbjudits och sångerna tystnat i templen.

Överuppsyningsmannen hörde förbluffande nog till dem som i hemlighet erkände Guds verklighet. Han visste. Hans livs strävan hade alltid varit att flytta gränsen för den Osynliges makt, för det oförutsägbara.

När kvinnan, som hört hans åsna, kröp ihop av rädsla och hastigt tog tag i hackan igen, log han. Arma, vidskepliga

14

kräk, tänkte han.

Han hade förhört en upprorsman i går, en orädd sate som haft mycket att säga om förtryck och hat i bergsbyarna men inte ett ord om hur det tysta motståndet i bergen planerades. Detta trots att Skuggan använt sina mest hårdhänta förhörsmetoder.

Mannen hade dött under förhöret och Skuggan hade beslutat sig för resan till Maklea, den bergsby där han hade en av sina pålitliga angivare.

De talar om förtryck, tänkte han. Som om något förtryck kunde vara värre än det gamla, den självvalda skräcken för en enväldig Gud som slog blint och träffade orättvist och utan mening. Det rike Skuggan velat bygga hade haft både mål och mening, det skulle hålla det blinda ödet stången. I det nya samhället skulle allt förutses och kontrolleras.

Han nästan drog på munnen nu, när han påminde sig den entusiasm han känt, när den nye kungen i kretsen av sina officerare hade lagt fram sin plan. De skulle bygga ett nytt land, där ordning och rättvisa skulle råda. Slavarna skulle friges, äganderätten till jorden avskaffas och brödet delas.

Första steget på vägen var att döda prästerna och stänga templen.

Som så många gånger förr tänkte Överuppsyningsmannen att det inte var en slump att han avdelats för den uppgiften. Han, översteprästens enfödde son, skulle prövas. Kungen hade säkert trott att den unge officeren utfört sitt uppdrag med sådan kraft för att han ville bevisa sin solidaritet.

Men Kungen kunde inget veta om hur stor en prästsons vrede var, hur bottenlöst hatet mot den okända kraften i himlen.

Nu visste de alla att det var svårare än någon trott, detta företag att bygga ett nytt samhälle. Och att de var långt från målet. Det var krigets fel, sade högsta rådet, men Skuggan tänkte allt oftare att det var folkets fel. Det var som om den blinde gudens vanvett övertagits av människorna. Det oförutsebara hade slagit rot i dem, männen och kvinnorna. Som Gud själv var de gåtfulla, undanglidande och utan mening.

Och det var med dem som det varit med den avskaffade guden, det gick inte att få dem att tala.

Till deras vapen hörde lättjan. Allt arbete gick trögt, husen förföll, kanalerna slammade igen och jorden vanvårdades. Där han red vägen fram såg han de magra åkrarna där säden inte grott trots vårvärmen. Och han tänkte att det skulle bli missväxt i år också, svält. De skulle tvingas köpa säd hos arvfienden i söder och som förr om åren skulle de få betala orimliga priser i guld och koppar från gruvorna längs Stora bergets sluttning.

Kungen skulle rasa som han brukade, avrätta uppsyningsmännen, tillsätta nya, som snart skulle avrättas de också. Eller föras till helvetet i svavelgruvorna, där de flesta av de frigivna slavarna hamnat.

Om det ännu fanns några kvar av dem, tänkte Överuppsyningsmannen. Folk levde inte länge i ångorna nere i berget. Han visste, för han hade själv varit där. Onåden hade drabbat också honom en gång och svavlet hade varit nära att ta död på honom.

Den gången var det kriget som räddat honom, inte ens Kungen kunde hålla kvar sina bästa soldater i gruvorna när fienden vällde in över gränsen.

Solen stod högt nu, nästan rakt över hans huvud. Någon svalka fanns inte att få längs den flacka flodstranden och han kunde känna hur den tunga huvudvärken som var hans följeslagare i livet lade sig som en molande pina över ögonen.

Han förde åsnan ner mot floden, satt av och sänkte huvudet i det strömmande flodvattnet. Det var överraskande kallt och för ett ögonblick fick han svindel.

Ovanligt kallt, tänkte han om vattnet och förstod att det berodde på den kraftiga strömmen som förde källvattnet från bergen i norr och fick floden att stiga. Än höll den sig inom sina bräddar här längs stränderna men i kanalerna österut på låglandet var det översvämning.

Mot eftermiddagen reste sig Kerais sluttningar framför honom, Nords gröna sydberg, välsignat av skogar och fruktbarhet. Halvvägs upp på sluttningen låg Maklea, byn som resan gällde. Folket hade redan sett honom, det förstod han av det ängsliga springandet som plötsligt bröt stillheten bland de sömniga husen. Det gjorde inget, kanske hann de få undan en del förbjudna nyttigheter. Men han kände deras gömställen.

Och hans egentliga ärende var mötet med Eran, sonen i ett av de äldsta husen och Överuppsyningsmannens hemliga vittne.

Hela vårt system skulle falla sönder om det inte fanns angivare, tänkte han. Med viss bitterhet för han tyckte inte om dem, överlöparna. De var svåra att samarbeta med, hala och rädda.

En pojke på tre-fyra år kom springande emot honom, lätt på foten som en ekorre. Han vinkade och ropade mot främlingen. Överuppsyningsmannen log, än fanns det barn som inte hade vett att vara rädda. När han satt av hörde han vad pojken sade, klart och redigt och utan felsägning:

"Eran har sprungit sin väg. Han bara sprang, till floden."

Mörkret hann falla innan Överuppsyningsmannen avslutat sina förhör med folket på platsen. Han gjorde det mest för att följa reglerna, han visste att byn skulle sluta sig om sina hemligheter.

Erans mor var den enda som grät. Var det av skam?

— Vem avslöjade honom?

Men hon skakade på huvudet och höll fast: det fanns inget att avslöja. Sonen hade givit sig av och ingen i byn förstod orsaken.

De ljög och han hade inget att sätta emot, ensam. I morgon skulle han återvända till huvudstaden för att hämta sina specialstyrkor till byn. Alla skulle inte orka med förhören, någon, några skulle tala.

Treåringens föräldrar? Troligen, om specialisterna tog hand om barnet.

Så han somnade lugnt i rummet på värdshuset, trött av dagen och resan. Hans drag slätades ut, om någon hade vågat se på honom där han låg på rygg hade det väckt förvåning. Han sov som ett barn och ansiktet var som ett barns, mjukt i konturerna, aldrig ristat av de erfarenheter livet ger.

Före gryningen vaknade han i den vanliga drömmen: han stod inför den store Gudens tron och alla hans gärningar på jorden skärskådades. Själv teg han som vanligt, han kände ingen skuld och behövde inte försvara sig.

Medan mörkret ännu låg tätt utmed sluttningen lämnade han byn, tyst, sedd av ingen. När gryningen bröt fram nere vid floden mindes han treåringen, pojken som sprungit emot honom i går. Nu kunde han inte längre hålla undan tankarna på sin egen son, fyraåringen som varken kunde springa eller tala, vinka eller skratta.

Kapitel 3

I början fanns bara skräcken...

En hade hon som visste, delade hemligheterna och rädslan, Kreli, den välsignade som varit i mors ställe för barnen i Harans hus trots att hon inte var mycket äldre än Milka. Och som glatt sig med flickan över kärleken till sångaren, Noas yngste son. Men nu hade Kreli ingen tröst att ge.

Hon var den som måste ställa de svåra frågorna.

I början var det den stumma frågan varje morgon när de möttes i köket för att tillreda frukosten. Och Milka svarade dag efter dag med en nästan omärklig skakning på huvudet.

Tills blödningen kom en natt och de två kvinnorna andades ut och för första gången på veckor kunde glädja sig åt dagen.

Men redan nästa dag stod de där med den andra frågan: Vad väntade Skuggan på?

De hade fått andrum, förstod de. Det var uppror i bergen, fick de veta.

I Sinear var allt hemligt, därför visste alla allt. Ingen sade mycket, aldrig så mycket att Skuggans folk kunde fatta misstankar. Men det fanns ord, ett här, ett där, lösryckta, ur många munnar. Och regler för hur de skulle fogas samman till meningar, bilder som flög från hus till hus. Med vinden, som vinden.

Uppror i bergen, en by som flytt.

Som flytt?

Ja, byborna hade försvunnit när Skuggan kom tillbaka med sitt folk.

Men vart?

Ingen visste, det talades om gränslandet.

Men där kan ingen leva?

Kanske, om man får hjälp.

Men Noa kan inte dölja en by, hur många?

Över femtio, med barnen.

Noas hustru?

Ja, Noas hustru.

Alla visste ju att hon hade märkliga gåvor, kvinnan som Noa funnit bland skogsfolket under kriget. Men en hel by?

Ryktena surrade som vilda bin in och ut ur husen i staden, upphetsade, hoppfulla.

Så en dag var han tillbaka, Skuggan med sitt folk.

Kallad för förhör till rådet, kanske rent av till den Galne.

Åh Gud, vad de gladde sig när deras ögon möttes och bekräftade att de var förenade nu i en gemensam tyst bön: Ge honom en grym död.

Milka bad den också, gång på gång genom sömnlösa nätter upprepade hon orden. I gryningen tänkte hon på Jafets mor, med förundran.

Kreli var lättad, fylld av hopp, även om hon inte trodde på ryktena att Skuggans makt var bruten. Hon menade att hon väl kände till hans sort och att de kalla brukade överleva. Men Skuggan hade ändå fått viktigare ting att tänka på än Milkas kärleksmöten.

Så en natt tågade soldaterna ut ur staden, i varje hus kunde man höra det taktfasta marscherandet. Mot söder, mot Kerais berg dit de själva brukade färdas varje vår för att lyssna till källorna och fågelsången.

Men det var länge sedan, i det nya riket fick ingen lämna sitt hem utan godkänd orsak.

Denna natt var det många i staden som bad för folket i bergsbyarna.

Nästa morgon gick han där på gatorna som han brukade, Skuggan. Och hans ögon föll på deras ansikten och sysslor och vad som för några dagar varit glädje och raskhet stelnade i den gamla rädslan, händerna blev tröga och fötterna långsamma.

Mot eftermiddagen dök han upp framför Harans butik, och juveleraren såg från sitt fönster hur Skuggan hejdade hans dotter med en gest.

Haran såg mannen tala, tala, utan att flickan sade ett ord. Hon krympte där hon stod, böjdes, nickade jakande. När hon äntligen skildes från Överuppsyningsmannen slog Harans hjärta så fort att han inte förmådde resa sig och gå henne till mötes, bara hans ögon kunde ställa frågan:

Vad ville Skuggan?

Men i verkstaden vågade ingen tala, så de gick till trädet på gården och Kreli var strax där, hon också.

— Han bad mig ta hand om sin son, sade Milka och alla tre såg i stor förvåning på varandra.

I staden kände alla historien om Skuggans hustru, hon som blivit galen av sorg sedan hennes föräldrar förts till svavelgruvorna, anklagade och förhörda av svärsonen. Vad brott de gjort sig skyldiga till var okänt. Och ointressant, det fanns så många brott att välja bland för den som ville göra sig av med folk.

Men Skuggans vackra hustru sysselsatte fantasin, hon som nu låg till sängs i det fina huset uppe på kullen och aldrig

21

log. Bara for ut i en ström av vanvettsord när Skuggan be-
sökte henne en kort stund varje kväll.

Det fanns ett barn, det visste man. Men ingen hade sett
pojken, som levde som en fånge i det stora huset, om-
händertagen av en gammal kvinna.

Somliga sade att den gamla var översteprästens hustru
och Skuggans mor. Men andra menade att modern dödats
tillsammans med sin man och att ingen av prästsläkt över-
levt, mer än Skuggan och Noa.

Nu hade Överuppsyningsmannen sagt till Milka att han
hört att hon hade god hand med barn och var en duktig
lärare för sina små bröder. Hans son behövde kunskap och
kamrater.

Barnet skulle lämnas i Harans hus varje morgon och häm-
tas på kvällen.

Kreli såg länge på Milka, i lättnad. Det kunde varit värre,
mycket värre.

Men när pojken kom nästa morgon, fick Kreli erkänna att
svårare uppgift kunde Milka knappast ha fått. Barnet som
bars av en tjänare kunde inte gå, inte tala. Värst var att han
inte för ett ögonblick såg en annan människa i ansiktet, nå-
got möte var inte möjligt. Milka visste att det funnits sådana
barn förr i Nord. Kreli kunde till och med minnas dem.
Men i det nya riket var de inte tillåtna, de togs om hand
och försvann. Dödades, sade Kreli som mindes ett syskon-
barn och sin systers förtvivlan när barnet togs ifrån henne.
Stod den förbannade Skuggan under annan lag, nej, tänkte
hon, det var ändå inte möjligt.

I nästa stund kände hon lättnad, en otillständig tillfreds-
ställelse. Skuggan hade bytt sin hemlighet mot Milkas, så
länge de höll tyst om barnet var de säkra.

Hon såg att Milka inte förstått, att flickan kämpade med
sin förvåning och sin motvilja där hon stod och höll pojk-

kroppen, som var tung och utan styrsel.

– Han är ju ändå en människa, viskade hon och Kreli som kände henne så väl insåg att hon ansträngde sig för att finna sitt medlidande.

– Om bara..., sade hon och Kreli såg på pojken och förstod igen. Om bara han inte varit så lik sin far. Men det var han, samma fyrkantiga, egendomligt oskyldiga ansikte, samma blå ögon där blicken fanns i ytan och inget bakom den kunde anas, samma bastanta kroppsbyggnad.

De lade barnet på en säng, stod där länge och såg på honom som om de hoppades på en förändring. Men inget hände, han låg där som en liten skugga, obegriplig som sin far, nej än mer obegriplig.

Plötsligt började han gnälla, bökade med huvudet mot kudden.

– Som en blind hundvalp, sade Kreli och det fanns avsky i hennes röst. Ändå hjälpte orden Milka, som alltid tyckt om hundar. Hon hade själv fött upp valpar när hon var barn och Sana levde, den gamla tiken som blev med ungar varje år till Harans förtvivlan och barnens förtjusning.

– Som en hundvalp, viskade Milka och tog upp pojken, lade honom med huvudet mot sin halsgrop igen och hörde honom sucka av lättnad.

Det var inte mycket till gensvar, men ändå.

Sakta började hon vagga barnet, fann ord och ton i en gammal vaggvisa. Pojken suckade igen och de båda kvinnorna nickade mot varandra. Kanske skulle det bli möjligt en dag, ett möte, ett svar.

Harans söner, tio och tolv år gamla, kom och såg med rädsla och avståndstagande på barnet.

– Hur gammal är han?
– Varför kan han inte leka?
– Varför tittar han inte på oss?

23

Kreli tog pojkarna avsides och försökte få dem att förstå det som inte gick att förklara. Men de var barn av sin tid och insåg snart att livet kunde hänga på om de var snälla mot inkräktaren och inte sade ett ord till någon.

Det blev en underlig tid i Harans hus, hemlighetsfulla och tunga dagar. Milka bar barnet i sin famn från morgon till kväll, sjöng alla visor hon kunde. Utom Jafets, hon hade inte tid med sorgen efter honom. Hon hade bara ett mål, att komma över sin motvilja och hitta sitt medlidande. För så mycket hade hon förstått redan första dagen att den lille svarade på hennes känsla, på den ynkliga ömhet hon kunnat känna när Kreli jämförde pojken med en hundvalp.

– Lilla valp, lilla valp, snart kan du skälla, sjöng hon och Haran fruktade för hennes förstånd. Bara Kreli förstod och hennes lugn spred sig till de andra i huset.

En dag när Milka bytte pojkens blöjor mötte han för första gången hennes blick, det klack till i henne, hon log. Pojken gjorde ett ynkligt försök att le tillbaka.

– Han gjorde det, Kreli, jag försäkrar dig, han försökte.

Hennes glädje var orimlig, det tyckte de alla. Men ingen sade emot henne, hon behövde sin tillförsikt.

Gudskelov somnade hon tidigt varje kväll, uttröttad av den tunga bördan. Hennes svåra stunder var mornarna, tidigt, före solen, vaknade hon och hatade Jafet, förbannade honom. Det var vår synd, tänkte hon. Men det är bara jag som får ta straffet.

Men sedan mindes hon att hon inte fick tänka på pojken som ett straff utan som en hundvalp.

Hon gick ofta ner i köket i gryningen, värmde vatten med honung i och drack i djupa klunkar. Någon gång gjorde Kreli henne sällskap och en morgon såg Milka att det fanns nya frågor i Krelis ögon:

Kommer Jafet tillbaka? Talade ni om framtiden? Gav han

inga löften?

En dag hade Milka ett svar:

– Han sade en gång att han var lätt och vek som sin båt, inte mycket att ha i dåligt väder.

Krelis ögon svartnade av ilska och Milka lämnade köket och kände att hon svikit och förrått.

När hon mötte Kreli nästa gång sade hon:

– Det var inte en fråga om hur och vem han var. Det var själva kärleken det gällde.

Kapitel 4

När våren stod full av dofter kom en man till Noa.

Sedan några dagar kände sig båtbyggaren rastlös. Det var en oro som rörde sig i hjärttrakten, sökte en form, en bild. Men huvudet svarade inte med en idé eller anvisning om handling och utväg.

Han hade talat med sin hustru om det och hon hade sagt att han måste vänta.

Det var en ovanlig man, främlingen. Han kom när Noa i skymningen gått norröver som han brukade och satt sig på klipphyllan där floden krökte.

Besökaren talade om floden som steg och genast visste Noa att det var detta som hans oro gällt.

– Men det kan en människa inte göra något åt, sade han.

– Nej. Främlingen nickade och Noa försökte se på honom, fånga hans ansiktsuttryck. Det var svårt, mannen hade satt sig i det röda ljuset från solnedgången och det gjorde hans konturer osäkra och ansiktsdragen flytande. Men det var en pålitlig och ärlig människa, så mycket kunde Noa förstå.

Då sade mannen något förbryllande:

– Gud, sade han, har tröttnat på människorna. Han tänker dränka dem i floden.

– Det kan du ändå inte tro, sade Noa bestämt. Och tröstande.

– Varför inte, frågade främlingen och Noa hörde att han var förvånad.

– Vi är ju Hans barn, sade Noa. Visst kan man tröttna på sina barn. Men inte dränker man dem.

Han kunde känna genom skymningen som föll att mannen blivit osäker, han tvekade. Till slut sade han:

– Man skulle kunna bygga en båt.

Noa såg häpen ut över sitt varv och tänkte att ett skepp av den storlek och styrka det här var fråga om skulle de aldrig orka med, han och hans folk. Men när han vände sig om för att säga det var mannen försvunnen.

– Som om han gått upp i rök, sade han senare när han berättade om mötet för sin hustru.

– Inte för mitt liv kan jag komma ihåg hur han såg ut, sade han.

– Han kommer tillbaka, sade hon. Han kommer snart tillbaka.

Noa frågade inte hur hon kunde veta, han visste att hon visste. Men han var förvånad över hennes allvar.

– Du får börja fundera över detta med båten, sade hon och i den stunden blev Noa rädd.

– Du kan inte mena allvar, sade han och hon log och medgav att hon kunde ha fel, att mannen kanske bara var en kringstrykare från Syd som Noa trott.

Sedan gick hon som hon brukade ut för att se på stjärnorna medan Noa bad sina böner vid det altare han byggt på boningshusets tak.

Kapitel 5

Hon var ovanligt lång, snedögd och rörde sig smidigt som ett djur. Några här i hennes nya land fann henne vacker, andra — och de var fler — tyckte att hon såg egendomlig ut.

Till det ovanliga med henne hörde att hon inte åldrades, att hon var mjuk i kroppen som en femtonåring och att åren inte givit henne några rynkor. Skrattgroparna i kinderna hade djupnat, det var sant och i starkt solsken kunde man se vecken i pannan.

De kom sig av den förvåning hon kände, av allt det grubbel som det nya landet och de okända sederna gav upphov till.

Här kallades hon Naema, ett namn som Noa givit henne och som betydde den fagra. Hennes riktiga namn, det hon burit bland sitt eget folk, hade blivit en hemlighet, ett ord bara för henne och honom i de nära stunderna.

Tapimana, kunde han viska i sängen om kvällarna och det hade kvar sin magi och tände hennes lust.

Nu gick Naema syd ut längs stranden, kände den mjuka sanden under fötterna, drog in de välbekanta dofterna av trä och jordbeck från varvet och såg människorna tända sina eldar i husen. Snart skulle hon nå byns utkant och fortsätta mot kullarna vid gränsen, känna flodvattnets lukt blandas med doften av timjan från hedarna. Där på det mjuka krönet av den högsta kullen skulle hon stanna för att ställa sina frågor till stjärnorna.

Och till månen, som var halv i kväll.

Hon borde ha upphört att förvåna sig, tänkte hon där hon gick, långsamt och med långa steg, ljudlösa som leopardens. Men när Noa berättat om mötet med budbäraren kände hon samma häpnad som förr och måste återigen besinna det hon borde ha lärt: att de bofasta aldrig kunde se det verkliga.

Hans Gud hade sänt honom en budbärare men Noa gjorde som alla andra här, ställde sina föreställningar mellan sig och den himlasände. Det skulle ta tid innan Noa förstod, det skulle bli svårt för honom. För det innebar att han måste offra den rimliga modellen, bilden som han byggt sitt liv på.

Hon skyndade på sina steg och insåg att brådskan berodde på vrede, på skam också. Hon skämdes för sin man och hans ljusa barnslighet när han svarat den utsände att Gud var en far som ville sina barns bästa.

Av alla orimligheter i detta land var detta den största och mest förvånande. Mest förledande, tänkte hon och måste stanna en stund för att andas och befria sig från upprördheten.

Det var tron på den enkle gode guden som gjorde att så många människor här förblev barn, tänkte hon. Som Noa, som var alltför god för att vara en sann människa.

Nu var hon framme vid kullens krön, satte sig på bänken han byggt här för hennes aftonbön, som han sade. Hennes blick förlorade sig bland de gnistrande stjärnorna och hennes tankar stillnade. Men det dröjde länge i kväll innan hon kunde höra stjärnornas sång och den halva månen drog henne obevekligt tillbaka mot jorden.

Och så kom de igen, de många tankarna om livet i den värld som Noa kallade civiliserad, ett samhälle där den som berättade om sina syner och drömmar betraktades som galen. Här fick ingen lära sig att ge akt på mörkrets bilder, nattens drömmar. Det var bristen på den kunskapen som gjorde dem sårbara, till lättfångade byten för de svarta krafterna.

Hon såg på månen och tänkte på deras kvinnor som ingenting visste om ansvaret för männen. Även här bar kvinnan sin mans själ på ryggen, närde den, lirkade den till rimlighet och måtta och skänkte den kraften som mannen måste ha för jakten, handlingen och uppgiften att bygga världen. Men ingen talade om det, det fanns ingen kunskap och ingen till hands som kunde ge råd eller varna för män som var kluvna och onda.

Och kvinnorna ärades inte för den stora uppgiften, tvärtom, här sågs de ofta med förakt, inget värda om de inte födde söner.

När hon mött Noa vid Titzikonas källor hade hon förstått att ödet valt henne för uppgiften att ansvara för hans själ. Men trots det och den stora kärleken mellan dem hade hon noga undersökt hans kvalitet hos Ormdrottningen, som kastat sina stenar i allt snävare cirklar för att få rätt bild. Noas ande hade visat sig vara lätt, den skulle inte tynga hennes dagar. Nej, svårigheten var av annat slag, hans själ var så luftig och ljus att den krävde ständig uppmärksamhet för att inte förloras.

Nu tänkte hon på sin man med ömhet. Som alla ljusa människor hade han en mörk skugga. Han såg det inte själv, vem ser på sin skugga? Hon visste ju att den dag han fick syn på den gällde det livet.

Noa stötte bort allt som var tungt och mörkt. Det var inte bra för honom, han djupnade inte med åren. Men det var inte hennes sak, endast det egna modet och de stora drömmarna kan förändra en människa.

Och det fanns fördelar. Som så många som var rädda för djupen var han en mycket praktisk människa. Han tjänade livet, det han själv kallade Gud, med sina händer och sitt goda förstånd.

Mörkret hade han förlagt till sina barn, som den gör som vägrar att bära sin del. Det gällde för övrigt inte bara sönerna. Som alla människor med lätt sinne omgav sig Noa med syndabockar.

Det var egentligen bara hon som var undantagen från uppdraget. Hon var indragen i hans ljus och han skulle ha blivit oerhört rädd om han vetat något om henne.

För ett ögonblick var hon orolig för vad den utsände skulle göra med Noa, om budbäraren förstod vad uppdraget skulle kosta mannen som guden valt.

Jag vet för lite om deras gud, tänkte hon.

Och i nästa stund: Det är kanske därför jag har så svårt att förstå dem.

De hade uppnått mycket, deras liv var bekvämare och bättre planerat. Det erkände hon, det var vad hon brukade säga Noa.

Men hon berättade aldrig sina tankar om vad framstegen, jordbruket, det långsiktiga tänkandet hade kostat.

De hade gjort sig urarva på många områden, de kunde inte läsa tankar, inte se nuet eller det förgångna sådant det varit och framtiden sådan den skulle bli. De hade lagt sin tyngdpunkt utanför sig själva och det gjorde att de levde i en hemlighetsfull värld. Hos hennes folk fanns inga hemligheter, inget dolt och dunkelt mellan de olika formerna av liv, trädens liv och stjärnornas, djurens och människornas, de dödas liv och de oföddas.

Ändå var de samma slags människor, det visste hon. För också här var de nyföddas hjärtan gamla och deras ögon fyllda av vishet.

Men snart, alldeles för snart, ställde föräldrarna in barnens ögon mot begränsningen.

Också hon begränsades, hon förlorade i seende och i förmåga att vandra i de stora drömmarna. Det berodde på hennes ensamhet, ingen hade hon funnit att dela kunskaperna med.

Månen gick i moln, även stjärnorna skymdes av dimman från floden. Men Naemas syn svek inte i mörkret, hon gick med säkra steg tillbaka till hemmet och tänkte på sina söner.

Som andra mödrar här oroade hon sig för sina barn. För Ham, förhandlaren, som skötte varvets affärer i Syd och var gift med Nin Dada, en flicka som Naema beundrade.

Inte för hennes skönhet även om den var påfallande, nej för den självklarhet med vilken flickan var innesluten i sig själv och trivdes inom de egna väggarna.

Också de hade tre söner, Kus, Misraim och Fut, och alla tre liknade sin mor, nöjda barn som hade lätt att förlåta sig själva och andra.

Ham bråddes på sin mor, liknade hennes folk till det yttre, lång, ljushyad och svarthårig. Snedögd, som så många av stjärnfolket. Han var en bra människa, en problemlösare. Men han jagade vind och plågades av tankarna på hämnden för mordet på Lamek.

Ham hade valt sin uppgift tidigt, hon kunde minnas hur han som barn hade oroat Noa med frågorna om farfadern, om hans liv men mest om hans fruktansvärda död.

Men mest ängslades hon för Sem, tänkaren. Redan som liten hade han fått dem att häpna med sin klokskap, sina snabba tankar och sina finurliga frågor. Också han hatade makten i norr och Naema trodde att hans brinnande längtan efter kunskaper hade sin rot i behovet att förstå det som hände där.

En gång hade han talat med henne om det: Jag måste begripa hur Gud kan tillåta det.

Naema hade blivit ledsen, frågan gjorde dem till främlingar för varandra. Men hon hade sig själv att skylla, hon hade inte givit sina äldsta söner del av sina tankar.

Endast Jafet hade fått veta.

Sem var ogift, han hade liten lust för kvinnor. Nu ägnade han sina dagar och nätter åt studier i sydfolkets stora tempel vid havet, där astronomerna iakttog himlen.

Räknade och mätte, tänkte Naema, inte utan förakt.

Jafet oroade hon sig inte för, det var Noas sak. Han ansåg att den yngste sonen var en drömmare utan ansvar, en pojke som vägrade att bli man. Han var det vackraste av hennes barn och hon såg nog att faderns missnöje med pojken var färgat av hans svartsjuka. Hon älskade Jafet, som hon älskade stjärnorna, och kunde inte se att det fanns något orätt i det.

Han var hennes bundsförvant, utan honom skulle hon förlora den kunskap som var hennes bördsrätt. Hon var trygg i vetskapen att han fann uttryck i sina sånger för den sorg som fadern inte erkände.

Ja, Jafet hade valt sorgen, den gav grundtonen åt hans liv. I den fanns ett erkännande av ondskan och de svarta djupen. Det gjorde honom starkare än någon av bröderna.

Också han var ogift, hon tillstod att det gladde henne. Någon gång skulle det komma en kvinna, han behövde en människa att dela sin sorg med. Var han nu skulle finna henne.

Nu log hon åt sina tankar, de hade dunkel botten.

Sedan några månader tillbaka var Jafet i Norra riket, till Noas oro. Fadern hade avrått men Naema fann pojkens längtan begriplig, han hade rätt att se och lära känna det folk som hans far kom från.

När hon gick uppför trappan till sitt hus gladde hon sig åt de många berättelser de hört på sistone om hur Jafets sånger sjöngs av folket i Nord och gav tröst i deras bedrövligheter.

Och när hon satte sig vid bordet och såg sin man tänkte hon att hon var orättvis, att också han kände sin mitt och fann kraft i den.

Kapitel 6

Noa och Naema var båda på väg in i sömnen när de hörde signalen från vakten i norr: Båt på väg mot varvet.

Det var inte ovanligt att det kom flyktingar längs floden om nätterna men få hade båtar. Oftast kröp folk på alla fyra genom snåren längs stranden, bara ibland hade de en flotte eller en enkel stock.

– Det är Jafet, sade Naema och glädjen fyllde hennes röst.

Också Noa blev glad även om han muttrade att pojken borde ha vett att komma i dagsljus. Men i samma stund begrep han vad den sena ankomsten betydde:

– Han är på flykt, sade han.

De klädde sig i hast och gick ner till storbryggan. Men deras glädje försvann så fort de såg Jafets ansikte, knutet och förtvivlat.

I köket där Naema gjorde upp eld och värmde mat fick de höra historien om Skuggan, om flickan och om kärleken som var större än himlen. Noa brusade upp:

– Menar du att du sov hos henne?

– Ja, vi måste, sade Jafet.

– Men förstår du inte vad du utsatte henne för, skrek Noa, ursinnig nu.

– Jag har haft tid att ångra mig.

– Efteråt ja, sade Noa. Nog har jag lärt dig vad som krävs av en hederlig man i förhållande till en flicka av god familj.

– Jag glömde det, sade sångaren och bröt Noas vrede när han fortsatte:

– Du måste förstå, far, det var som en helighet, ett mysterium.

Noa såg länge på sin son, orden hade rört vid hans eget minne av mysteriet.

Hans ögon sökte Naema och såg att hon också var där, vid en annan flod i ett annat land, där flickan från det främmande folket fört honom mot död och pånyttfödelse i ett famntag som förändrade livet.

– Nu behöver vi Guds hjälp, sade Noa och Jafet drog en suck av lättnad. För han visste att när fadern vände sig till Gud gällde det det praktiska, handlingen.

Gud gjorde Noa beslutsam och slug.

– Skuggan, sade Noa, äntligen har den satans mannen fått skott på oss.

– Harans dotter, sade han och stönade. Det är en bra karl, jag undrar hur han haft det där i helvetet sedan hustrun dött.

– Är flickans mor död? Det var Naema.

– Ja, hon dog... eller dödades, jag vet inte.

– Kan de hindra oss från att framföra ett hederligt giftermålsanbud?

– Nej, sade Noa. De kan till och med tacka ja, sända hit flickan och sedan öva utpressning på oss med Haran och hans söner som gisslan.

Det blev tyst en lång stund i köket

– Men ät din mat, Jafet, sade Naema och pojken försökte men förmådde inte. Då tog Noa fatet ifrån honom, tuggade, svalde.

– Öl, sade han och Naema gick efter kruset. De visste

36

av erfarenhet att det gick åt både mat och dryck när Noa tänkte. Och att ölet gav näring åt hans slughet.

När han tömt bägaren spred sig mycket riktigt ett leende över hans ansikte.

– Vi har en båt, sade han. En båt som Nordrikets kung beställt men aldrig vågat fråga efter. För han kan inte betala den. Om några dagar kommer Ham hem. Han får åta sig att fria för sin bror och byta Harans familj mot båten.

Nordrikets båt låg i skjulet längst bort på varvsområdet, ofärdig och föremål för många skämt bland Noas båtbyggare, ett skepp, halvdant som det mesta i grannlandet i norr.

– Vi kan ha den klar om några veckor om jag tar alla goda snickare till hjälp, sade Noa, klappade Jafet på axeln och gick.

– Sov, sade han i dörren. Vad som än händer behöver en människa sin sömn.

Det var långt efter midnatt när Noa gick till sängs. Han var oroligare än han ville kännas vid och vågade en fråga:

– Kommer min plan att lyckas?

– Jag är alldeles säker på det, svarade Naema och ögonblicket efteråt sov hon, tyst och djupt som hon brukade.

Noa drog en suck av lättnad, sträckte ut sig på bädden och slöt ögonen.

Men sömnen svek honom, det hade varit en lång dag full av innebörder. Hans tankar stannade vid den egendomlige främlingen och vad han sagt om floden.

Men han skulle komma tillbaka och förklara sig bättre, det hade Naema sagt. Så varför grubbla på honom.

Han retade sig en stund på allt vad Jafets flicka skulle kosta honom. Det var ett stort skepp, en fyrtioroddare, som den galne kungen i norr skulle få gratis.

Men för den tanken skämdes han, de skulle få en son-hustru och nya barnbarn.

Ändå. Det vill till att hon är vacker, tänkte Noa. Vacker och klok, duktig och snäll.

Sedan ändrade han sig. Det vill till att hon är stark, tänk-te han. Det är det enda riktigt viktiga, att hon har styrka att ge pojken, hans son som varit ett gåtfullt barn och blivit poet.

Noa hade aldrig förstått vad Naema menade när hon häv-dade att världen behövde sångare. Men han var stolt över Jafets rykte.

Själv begrep han sig inte på pojkens sånger och frågade sig varje gång han hörde dem varför de var så sorgsna. Nae-ma visste svaret, det trodde han nog. Men han ville inte frå-ga henne.

Efter en stund kom han att tänka på Haran. De hade va-rit vänner en gång, före revolutionen och kriget. Han var en hygglig människa och en skicklig smed. Kunde de skaffa honom guld och ädelstenar skulle det bli lätt att sälja hans ringar och armband i Syd, där folk var galna efter grannlåt och nya ting.

Vem vet, tänkte Noa, om några år kanske han kan betala båten.

Tanken gjorde honom så belåten att han rullade över på sidan och beslutsamt knep samman ögonen.

Men sömnen ville inte infinna sig och plötsligt visste han vad det var som berört honom så djupt att han hölls vaken. Det var detta Jafet sagt om mysteriet.

Och nu svepte minnena iväg med Noa.

Kapitel 7

Återigen stakade han sig uppströms skogsfloden, bifloden som Naemas folk kallade Titzikona. Bakom honom brann varvet.

Långt upp i skogsdunklet var himlen röd av elden som utplånade hans barndom och hans framtid.

Han orkade inte tänka på morbrodern och på de vänner han hade där inne i helvetet, vågade inte föreställa sig deras död. Envist stakade han sig uppåt, västerut, längre och längre bort från det ofattbara.

Själv var han bara en pojke, knappt arton år. Han hade ännu inte förstått att Gud höll sin hand över honom, alltid beredd att sätta honom i rätt fåra.

Det hade börjat redan i tidiga barnaår med gåvan han fått, förståndet som satt sig i händerna. Han var prästson, hans bana var utstakad, som sina bröder skulle han gå i faderns fotspår och bli tempeltjänare. Men hans håg stod aldrig till gudstjänsterna och riterna, till offren och förkunnelsen.

Han föddes att bli en praktisk man med lust för händernas verk och vindarnas lek i seglen över den stora flodbukten, där hans morbror hade byggt sitt varv.

Och också här ingrep Gud.

Morbrodern fick inga söner och prästen Lamek som hade

fem kunde knappast gå emot sin svåger, när denne bad att få uppfostra Noa och lära honom den svåra konsten att bygga skepp av vass och trä.

Skeppsbyggeriet var lönsamt, Noa hade ofta frågat sig om morbrodern betalat för systersonen.

När Nordrikets nye kung förklarade Guds död och lät mörda alla av prästsläkt hade Noa för länge sedan flyttat från prästhemmet till varvet. När kungen och hans överuppsyningsmän kom att tänka på att en av Lameks söner undgått dem var det för sent, då var kriget med Sydriket redan över dem. Kriget stod i gränslandet, just där varvet låg.

Än i denna dag fick Noa ont när han tänkte på kriget, tarmarna knöt sig. I månader hade det varat, böljat fram och tillbaka över gränsen och nu fick han anstränga sig för att inte höra skriken från de döende och känna stanken av blod och avföring.

I början hade båda sidor skonat varvet.

Men Sydriket hade köpt många skepp av Noas morbror och en natt mitt under brinnande krig hade en flotta smugit sig över gränsen, förbi varvet och upp mot Nords huvudstad, det stolta Sinear. Ombord fanns Syds soldater och i skydd av mörkret hade de bränt och härjat staden.

I gryningen samma morgon hade morbrodern väckt Noa och sänt honom med en av de tyngre båtarna över Titzikona in mot skogslandet.

— Skynda dig, vi behöver nytt timmer, hade han sagt till den yrvakne pojken som inte begrep brådskan men var tacksam för att komma undan för några dagar, slippa se och höra slakten som började på nytt varje dag efter soluppgången.

Mot kvällen lade Noa sin båt på svaj över Titzikona, med en lång repända runt ett träd och ett ankare mitt i flodbädden. Han var rädd för de vilda djuren som skulle komma i mörkret för att dricka, leoparden, lejonet, hyenan med sitt hemska skrik. Men hans oro var onödig, det kom inga djur denna natt när himlen flammade röd i öster.

Kunde jag sova? tänkte Noa. Mindes inte. Men han kom ihåg hur han grät över packningen som morbrodern lastat i båten, över de rökta fårbogarna och de stora bröden, över högarna av kläder och skor, över saltet, fiskredskapen och pilbågen som skulle hålla honom vid liv inne i skogslandet.

Sedan flöt dagar och nätter ihop för honom, i minnet så som de gjort i verkligheten. Det han mindes var känslorna, den oerhörda ensamheten och obeslutsamheten.

Vad skulle han ta sig till med sitt liv?

Han blev djärvare i skogen, vågade sig långa stycken in i den, lärde sig skjuta en del småvilt. Ibland, rätt ofta, hade han en känsla av att vara iakttagen, en gång trodde han sig höra ett skratt.

Då bad han till Gud om att slippa bli galen.

Han räknade inte dagarna men han trodde att det gått ett månvarv när han en morgon fattade sitt beslut. Han skulle återvända och bygga upp varvet igen.

Kriget kunde inte vara i evighet. Tiden här inne i skogslandet skulle han använda för att fälla timmer och lägga det till tork på stranden.

Så småningom skulle han bygga en vassbåt, en enkel farkost och så liten att den lätt kunde gömmas i skogen där Titzikona rann ut i bukten mitt för varvet.

En dag skulle han ta sig dit ner och försöka få en bild av vad som hänt, vem som segrat, hur villkoren för det nya varvet skulle bli.

Han hade fått ett bra urval av yxor med sig, slipredskap också, och hans sinne var lugnt den morgonen han hade beslutat sig. Så han valde sin yxa och gick mot den största och mest rakvuxna cedern en hundra alnar in från strand-kanten.

I samma stund han satte yxan mot trädet hörde han ett rop, ord, alldeles tydliga ord från en människa. Och sedan fick han syn på henne, flickan som dök upp ur intet och varnande höjde sina händer.

Noa hade aldrig anat att det kunde finnas en så vacker varelse på jorden. Hon rörde sig lätt som en antilop, håret blåste i vinden, så svart att det syntes mörkblått, ögonen spelade och när hon log fick hon djupa gropar under de höga kindbenen.

Skrattgropar.

Hennes hand var lätt som en fågelvinge när hon tog hans och förde honom till ett annat träd, nickade, det fick han ta. Det andra, det större: hon reste armarna mot himlen, i bön.

Allt var lätt att förstå, dagen skimrade, han kunde se det själv nu att den gamle bjässen var Guds träd och inte fick röras. Och han bugade för flickan och för trädet och belöna-des med ännu ett stort skratt.

Mitt i all sin förvåning var han som besatt av en enda tan-ke, han måste hålla henne kvar. Han bjöd henne till båten, lyfte henne ombord, tog fram bröd och fisken han fångat och rökt kvällen innan. Hon tackade, hon åt och hela tiden talade hennes händer i långa graciösa meningar.

Och plötsligt måste han berätta, om kriget, om varvet som brann, om morbrodern och hans omsorg. Han talade och talade och visste att hon inte förstod orden, men förstod ändå. Han skämdes för sin gråt, men slutade med det när han såg att också hon hade tårar i ögonen.

Mitt i alltsammans tänkte han på hennes hy, på att han aldrig sett något liknande, på att den var gyllene. Mycket ljus, med ett skimmer som av guld.

Han måste få stryka henne över kinden och till slut vågade han det, och hon skrattade igen. Och sedan skedde undret.

Utan blygsel klädde hon av sig den långa manteln, lade den på båtens botten och lade sig själv naken på den.

Den unge Noa hade aldrig ägt någon kvinna förut och han kunde inte ha blivit bättre omhändertagen. När han trängde in i henne visste han att han var på väg mot döden och att döden var storslagen och skön. Och när säden släppte hans lem föddes han på nytt, till ett annat och större liv.

Efteråt låg de länge och såg på varandra i förundran. Långt senare började de tala och ingenting gjorde det att ingen av dem förstod orden.

Hennes språk var vackert som hon själv, fyllt av sång och lustiga ljud.

Det var först när de reste sig från sin kärleksbädd som han såg att hon var längre än han, nästan huvudet högre. Då mindes han vad som berättats om dem, skogsfolket, att de var ättlingar till de långa änglarna som förälskat sig i människornas döttrar, avlat barn med dem och försvunnit.

Det var därför skogsfolket ägde märkliga gåvor, sades det.

Han blev ängslig, skulle hon vilja ha honom? Skulle hennes folk godta honom, hans enkla själ och handfasta sätt?

Långt senare samma dag sedan de ätit på nytt och badat i floden förde hon honom till platsen där skogsfolket slagit läger. Och där såg han det genast, att detta folk funnits längre på jorden än något annat.

Före Adam, tänkte han.

Och i nästa stund: De åt aldrig av den förbjudna frukten.

Han togs om hand som en ärad gäst och snart kunde han byta ord med dem. Inte många, han lärde sig aldrig förstå de insikter som låg lagrade i orden men blev skicklig att

43

begripa det som rörde det yttre, handlingen.

Åt frågan som plågat honom sedan den första dagen: skulle hon få gifta sig med honom? skrattade de. Han förstod att de visste att den var avgjord för länge sedan, av Gud själv.

Den stora kraften, som skogsfolket sade.

Noa var ljus till sinnes nu, stärkt av minnena. Han såg på sin hustru som sov vid hans sida och tackade Gud för henne.

Mitt under bönen somnade han.

Kapitel 8

Trots den korta sömnen kände sig Noa utvilad när han vaknade nästa morgon. Hans hustru väntade honom som vanligt i köket med hett te sötat med honung. Det var varm vår ute, hon hade dragit ifrån fönsterluckan och det milda gryningsljuset föll över hennes gestalt och fick det gyllene ansiktet att lysa.

— Du hade svårt att sova, sade hon.

— Jag hamnade i minnena.

— Var det goda minnen?

— De bästa jag har, sade Noa och log.

Han har redan glömt budbäraren, tänkte Naema där hon stod i fönstret och såg honom gå mot varvet, med bestämda steg som alltid när det gällde det praktiska och brådskande. Det är begripligt, tänkte hon, han måste få tid.

Hon plockade undan efter frukosten och avböjde frestelsen att gå till Jafets hus för att se på honom och få veta mer om flickan. Pojken sov troligen, trött som han var av oron.

Noa kallade samman sitt folk och meddelade att Nordrikets båt skulle färdigställas och att det var bråttom. Det väckte förvåning, en av männen vågade en fråga:

— Så de kan betala nu?

Noa undvek att svara, sade bara, att ni skall få er del av förtjänsten om vi kan få henne färdig inom två veckor.

Fyrtioroddaren låg sedan ett år uppdragen på land. Först gällde det att få henne i sjön, säkert läckte hon som ett såll. Men på något dygn skulle hon svälla sig tät, trodde Noa. Om inte fick man dreva bordläggningen ännu en gång. Det stora arbetet gällde inredningen, att lägga däck och durk, få in fästena för årorna och bygga tofter för roddarna. Sedan återstod det höjda akterdäcket och baldakinen under vilken Nordrikets kung skulle trona.

Den Galne.

Ingen nämnde honom vid namn, kungen i Nord. Namnet var farligt att ta i mun, förknippat med skräck och blod. De hade alla hört historierna om terrorn, tortyren i fängelse-hålorna under hans palats, om människor som försvann. Och om några få som kom tillbaka och kunde berätta om sinnrika metoder som kungen uppfunnit för att döda så långsamt att offren blev galna och bekände vad helst som krävdes av dem.

Ingen sade hans namn nu heller, men Noa såg motviljan i arbetslaget och själv fick han anstränga sig för att hålla bilden av beställaren ifrån sig. Som så många gånger förr tänkte han att det var en gåta hur Gud kunde låta den mannen leva.

Men det var inte heller någon bra tanke för den förde honom genast till den okände han mött kvällen innan och det han sagt, att Gud tröttnat på människorna.

På vägen hem tittade han in i Jafets hus, men pojken sov fortfarande. Noa stod en stund och såg på det unga och plågade ansiktet.

Han kände en stor ömhet.

När han lämnade Jafet såg han en man komma springande. Det var en av herdarna som vaktade fåren på sluttningarna mot muren som Nordriket byggt. Han kastade en blick mot vakttornet, men där hände inget ovanligt, Nords soldater gick som de brukade fram och tillbaka.

Naturligtvis hade de lagt märke till att Nords båt sjösattes, bud skulle gå till överuppsyningsmännen, till den Galne själv och ge anledning till många gissningar.

Tids nog får ni veta, tänkte Noa belåtet och blundade för att inte minnas Jafets flicka som befann sig i Skuggans händer. Vad var det hon hette, flickan? Milka, Gud hjälpe henne.

Nu hade herden hunnit upp honom och hans rapport var kort: Floden hade stigit en hel tum på denna enda natt.

— Fortsätter det så här får vi flytta verkstäderna och repslagarbanan, sade herden och Noa nickade. Men när mannen lämnat honom kände han hur trött han var.

Naema väntade honom med nykokt fisk och ett stort krus öl. Men hon såg snart att det var svårare än vanligt att trösta Noa som berättade om flodvattnet.

— Jag tänker på ditt folk, sade han. Är du inte orolig för dem?

— Jag tror nog att de vet.

— Om det finns något att veta, sade Noa och i nästa stund fick han en idé.

— Vi skulle kunna sända Jafet, sade han.

Han trodde att hon skulle protestera, men hon nickade, glad för tanken.

— Det är ett bra förslag, sade hon. Vi kan få... bekräftelse.

Bekräftelse, ordet lade sig tungt som sten över Noas sinne. Det var så hon såg det.

Efter middagsvilan talade de med Jafet, om budbäraren och vad han sagt, om floden som steg. Jafet hade också märkt det och förundrats.

— Uppe i Sinear är det strömt, sade han. Jag har aldrig

47

upplevt så kraftiga strömmar.

– Smältvatten?

– Jo, men så mycket. Det kyler hela staden och försenar våren.

Det var i denna stund som Noa blev rädd. Allvarligt och långsamt upprepade han orden: försenad vår.

– Guds straff över ett ont land.

Jafet nickade, Naema skakade på huvudet. Men ingen lade märke till henne i den långa tystnaden som följde.

– Du är säker på att hitta? frågade Noa till sist.

– Nog vet jag hur jag skall finna mors folk, svarade Jafet och Noa insåg att han kunde lita på orden. Jafet var den av sönerna som vistats mest hos skogsfolket. Varje sommar sedan han var liten hade han besökt dem tillsammans med sin mor och på senare år hade han allt oftare stannat kvar ensam till långt fram på hösten.

Det är hos dem han har lärt sig sina sånger, tänkte Noa och mindes att Naemas folk levde i sin diktning, i berättelserna, sångerna och dansen.

– Gå då och packa, sade han. Ta din egen båt, den är lätt att ro motströms och tillräckligt stor.

Jafet nickade och Noa fortsatte:

– Ge dig inte av förrän i natt, jag vill helst att ingen ser dig från tornet. Dessutom, ja, i kväll skall jag ha ännu ett samtal med... främlingen.

Efteråt gick Noa till sin ritverkstad, tog ett kolstift och drog en linje på väggen, en väldig linje, djärvt rundad. Men sedan lade han undan stiftet och tänkte: En sådan bottenstock får vi aldrig tag i.

Vid kvällsmålet blev det inte mycket talat om floden, de hade besök av en köpman från Sydriket, en man som var lika obegripligt rik som han var tjock. Han ville beställa ett skepp, inte för hederlig handel över haven utan ett lust-skepp att skryta med på redden utanför sitt palats.

Naema satt till bords, tyst övervakade hon att gästen fick mer än sin beskärda del av måltiden. Hon var vacker i sin midnattsblå mantel av sammet och med de tunga länkarna runt handleder och hals. Guld som förhöjde glansen i hennes hy.

Någon gång ställde hon en fråga, och det hände att hon log mot sin gäst. Men för en gångs skull visste Noa vad hans hustru tänkte. Hon tog avstånd från grannlandet med hela sin varelse. Han mindes vad hon sagt om Syd, om folket där som tog livet med ett flin, aldrig såg allvaret och trodde att handlingar, ord och möten inte betydde något.

Också Jafet var plågad.

Gästen ville tala om Nordriket som alltid tycktes sysselsätta sydlänningarnas fantasi. När hans frågor föll platt drog han säkert slutsatsen att Noa hade spioner bland sitt husfolk.

Noa själv övervägde, han hade inte tid med denna beställning. Men han behövde förtjänsten, Gud borde veta hur väl han behövde den.

När gästen gått sade han det till Naema, jag vill inte bygga en skrytbåt, sade han, men jag måste få kapital. Då skrattade hon åt honom.

– Om Gud beställer en båt kommer han att förse dig med allt som behövs för den.

Underligt nog kände Noa sig inte tröstad.

Köpmannen hade gått med Jafet för att se på muren, det ville alla från Syd som besökte varvet. Noa kunde se honom stå där med Jafet och glo på murverket och tornet där soldaterna gick vakt.

Idiot, muttrade Noa, som hade bråttom, måste till mötet med budbäraren. Nu såg han Jafet följa köpmannen till hans båt och äntligen kunde han börja vandringen upp mot klippan där han mött mannen första gången. För ett ögonblick hoppades han att den okände inte skulle finnas där, att det bara varit en strykare från Syd.

Ändå blev han inte förvånad när han såg att mannen väntade på honom som om de avtalat tid. Den här gången ansträngde han sig inte för att iaktta besökaren och lägga hans drag på minnet.

De började sitt samtal som om det aldrig avbrutits.

– Du säger att Gud är trött på människorna, sade Noa.

Mannen nickade.

– Men då måste Gud ha gjort ett misstag när han skapade dem?

Det blev tyst en god stund innan budbäraren hade svaret färdigt.

– Jag har kommit att tro det när jag vandrat i länderna här nere. Han skulle inte ha givit dem egen vilja.

– Så du har varit här länge?

Återigen blev det en lång tystnad och när mannen svarade var det ingen tvekan om att han var generad:

– Jag fick ju en skepnad för att framföra budskapet och jag... använde den kanske lite... mer än nödvändigt.

– Du var nyfiken?

– Ja. Och ju mer jag såg desto mer fick jag att grubbla över, sade mannen. När jag besökte horhusen i Syd och kungen i Nord började jag rentav fundera på om Gud hade med människans värld att göra.

– Hur menar du, sade Noa djupt skakad.

– Det verkar ju som om människan skapade sig själv, omskapade sig i egen riktning och med egna ändamål.

– Och därför har Han beslutat att sända oss straffet.

– Nej, nej, inte straff. Men ni plågar Honom ständigt med era böner. Ni lider och Han kan inte hjälpa er, ni ber om befrielse och Han kan inte ge er den. De sjuka, de fängslade, de förtvivlade, alla skriker de sina plågor till Honom. Och Han kan ingenting göra.

– Men Han är ju allsmäktig?

– Bara i förhållande till dem som kan överlämna sig. Men det är så få här i era länder som kan det.

Noa tänkte på Naemas folk och förstod.

– Gud har försökt att nå er via de stora djuren på djupen, fortsatte mannen. De har del av Hans visdom. Men ni lyssnar inte längre till djupen, det är som om ni glömt att de finns.

Noa begrep inte, men förstod ändå.

Nu varade tystnaden så länge att skymningen hann gå över i natt. Noa kunde inte längre avgöra om mannen fanns kvar. Ändå försökte han säga som det var:

– Jag behöver tid.

– Tid? Rösten var fylld av förvåning och Noa kände att han höll på att bli arg.

– Men herregud, sade han. Nog måste du begripa att man inte bygger ett skepp av sådan storlek i en handvändning.

– Jag skall framföra det, sade mannen och sedan plånades han ut av natten.

Med tunga steg gick Noa till bryggan där Jafet höll på att lasta sin båt. Naema var där för att säga farväl, fortfarande klädd i sammetsmanteln.

Kort redogjorde Noa för samtalet. Jafet såg inte förvånad ut men sade:

– Du måste pressa honom på villkoren. Begär fyra år och att få veta mer om vilket slags skepp som behövs.

Noa nickade och Jafets båt lade ut. De två stod kvar på bryggan och såg den försvinna i natten.

– Jag har alltid ansett att Gud var allsmäktig, sade Noa. Du tror inte att den här mannen är utsänd från Satan själv, att han är en fallen ängel som driver gäck med oss.

– Jag tror ingenting ännu, sade Naema, osäker och trevande. Vi får vänta tills Jafet är tillbaka med bud från Ormdrottningen och andra långtseende.

Kapitel 9

Ham vaknade hos Nin Dada, trött som alltid efter en natt hos hustrun. I rummet utanför hörde han henne skratta tillsammans med pojkarna.

De hade roligt, så vitt han förstod hade de alltid roligt tillsammans.

Solen stod ännu lågt över det vita huset vid floden i Sydriket.

"Och ankan gick till dammen och dök som hon brukade efter mat. När hon kom upp igen stod leoparden på stranden och slickade sig om munnen..."

En ung mor berättar sagor för sina barn, allt är som det skall vara och Ham tänkte som han brukade: Det är mig det är fel på.

Nu kom det igen, skrattet, hejdlöst och muntert. Ankan hade lurat det stora kattdjuret, allt var åter gott och väl i djurens värld och i barnkammaren.

Varför stod han inte ut?

Nin Dada försökte hejda dem: tyst, tyst, pappa sover.

Men pojkarna lyssnade inte och som hon brukade gav hon snart upp och skrattade med.

Hon är själv ett barn, tänkte han och visste att det var därför han valt henne. Han mindes hur han tänkt, att hon ägde barnets förmåga att se på allt med förvåning. Därför skulle hon förnya världen för honom som fötts gammal och allvarlig.

En stund senare stod hon i dörren till sovrummet, lade huvudet på sned och sade:

— Förlåt om vi väckte dig.

— Jag var redan vaken.

Han visste vad det snedställda huvudet och den fladdrande blicken betydde. Hon var rädd som alltid när hon trodde att han skulle göra anspråk på det hon kallade hans äktenskapliga rättighet.

Häftigt svalde han om orden som ville ur honom, steg upp och gick ut i trädgården med manteln kastad över axlarna.

— Jag tar en simtur, ropade han och undvek att vända sig om, se på henne. Det räckte med rösten som avslöjade hennes glädje när hon ropade:

— Var försiktig.

Hon får mig att känna mig som en våldtäktsman.

Han simmade något hundratal alnar ut mot flodens mittfåra och kände med förvåning hur strömt det var. Och kallt.

Vid frukostbordet sade han att han måste resa, redan i dag, hem till varvet där Noa väntade honom.

När han såg hennes lättnad sade han elakt:

— Jag hoppas att du och pojkarna följer med?

Men han ångrade sig, han ville inte skrämma henne och inte höra hennes lögner:

Det var Misraim som hade en förkylning och Fut som hade ont för tänder. Och så hennes mor som var sjukare än vanligt och inte kunde överges.

Då stod han inte ut längre, han sade:

— Du kränker både dig och mig när du ljuger. Varför säger du inte som det är, att du är rädd för mig?

Hon blev blodröd om kinderna men när rodnaden vek

54

rätade hon på ryggen, mötte hans blick och samlade sig:

– Nog är jag rädd för dig som kommer som en främling när det passar dig, tittar på oss och dömer. Och ännu räddare är jag för Naema.

Han blev sittande tyst med blicken fäst på henne, förvånad. Hon brukade aldrig förvåna honom, som alla barn var hon förutsägbar.

– Så vuxen och klok du är har du aldrig förstått att jag hatar din mor, sade hon och rösten var hård och fast.

– Nej, sade han. Varför?

– Hon är en övermänniska som du, men värre. En sådan som ser rakt igenom en och finner att man ingenting är värd.

– Du har fel, sade han men hann inte längre innan hon avbröt:

– Det är klart att jag har fel, jag har alltid fel och du vet alltid bättre. Men jag är rädd för henne, och det är sant hur fel det än kan tyckas dig.

Han insåg att det var rimligt, det hon sade.

– Jag menar bara, sade han till slut, att min mor inte är någon övermänniska och att hon inte dömer folk. Det skulle inte förvåna mig om hon också är lite rädd... för dig. Och föraktar gör hon aldrig.

– Som du då, sade Nin Dada hånfullt.

– Ja, sade han enkelt.

– Nu ljuger du, Ham. Jag är barnslig men det är inget fel på min hörsel och syn och jag kan tänka och känna.

– Och vad är det du känner?

– Ditt förakt, sade hon. Som dina tankar i morse, när du låg kvar i sängen och hörde på mig och barnen. Jag ljuger som alla som är rädda och föraktade. Det är dumt men jag urskuldar mig inte, det är... som en gammal dålig vana.

Nu börjar hon gråta, tänkte Ham, men det gjorde hon inte. Hon satt kvar vid bordet, rak i ryggen och mycket blek.

– Jag har haft tid att tänka, sade hon.
– Och vad har du tänkt?
– Att du och jag är oförenliga, att jag inte kan göra något åt det och att all makt är i dina händer. Du kan lätt låta skilja dig och ta barnen ifrån mig. De är ju inte ens medborgare här i mitt land, Noas sonsöner.

Ham betraktade med förvåning denna nya människa som han aldrig sett.

– Jag hoppas du tror mig på mitt ord när jag säger att jag aldrig tänkt på skilsmässa och aldrig kommer att göra det heller, sade han.

Nu grät hon, av lättnad?

– Du har aldrig tänkt på att det är orätt mot barnen att de inte får lära känna sin fars land och hans släkt, sade Ham och hörde själv att rösten var spänd av ansträngningen att hålla tillbaka ilskan.

– Pojkarna har det bra här, sade hon.

– Jo, både de och du har det bra tack vare Noas arbete med båtarna.

Nin Dada grät nu så att hon inte längre var talbar och Ham gick från bordet för att packa och göra klar båten. När de skildes en timma senare sade han:

– Jag skulle önska att du kunde se rimligheten i mina krav.

– Jag tycker så mycket om Noa, sade hon.

Han log, nu var flickan som vägrade bli vuxen tillbaka och hon var uthärdligare. Men så lyfte hon blicken, mötte hans och sade:

– Jag skall tänka på vad du sagt.

Det var motvind och strömt när han lade ut från bryggan, det skulle bli en tröttsam resa. Som vanligt stod hon och pojkarna på terrassen och vinkade. Hon håller skenet uppe,

56

tänkte han, om en timma har hon fyllt huset med sina väninnor.

Men han visste att han var orättvis.

Han satte ett segel och drev raskt över floden utan att vinna i höjd. Det måste bli rodd men manövern hade fört honom ur synhåll. Det var skönt, han drog ett djupt andetag.

Fri igen. Och ensam.

I skymningen tog han nattläger på skogssidan, långt borta från hus och folk. Han gjorde upp eld, värmde sin mat och beslöt sig för att sova i båten. För att slippa hålla eldvakt.

Innan han somnade såg han länge på stjärnorna och tänkte på sin mors folk, de som var hemmahörande på jorden och med varandra. Vi har förlorat något oersättligt, tänkte han och och sökte ord för det.

Samband, själva sambandet.

När han var barn hade han trott att han skulle kunna röra sig fritt från Noas värld till skogsfolkets. Men mest hade det blivit varvet och det praktiska. Han hade lärt det logiska sättet att se och tänka, i orsaker och följder, den ena ansträngningen lagd till den andra tills målet var nått.

Han kunde ännu känna den bittra besvikelsen när han för sista gången kom tillbaka till jägarna och insåg att han var en främling på besök och att deras värld inte gick att infoga i hans verklighet. Den hade försvunnit för honom, låg bortom den horisont som Noa dragit upp.

Han var bara tolv år och kunde inte uttrycka sin sorg. Den fann utlopp i ilska som han vände mot dem, mot morfadern och sångarna, dansarna och jägarna.

De blev inte ens sårade.

Hemma igen vände han sin fientlighet mot modern. Hon kunde ha hållit vägen öppen för honom — del i skatten var

57

ändå hans bördsrätt. Han var arg på henne ännu, kände han, och stod på sig: Du svek mig, Naema.

Men kanske hade han fel, kanske kan ingen leva i två världar. Det var väl det Jafet visste, det var nog därför han var sorgsen.

Jafet var den ende av bröderna som kunde tänka och se som skogsfolket, bortom verkligheten, in i en värld där allt har en historia att berätta.

Han brukade tala om det stora livet och Ham visste att det fanns. Men hans seende och hans kärlek hade krympt.

Jag skall tala med mor om Nin Dada, beslöt han. Men hans sista tanke innan han somnade gällde Jafet:

Släpp inte in verkligheten, lillebror.

Kapitel 10

I solnedgången nästa dag nådde Ham varvet.

Naema hade känt hans närvaro redan under eftermiddagen och hållit ett öga på floden. Nu stod hon på bryggan för att ta emot honom.

Han lyfte handen till hälsning innan han rundade bryggan och med ett enda väl avpassat årtag nådde landningsplatsen.

Det var en vacker manöver som allt Ham gjorde.

Han kunde ha blivit en stor jägare, tänkte hon. Till kropp och rörelse var han en son av hennes folk.

Men hon visste ju att hans huvud var fyllt av frågor och hans ögon av oro. När han steg i land kunde hon se att de bittra vinklarna vid mungiporna djupnat.

— Du har haft svåra drömmar i natt, sade hon när hon strök honom över kinden.

Men Ham skrattade åt henne:

— Du vet ju, mor, att jag aldrig drömmer. Men jag hade onda tankar i går kväll, innan jag somnade.

— Tankarna lever bara i ytan, sade Naema trött av sina egna upprepningar. Ändå fortsatte hon:

— Visst drömmer du och vet att det är i sömnen den ursprungliga människan vaknar och ger oss tecken.

— Jag minns vad du brukar säga, mor. Men det hjälper mig inte att minnas nattens bilder.

Hon kunde se det mycket tydligt nu, att han var rasande och full av förebråelser mot henne. Det gjorde ont, men hon värjde sig inte, kanske det kunde finnas en öppning i hans vrede.

– Du är arg på mig, sade hon. Vill du säga mig varför?

Plötsligt kom han att tänka på Nin Dada och vad hon sagt om sin svärmor. Det var sant, Naema såg rätt igenom en.

– Det är mycket, mor, bland annat detta att du ser allt men inte har minsta respekt för andras oberoende, för deras hemligheter.

Han hade aldrig förr talat så till henne och i nästa stund blev han rädd.

– Förlåt mig.

– Det finns inget att förlåta mer än att du ljuger, sade hon. Det är klart att min frispråkighet är irriterande, men det är inte detta det gäller.

Då sade han det:

– Mina ytliga tankar i går kväll gällde faktiskt dig, att du lurat mig på kunskaper och samband som jag har arvs- rätt till.

Hon var lite blekare än vanligt men rösten var alldeles fast när hon gav honom rätt:

– Jag har tänkt mycket på det, på den orätten. Det är bra att du också har sett det.

De hann inte längre för nu kom Noa springande och tog sin långe son i famn, glad som alltid att se honom.

– Det var bra att du kom, sade han. Vi har mycket att tala om.

Ham blev också glad, lättad att komma ifrån samtalet. Som alltid kände han sig hemma med sin far, trygg och stolt som den som motsvarar förväntningarna.

Naema såg dem dunka varandra i ryggen och log. När hon

gick in för att förbereda välkomstmiddagen mötte hennes ögon Hams och han kunde läsa budskapet:

"Jag hade kanske inte så stora möjligheter."

Ham hann tänka många tankar när han gick efter Noa upp mot varvet. För första gången insåg han att han valt själv och att Naema inte velat klyva barnet. Som hon gjort med Jafet, tänkte han, brodern som Noa på tyst överenskommelse lämnade till henne.

Men sedan blev han stående i häpnad:

— Har du sjösatt Nordrikets båt!

— Hon är snart färdig.

— Men de kan inte betala, sade Ham som genom sina förbindelser i Sydriket visste att Nords ekonomi var sämre än nånsin.

— Det är en lång historia, sade Noa. Den började i Sinear för åtskilliga veckor sedan och det kommer att bli du som får reda upp den.

Ham kände hjärtat slå av spänning men Noa teg tills de kommit in i ritverkstaden och stängt dörren om sig. Där fick Ham höra hela den långa berättelsen om Jafets kärlek, Skuggans upptäckt och Noas plan.

Som alltid när handling krävdes blev Ham lugn och lycklig. Nu skulle hans skicklighet och mod prövas. Dessutom skulle han äntligen få se sin fars hemstad, kanske rentav möta Skuggan, den djävul som hemsökt hans sinne sedan han var liten.

Men Noa sade:

— Skuggan är gudskelov upptagen av ett uppror i bergen så honom slipper du. Du får börja hos den Galne, det är ändå han som beställt båten.

— Men flickan?

— Vad är det med henne?

— Jag måste ju veta om hon vill ha Jafet.

61

Tanken var helt ny för Noa och så häpnadsväckande att han måste skratta. Sedan insåg han att det kunde finnas en sanning i Hams påpekande, ryckte på axlarna och sade:

– Det är inte det det gäller i första hand. Får vi bara hit henne och hennes familj skall hon ha all rätt i världen att tacka nej till Jafet. Den stora frågan nu är vad den satans Skuggan hunnit göra henne under de här veckorna.

Plötsligt blev Ham het av rädsla och kall av beslutsamhet.

– Jag far i morgon i gryningen, sade han.

Vid middagen utvecklade Noa sin plan. Han hade gjort klar en tioroddare, "spökat ut henne så grant att hon skulle göra intryck och skapa respekt". De tio roddarna var redan utvalda, folk han kunde lita på. Männen hade nya kläder, som uniformer, sade Noa. Att Ham klädde sig så att han såg ut som en kungason, räknade Noa som en självklarhet.

– Du är ju alltid elegant.

Ham vidhöll att han måste söka upp Haran och hans dotter innan han begärde audiens hos kungen, Noa knorrade, till slut fann de en medelväg. Ham skulle först gå till palatset och begära en tid för sitt besök, sedan till juveleraren. Där skulle han beställa ett smycke till sin hustru och under samtalets gång ta reda på vad Haran visste och vad flickan ville.

– Jag är orolig för henne, sade Noa.

Båda såg avvaktande på Naema, men hon skakade på huvudet:

– Jag kan inget veta om en okänd, sade hon.

Ham var förvånad över att Jafet sänts till skogsfolket men varken Noa eller Naema sade något om hans uppdrag. De bytte en blick med varann och teg om budbäraren.

Tids nog skulle Ham få veta.

De bröt bordet tidigt, Naema gick till sin utsiktsplats men

Noa stannade hemma.

Han vet att jag inte har tid i kväll, tänkte han.

Ham vaknade som han bestämt en dryg timma före gryningen, satt i sängen och slipade sin plan, vad han skulle säga om kungen skärpte kraven, om han hotade, om han inte var talbar. Det sades ju att han var galen.

Han fann repliker för alla tänkbara situationer. Utom en enda: vad gjorde han om flickan sade nej?

När Noa kom och hämtade honom ställde han frågan och Noa skakade på huvudet:

— Du gör dig onödiga bekymmer. Ingen människa i Nordriket säger nej till en möjlighet att slippa ut ur helvetet.

— Men Haran kan ju vara en av de sista som är solidariska med systemet.

— Inte, sade Noa. Jag kände Haran som ung, han är en hederlig människa.

Men Noa var inte så säker som han lät och Ham uppfattade det.

I det gyllene soluppgångsljuset lade tioroddaren ut och Noa ropade:

— Gör dig inga onödiga bekymmer.

Till Naema sade han:

— Det är ett farligt uppdrag men du har ju sagt att det skall gå bra.

Naema nickade men också hon var mindre säker än hon brukade.

Nu höjde roddarna sina åror mot himlen i en avskedshälsning och Ham vinkade från sin plats vid styråran.

— Herregud, så grann han är, sade Noa.

— Inte bara han, sade Naema. Du kan vara mycket stolt över din båt.

Kapitel 11

Haran hade väckts tidigt denna dag, av Kreli som hade verkat underligt upphetsad. Eftersom han var van att lita på hennes lugn och förnuft hade han lytt utan invändningar när hon sagt åt honom att stiga upp, klä på sig och möta henne i köket.

Guldsmeden var en medelålders man men såg äldre ut. Det fanns stunder då han tänkte på de gångna åren som olevt liv.

Men det fanns fördelar, brukade han tänka. Den stora sorgen hade försvunnit tillsammans med glädjen och hans oro var lika dämpad som hans förväntningar.

Så hade det åtminstone varit fram till den dagen han såg Skuggan tala med Milka på gatan utanför butiken. Då hade hjärtat nästan stannat i bröstet, av skräck. Nu var han försvarslös mot sin förtvivlan.

Så vitt han förstod fanns ingen räddning för Milka, för varje dag som gick fördes hon allt längre ut i förvirringen. Hans dotter hade dömts att älska ett missfoster och det skulle kosta henne förståndet. Varje dag var ett helvete. Han kunde vänja sig vid odjurets skrik men aldrig vid dotterns joller: Så, så ja, lilla valp.

Och så de egendomliga sångerna hon sjöng.

Nu drack han sitt te och åt sitt bröd i köket med Kreli

tätt intill sig på pallen. Ett slag tänkte han att nu har också hon blivit galen. I långa viskningar fick han höra att Noas son, den vackre sångaren, förälskat sig i Milka. Det hade hänt här i Sinear tidigt i våras och flickan hade varit yr av glädje och kärlek, sade Kreli.

Tidigt på morgonen hade Kreli gått ut som hon brukade med husets två tjänsteflickor för att hämta vatten i brunnen på torget. Och där hade det flugit ett rykte, från mun till mun. Ett skepp var på väg uppför floden, det vackraste skepp man sett i Nord. Det förde Noas gröna flagg och var av allt att döma på väg mot Sinear. Vid styråran stod Noas andre son, den långe Ham som ansågs vara så lik sin mor.

– Förstår du vad... det kan innebära?

Haran skakade på huvudet, han var ännu kvar i förvåningen över Milkas kärlekshistoria.

– Tänk om Ham är på väg för att fria för sin brors räkning.

Då blev Haran arg:

– Kreli, du brukar inte tappa vettet. Om Ham är på väg hit är det för att förhandla om fyrtioroddaren som den Galne har beställt.

Han tyckte nästan synd om henne, när han såg hur glädjen rann av henne.

– Men han var så förälskad, sade hon.

– Jafet är bara en pojke, Kreli. Dessutom är han poet, en diktare som behöver förälskelser för sina sångers skull. Kanske hade han många flickor i Sinear och du kan vara säker på att han glömt dem alla.

– Jag hade en sådan stark känsla av att det var allvar.

– Träffade du honom?

– Nej, jag såg honom bara på avstånd.

Tröttheten hade ökat i hennes kropp, kände hon när hon reste sig för att ta itu med dagens sysslor. Och det var på

samma sätt med Haran, han nästan släpade sig mot verksta-
den.

En knapp timma senare kom bärstolen med missfostret
och Haran hörde återigen de förvirrade sångerna från över-
våningen. Han tänkte just lägga ner sitt arbete och sätta
händerna för öronen när hans båda söner kom rusande.

— Far, far, en av Noas tioroddare är på väg mot kajen
här nedanför. Den är så vacker, kom med far, kom med och
titta.

Men Haran skakade på huvudet.

Från sin plats i smidesverkstaden kunde han höra upp-
hetsningen i staden, viskningarna, ett och annat rop av för-
våning och förväntan. Hans grannfru slog upp dörren:

— Kom med och se, Haran. Aldrig har jag skådat en stått-
ligare syn.

Men Haran avböjde.

Så blev det tyst, så tyst som det aldrig varit förr i Sinear.
Staden höll andan för att inte gå miste om ett ord när Ham
talade med soldaterna där nere på kajen. Nu var en över-
uppsyningsman på väg ner, viskades det, inte Skuggan, nej,
han var guskelov kvar i byn som gjort uppror.

— Gå ni och titta, sade Haran till sina två lärlingar vid
städet och pojkarna försvann, Haran var ensam, det var tyst
ännu, till och med Milkas hemska sång hade tystnat.

Vidundret sover, hon får lite ro, tänkte han.

Så slogs dörren till verkstaden upp med ett brak och där
stod Kreli och hennes ögon var vilda av upphetsning.

— Noas son begär tillstånd att få besöka din butik.

Haran rörde sig inte ur fläcken.

— Fattar du inte, skrek Kreli.

Jag gör nog inte det, tänkte Haran, men högt sade han:

— Han skall väl köpa smycken till sin hustru.

Kreli stillnade och erkände:

66

– Det är vad han säger, men jag tror...

– Jag vet vad du tror, sade Haran. Är detta hans enda ärende?

Hon sjönk ihop när hon svarade:

– Nej, han har begärt förhandling hos den Galne. Om skeppet, som du sade. Men det hindrar inte, jag tror i alla fall...

– Jag vet vad du tror, sade Haran igen. Men Kreli, det gör ont när man blir besviken.

– Har du inget hopp kvar i kroppen, viskade hon.

– Nej, jag tror inte det.

Men när hon lämnat honom kände han att det inte längre var sant, att hans hjärta slog snabba slag och att hans huvud plötsligt fylldes av orimliga tankar.

Efter en stund gick han efter Kreli och det fanns fasthet i hans röst när han sade:

– Gör i ordning ett bad till Milka, se till att hon blir ren och kammad. Och skicka hit pigorna, de skall hjälpa mig att städa i butiken.

Kapitel 12

I hela sitt liv hade Ham gjort sig föreställningar om Nordriket och Sinear. I hans fantasier var det ett land av starka motsättningar och grälla färger. Svart som ondskan, rött som blodet och gyllene som den galne kungens palats.

Ett farligt land men också en plats där motsatserna gjorde livet storslaget och enkelt, där fienden var urskiljbar och hatet och kärleken ställde en på rätt plats i kampen.

Nu fick han lära att landet var utan färg, enahanda, tröstlöst, grått som om tiden fastnat i leran och ingen rörelse och inget hopp fanns.

Sinear hade växt. I ändlöst gytter kröp de hoprafsade husen längs floden. Han kunde skymta människorna, de rörde sig långsamt, också de var grå med uppsvällda magar och ögon som brann som av feber.

— De svälter, sade en av Hams roddare.

Ham hade ofta deltagit i samtalen i Syd, där man med tillfredsställelse talade om grannlandets usla ekonomi och vad man kunde göra för att ytterligare försvaga den. Detta var alltså vad man åstadkom, vad det innebar. Ham skämdes som en hund: inte en tanke hade han ägnat åt svälten, åt de vanliga människorna, åt barnen.

— Herregud, sade han.

Alldeles som Noa beräknat väckte de stor uppmärksamhet, särskilt sedan de passerat stadsmuren där folk samlades i hopar längs kajerna. Tysta och med runda ögon stirrade människorna på det vackra skeppet och Ham önskade att de valt en anspråkslösare båt, varit färre ombord och inte så välklädda och välnärda.

– Gode Gud, sade han återigen.

Långsamt gled de in mot stadens hjärta, ännu hade ingen höjt en hand för att hälsa dem eller anvisa plats. Sedan, plötsligt, som om den stampats ur marken, stod där en trupp på kajen, soldater på snörräta led. En officer pekade med en befallande gest ut en kajplats.

Elegant gick de in mot den anvisade platsen och Ham hann tänka att detta skulle bli svårare än han trott och att nu gällde det att inte tappa ansiktet.

– Vilka är ni och vad är ert ärende?

Den första frågan var onödig, de förde Noas flagg, gränslandets gröna vimpel. Men Ham stod mycket rak vid styråran när han svarade:

– Jag är Noas son, Ham, och kommer med bud till er kung, den högättade Bontato.

Han hörde suset genom folkmassan och såg hur även soldaterna ryckte till, kungens namn fick inte nämnas här heller.

– Har ni vapen ombord?

– Nej.

– Vi kräver inspektion av skeppet.

– Varsågoda.

Två man ur truppen tog emot för- och akterlina, äntligen var de förtöjda. Innan officeren gick ombord formerade han om sin trupp så att den dolde så mycket av båten som var möjligt. Så gav han en kort order till en av sina män.

När soldaten försvann upp mot torget förstod Ham att ärendet måste avgöras på högre ort. Av Skuggan, tänkte han och kände hjärtat hoppa över slag.

Sex av soldaterna gick ombord, vände upp och ner på tofter och durkar, genomsökte alla utrymmen, alla kistor. Ham råkade kasta en blick på pojken som undersökte skinnpåsarna med provianten i båtens kölsvin, såg hur lystnaden och hungern kramade ihop hans ansikte.

Herregud, tänkte Ham och bet ihop om orden som skulle skänka fartygets matförråd till soldaterna.

Inspektionen var snabb och effektiv och båten återställdes i perfekt skick. Den unge officeren bugade och när hans blick mötte Hams var det uppenbart att han var plågad och generad.

– Jag följer bara bestämmelserna, sade han.

– Naturligtvis, sade Ham och tänkte på allt han trott om landet där gränserna mellan ont och gott skulle vara så enkla. Han erinrade sig plötsligt ett samtal vid ett överdådigt middagsbord i Syd där någon sagt att Nords försvarsvilja höll, att landet hade lätt att rekrytera frivilliga till sin armé. En annan, en kvinna som fått tillstånd att besöka släktingar i Sinear, hade haft en invändning:

"Det är bara soldaterna i Nord som kan vara säkra på att få ett mål mat om dagen."

Varför i helvete skickade de bort Jafet, om jag fått tala med honom hade jag varit bättre förberedd.

De hade inte mycket att säga varann, Ham och officeren, och tystnaden blev pinsam.

Till sist kom mannen de väntat på:

– Överuppsyningsman tre, sade officeren och Ham bugade djupt. Detta var alltså en av de beryktade säkerhetscheferna, ett pinnhål högre än Skuggan. Han var klädd i vanliga kläder, en småväxt karl med djupt liggande ögon, nyfiken näsa och mun med plågat uttryck. Som om han hade ont.

70

– Välkomna till Sinear, sade han och rösten var vänlig.
Jag antar att du kommit för att diskutera... överlämnandet
av skeppet som vår kung beställt.

Ham nickade, men såg förvånad ut och den andre fortsatte:

– Vi har fått rapporter om att skeppet håller på att färdigställas.

Överuppsyningsmannen såg bekymrad ut, han visste naturligtvis att Nord inte skulle klara att lösa ut skeppet. Den
här gången kunde Ham inte hålla tillbaka de tröstande orden:

– Vi kommer att erbjuda mycket förmånliga villkor, sade han.

– Jag vill ingenting veta, sade mannen och det fanns alldeles tydligt ett råd i de enkla orden.

– Jag förstår, sade Ham.

– För din egen skull vill jag hoppas det, sade mannen
och Ham hade lärt sin läxa, i detta land höll man inne med
onödigt tal och alla känslor under kontroll.

De lyckades få igång ett samtal, om kylan, om den sena
våren, om högvattnet och de starka strömmarna i floden.
En gång nämnde Överuppsyningsmannen Jafet, sade att
hans besök och hans sånger hade varit till stor glädje för
folket i Sinear.

– Jag tycker själv mycket om hans diktning, sade han
och till sin förvåning såg Ham att mannen inte ljög.

Detta är en av Nords beryktade torterare, jag måste komma ihåg det. Solen steg på himlen, det blev allt varmare och
allt svårare att hålla samtalet igång. Till slut reste sig Överuppsyningsmannen och visade med en gest upp mot torget:

– Här kommer konungens rådsherre, sade han.

Ham reste sig också och följde Överuppsyningsmannen
upp på kajen.

När bärstolen sattes ner steg en gammal man med stor möda ur, bugade avmätt för Ham.

Detta måste vara den äldsta människa jag någonsin sett, tänkte Ham.

Men trots att den gamle såg skör ut hade han sluga ögon och en spelande blick, hans rygg var rak och rösten fast:

— Hans majestät tar emot Noas son i tredje timmen efter middagsvilan, sade han.

Ham tackade och bugade ännu en gång: Jag skall infinna mig på rätt tid.

Han var nöjd, han skulle få gott om tid att träffa Haran och hans dotter.

— Jag hoppas att jag och mina män får besöka den gamla staden där min far växte upp, sade han till Överuppsynings- mannen, som mulnade, blev osäker.

— Har du något särskilt ärende?

— Ja, faktiskt, sade Ham och lyckades skratta medan han berättade om sin hustru som så gärna ville ha ett smycke av Nords välkände juvelerare.

Han fick det att låta både rimligt och troligt men visste när han mötte Överuppsyningsmannens blick att det fanns en misstänksamhet.

— Du är välkommen att besöka staden och Harans butik, sade han till slut. Men du och dina män måste ha eskort.

När han såg Hams förvåning, tillade han:

— Våra gator är osäkra och ni ett lockande byte för råna- re.

Ham visste att han ljög men lät invändningen falla.

De skildes med högaktningsfulla bugningar. Överuppsy- ningsmannen talade med officeren som avdelade fem man under sitt befäl.

Ham gick in under baldakinen över akterdäcket, andades ut och sade:

– Fem av er får följa med mig.

– Sex mot sex, sade en av roddarna och Ham skrattade innan han frågade:

– Knivarna?

– Redan klart, sade förste roddaren och Ham såg mot lönnfacket i bordläggningen, där en bräda lyfts av och satts dit igen.

– Bra, sade han och välsignade Noa och hans slughet.

I stadens gamla kärna kunde man ännu ana den skönhet som funnits en gång. Men de vackra palatsen föll sönder, det var skräpigt och grått här som överallt. Svårast att se var ändå människorna som kastade sina rädda ögon på främlingarna, viskade.

Ingen hälsade, ingen log.

Det är de förbannade soldaternas fel, tänkte Ham som kände att stämningen inte var fientlig.

Han sökte upp platsen där hans farfars tempel stått, det var rivet sedan många år och i ruinerna levde människor som råttor. Lameks hus var borta det också, bränt av Syds soldater under kriget, berättade officeren.

Så småningom närmade de sig Harans butik, soldaterna och Hams män lämnades utanför på gatan men officeren följde med honom in.

Förbannat, tänkte Ham.

I nästa stund hälsade han på Haran och för första gången denna dag kände han sig väl till mods, här fanns ett klart sinne, ett fast handslag och en öppen vänlighet.

– Jag vet redan ditt ärende, sade han och visade med en gest på de smycken han tagit fram.

– Men hur...?

– Ingenstans har ryktet så snabba fötter som i Sinear, sade Haran och både han och officeren skrattade åt Hams

73

förvåning.

Ham plockade bland de gnistrande smyckena, han hade inte någon större kunskap om guldets och ädelstenarnas konst. Men han fick tillstå att de var vackra och förstod att uppskatta det skickliga hantverket. De talade som de skulle, Haran om det konstfärdiga arbetet och stenarnas höga kvalitet, Ham om priserna: Vad kunde detta armband kosta?

En ung kvinna kom in med en tebricka och Ham såg på henne och försökte dölja sin upphetsning. Hon var lång och rask med finskuret ansikte, intelligenta ögon och en mun van vid stora skratt och viga repliker.

Hon är allt vad Jafet behöver, tänkte han i stor lättnad ända tills Haran presenterade:

— Detta är Kreli, husföreståndare i min familj.

Han sade det skämtsamt och när han såg Hams besvikelse tolkade han den som förvåning:

— Kreli har varit i mors ställe för mina söner. Det är de som kallar henne husföreståndaren, hon är den enda som kan hålla ordning på dem.

Ham vågade inte fråga om dottern, han hade blivit sittande med ett halsband av rubiner i sin hand.

— Jag ser att du är svårt frestad av halsbandet, sade Haran och plötsligt visste Ham att guldsmeden spelade ett spel, att det fanns dolda avsikter bakom orden.

Ham nickade.

— Det är dyrt, sade Haran. Men det har sina skäl, du förstår att det finns rubiner och rubiner.

Han tog fram ett annat rubinsmycke, sade:

— Det här ser likadant ut, inte sant. Ändå kostar det bara hälften. Här inne i dunklet kan du inte se skillnaden, vi får gå ut i trädgården.

I samma stund kom Kreli tillbaka med en kaka och Ham begrep.

– Så gott den luktar, sade han och drog in doften från bakverket. Ät ni och drick medan Haran och jag går ut i trädgården och jämför rubiner.

Officeren hade redan tagit sin kopp och sin första kakbit och Kreli nickade och log:

– Dröj bara inte så länge att tevattnet hinner kallna, sade hon och Ham gick efter Haran med de två halsbanden i handen. De stannade under det stora trädet i mitten:

– Här vet vi säkert att vi inte har några snoköron.

Ham höll upp rubinerna mot solen och sade:

– Jag har kommit för att framföra äktenskapsbud för min bror Jafet till din dotter Milka.

När han sänkte smycket såg han att Haran var blank i ögonen.

Hastigt redogjorde Ham för Noas plan, Haran hade svårt att hämta sig.

– Tack gode Gud, viskade han.

– Vi måste vara mycket praktiska.

– Ja, ja, Haran nickade och sade överraskande:

– Jag kan betala för skeppet.

Ham förstod inte och hade inte tid att fråga. Och Haran fortsatte:

– Men flickan, Ham, hon måste ut ur landet redan nu, innan Skuggan är tillbaka.

I snubblande ordalag fick Ham höra historien om Skuggans son.

– Han är ett missfoster och ett odjur och han gör min dotter galen, sade Haran och Ham lyfte det andra halsbandet mot ljuset.

– Jag måste få tala med henne.

– Gå in, jag skall finna en lösning.

Ham gick i långsam takt tillbaka till verkstaden, där Kreli och officeren drack te och åt kaka.

– Jag har bestämt mig, sade Ham. Jag väljer de finare rubinerna.

– Bra, sade Kreli och skrattade. Din hustru kommer att bli nöjd.

Nu var Haran tillbaka:

– Jag tror att vår gäst behöver tvätta händerna, sade han. Kanske Kreli vill visa vägen.

Ham fördes genom det slitna huset, allt talade om renlighet och armod. I övervåningen väntade hon honom, i rummet innanför skrek någon, ett djur, ett barn, genomträngande och ohyggligt.

– Skuggans son, viskade hon, du måste tala fort.

– Jafet vill ha dig till hustru.

– Jafet, sade hon och rösten kom långt ifrån som om hon försökte minnas något avlägset, för länge sedan förlorat. Jag älskade honom en gång, sedan var han borta och jag får inte sjunga hans sånger.

– Varför får du inte det?

– Men det gör ju så ont, sade hon.

– Du måste svara mig.

– Far får bestämma.

Ham nickade och gick, drack sitt te med Haran och officeren, betalade halsbandet, hela tiden med tanken att han inte fick röja sin förvåning.

Först när han var ombord på sitt skepp och Nords soldater lämnat honom, fann han uttryck för sin besvikelse:

Vad såg Jafet hos denna veliga, förvirrade och fula flicka?

Hon till och med luktade illa.

Ham blundade för att stänga ute bilden av den magra och småväxta kvinnan med de vassa anletsdragen och de brinnande ögonen.

Hon verkade nästan... sinnessjuk.

76

Kapitel 13

För tredje gången samma dag fick Ham anstränga sig för att inte visa sin förvåning. Bontato, hans palats och hans hov stämde inte heller de med Hams föreställningar.

Han hade tänkt sig mötet som en pompös ceremoni och förberett sig för knäfall och bugningar. Men han fördes genom ekande tomma salar till en enkel man i grå kläder, välsydda men utan minsta prål. Han hälsades med ett handslag och en inbjudan att sitta ner.

Vid bordet satt överuppsyningsmännen, Ett och Två, och Nords överbefälhavare, en gammal man och den ende som bar uniform. De skakade inte hand men hälsade med knappa bugningar.

Sedan tog kungen över samtalet. Den Galne, tänkte Ham. Men de ögon som mötte hans var intelligenta och talet var som Bontatos tankar, snabbt, klart och utan omständligheter.

Ändå blev Ham rädd.

Kungen gick rakt på sak:

— Vi har hört att ni färdigställer vårt skepp. Varför? Vi har inte gjort delbetalningen som avtalat var.

— Jag har kommit för att redogöra för våra avsikter, sade Ham och hörde till sin lättnad att rösten inte skvallrade om hans skräck. Min far har ett anbud som han vill ha framfört.

– Och det innebär?

– Först vill jag meddela att min bror Jafet önskar gifta sig med en kvinna här från Sinear.

Det gick inget sus av förvåning genom rummet, men männen kring bordet spärrade upp ögonen och Bontatos ögonbryn praktiskt taget fastnade i hårfästet. Det var stora och buskiga ögonbryn, nästan lika imponerande som hans mustascher.

– Vem, sade han.

– Guldsmeden Harans dotter.

Ögonbrynen satt kvar i hårfästet medan den mäktige skrattade:

– Det var ett underligt val, sade han och alla i rummet instämde i skrattet. Kungen tystade dem med en handrörelse, rösten blev hårdare och ögonbrynen möttes hotfullt över näsroten, när han fortsatte:

– Detta är ett fritt land, vi lägger oss inte i folks privatliv. Om flickan vill och har Harans godkännande kan du föra henne ur landet redan i kväll.

Han vände sig till Förste överuppsyningsmannen med en kort order:

– Ordna utresetillstånd.

– För henne och hennes tjänarinna Kreli, sade Ham och Bontato nickade irriterat och sade:

– Nu till saken.

– Vi vill ha utresetillstånd även för Haran och hans söner i samband med att vi levererar fartyget.

Ham tyckte sig aldrig förr ha upplevt en tystnad så stor som den som nu fanns i rummet och när Bontato bröt den var ögonen smala som springor och sprutade misstänksamhet:

– Ni byter en gammal guldsmed och hans ungar mot en fyrtioroddare. Här finns en hund begraven, den luktar. Din

78

far är en slug rackare, men mig lurar man inte.

Ham lyckades skratta, förvånad själv över att det lät naturligt.

– Jag har Noas uppdrag att redovisa våra skäl, sade han. Jag antar att ni vet att vi bygger en del skepp för landet syd om havet.

Nu böjde sig Bontato fram, mycket intresserad.

– Vi har hört rykten, sade han.

– Vårt problem är att de inte betalar i guld eller annan metall som är gångbar i våra länder, fortsatte Ham och välsignade Noas sluga hjärna och planen han gjort upp. De ger oss ädelstenar som vi har svårt att föra ut i marknaden. Nu vet vi att ni i Nord har haft framgång med försäljningen av Harans smycken, att hans konst blivit mycket efterfrågad i Syd.

– Jag förstår, sade kungen och Ham insåg att han svalt betet, att Noa hade lyckats hitta ett skäl som verkade förnuftigt. Att vi lämnar ett skepp för en kärlekshistorias skull, nej, det tror de aldrig, hade han sagt.

Det fanns en föraktfull krökning kring Bontatos munvinklar när han fortsatte:

– Krämare är ni, folk med krämarsjälar.

Ham log åt förolämpningen och svarade lugnt:

– Och varför skulle vi inte vara det.

Kungen slöt ögonen, han såg plötsligt trött ut, som om samtalet tråkade ut honom.

– Ta reda på hur stora våra inkomster på Harans smycken är, sade han och en av överuppsyningsmännen försvann.

– Jag vill veta hur ni tänkt er... bytet, sade Bontato och Ham redogjorde för planen. På uppgjord dag, och den fick Nord bestämma, skulle skeppet föras till gränsen där Haran och hans söner skulle vänta.

Kungen hade en lång stund sett ut som om han sov. När

Ham slutat suckade han, förblev tyst och Ham kände att det var en hotfull tystnad.

Och plötsligt for Bontato upp, rasande, ögonen brann och munnen sprutade oförskämdheter: de skulle lura honom, de skulle bygga en båt som sprang läck, det var en plan för att dränka honom, men han såg rakt igenom dem, han ville inte ha deras skepp och en dag, en dag... skulle han förgöra Lameks son, denne djävul som krupit undan som en råtta i gränslandet.

– Alla av prästsläkt skall utrotas, skrek han och nu såg Ham att det stod fradga kring munnen på honom. Det är sant att han är galen, tänkte Ham och visste att uppdraget misslyckats.

Han reste sig, bugade och sade:

– Det är ett mycket vackert skepp, välgjort i varje detalj. Det var synd, vi har lika svårt att hitta en ny köpare till båten som vi har att få tag i en skicklig guldsmed.

– Sitt, skrek kungen och Ham vädjade med blicken till männen vid bordet, uppfattade en blinkning som en signal att avvakta. De är vana vid utbrott, de väntar bara på att det skall gå över. Han satte sig och förblev tyst.

Och ett ögonblick senare såg han hur krampen släppte den mäktiges kropp och de knutna händerna öppnade sig.

– Det är ett vackert skepp, sade han och ögonen glänste som hos ett förväntansfullt barn. Ja, ja, du säger det, ett vackert skepp.

– Jag vill ha röda segel, sade han. Och akterdäcket skall vara förgyllt.

– Det kan vi ordna, sade Ham och tänkte att det skulle bli svårt, att Noa skulle bli förbannad. Men när kungen fortsatte att stirra på honom, med huvudet på sned och en tunga som slickade runt munnen, kände han till sin egen förvåning att hans rädsla var över, att hans hjärta slog regelbundna slag. Tålmodigt som om han talade till ett barn förklarade han att Nord hade rätt att ha tre officerare med när skeppet sjösattes, att varvet skulle tillåta alla tänkbara kontroller och att Noa var villig att träna en besättning från Nord.

– Alla detaljer får ni göra upp med min överbefälhavare, sade kungen, så trött nu att han såg ut att falla ihop. Men i samma stund kom mannen som skickats ut för att ta fram uppgifter om Nords inkomster på Harans arbete.

Han stod vördsamt bredvid sin härskare och talade så tyst att Ham inget hörde. När han slutat spred sig det sluga leendet åter över den Galnes ansikte:

– Ni lurar er kanske på Harans värde, sade han. Men mig lurar ni inte. Jag förstod ju av vad du sade att ni måste sälja billigt för att ni inte kan hitta en annan köpare. Och äktenskapet vill ni ha för att binda guldsmeden.

Han såg belåten ut, det var honom väl unt, tänkte Ham och var beredd på avsked. Men kungen hade fått tillbaka sin skärpa och sade överraskande:

– Det stora landet söder om haven har gott om vete?
Ham nickade.

– Om de betalar i ädelstenar kanske de kan ta ädelsten som betalning.

Ham insåg vart kungen var på väg, han är slug mitt i all sin galenskap, tänkte han.

– Det är mycket möjligt, sade han. Problemet är att skeppa vete förbi Sydriket. Vi kan bygga lastbåtar, men...

– Du sade att det var möjligt, sade kungen och Ham vågade inte invända. Och så kom han att tänka på svälten, på barnen han sett längs Nords stränder:

– Jag skall undersöka saken. Vi har ju förbindelser och kanske finns det ett sätt...

– Hälsa din far att det är bäst för honom om han finner

81

det sättet, sade Bontato och fortsatte i samma ton:

— Hälsa honom också att vi misstänker hans hustru för att ha fört femtio människor från byn Maklea över gränsen.

Ham stirrade, skakade förvirrad på huvudet och sade till slut med en förvåning så äkta att den inte gick att ta fel på:

— Hur skulle det ha gått till? Skulle min mor ha fört en hel pråm full av människor förbi era vakter?

— Det sägs om henne att hon inte behöver några pråmar.

Ham skrattade, men hejdade sig när han såg hur färgen steg igen i den andres ansikte.

— Jag har aldrig sett min mor... utöva svartkonst. Ryktena om hennes egendomliga förmågor är ren vidskepelse.

Bontato sände en lång blick till männen vid bordet, det var ingen tvekan om att han var belåten. Sedan reste han sig hastigt och när han räckte fram handen till avsked fick Ham anstränga sig för att dölja sin lättnad.

— Vi har ett avtal, sade kungen. Jag sänder mitt folk till varvet inom några dagar, Noa får göra upp med dem om alla praktiska detaljer.

Ham bugade, tackade och gick mot dörren. Men halvvägs hejdade han sig som om han erinrat sig något:

— Jag kommer plötsligt ihåg att jag hörde rykten i Syd om den här bondbyn, sade han. Det påstods att bönderna gått över de dödas land längst bort mot öster. Där alldeles innanför Syds gräns hade de anvisats mark och fått utsäde.

— Varför det?

Det var överbefälhavaren och hans fråga lät som ett piskrapp. Ham ryckte på axlarna:

— Jag antar att Syd saknar folk som vill slå sig ner i så avlägsna trakter. Och vad era bybor beträffar så är de väl som alla bönder, de vill ha egen jord.

Kungen nickade, Ham bugade ännu en gång och lämnade rummet. När han passerade genom de yttre salarna hörde han den Galne skrika igen och tänkte inte utan belåtenhet att nu får överuppsyningsmännen det besvärligt.

För att inte tala om Skuggan.

Några ögonblick senare nådde han hallen där fem av hans roddare väntade. Då kände han att han var trött, att varenda muskel i kroppen värkte som om han ensam rott ett stort skepp mot ström och vind.

När de kom ut på trappan såg han att skuggorna förlängts, solen var på väg mot horisonten.

Kapitel 14

Väl inne i den skyddande gränden, utom hörhåll för alla vakter kring palatset, kom frågan.

– Hur gick det?

– Överraskande lätt, sade Ham. Han svalde betet.

Men det var när han hörde sina egna ord som det slog honom att vad som helst kunde hända, att de hade fruktansvärt bråttom.

– Bontato är galen, sade han. Han kan ändra sig vilket ögonblick som helst. Vi måste skynda oss.

Roddarna såg oron i hans ansikte och en av dem sade tröstande:

– En fyrtioroddare är inget dåligt bete.

– Ni förstår inte, sade Ham. Han är oförutsägbar, jag tror inte man kan vara säker på något.

De sprang inte, men gick så fort mot Harans hus att de riskerade sin värdighet. Det var Kreli som öppnade dörren.

– Pojken är hämtad och smederna har gått, sade hon men Ham hörde inte på.

– Fort, Kreli, vi måste härifrån genast, förstår du.

– Milka är klädd och har packat.

– Du också, jag fick utresetillstånd för dig.

Hon blev flammande röd och sedan mycket blek. Ham såg att hon var nära gråten och röt:

– För Guds skull, Kreli, skynda dig.

Flickan försvann mot övervåningen och sedan var Haran där.

– Kom, sade han. Det är bråttom.

Ham och hans män trängdes in bakom verkstadens stora ugn, ett lönnfack i muren, lika skickligt dolt som Noas knivgömma i båten, öppnades och tre tunga läderpåsar drogs fram i ljuset.

– Guldtackor, sade Haran. Ni måste ta dem, flickorna kommer att visiteras.

Medan tre av Hams roddare tog av sig på överkroppen, hängde öglan över axeln och pressade in påsen i armhålan, förklarade Haran:

– En är betalning för skeppet, en är Milkas hemgift och en är för mig, för mitt arbete.

– Herregud, sade Ham och vad han egentligen menade var att han inte orkade med fler överraskningar.

Medan männen klädde sig igen gick guldsmeden och Ham ut i verkstaden.

– Tack för att du tänkte på Kreli, sade Haran och skulle fortsätta, men i samma stund bankade det på dörren och Kreli som redan var omklädd öppnade. Soldaterna vällde in i huset, en hel trupp. Och officeren som var en äldre man med brinnande blick sade som om det varit en självklarhet:

– Vi har order att visitera medborgarna Milka och Kreli samt att företa husrannsakan. Det är vår plikt att tillse att inget av värde förs ut ur landet.

– Varsågoda, sade Haran och Ham förstod att han väntat sig detta, att det var en självklarhet också för honom.

– Vi har order att avsegla före skymningen, sade Ham.

– Vi vet det, sade officeren. Det skall inte ta lång tid.

Flickorna fördes ut i köket och tvingades klä av sig nakna. Ham som aldrig sett kvinnor förödmjukas så grovt ville skrika, en av hans män knöt nävarna, officeren såg det.

I nästa stund körde han in sin hand mellan Krelis ben i tydlig avsikt att utmana. Ham sade iskallt:

— Jag kommer att rapportera till Bontato.

Alla ryckte till, en kort stund stod tiden stilla i köket. Sedan bröt officeren tystnaden och fräste till de nakna flickorna:

— Klä på er.

Ham såg med ögon som bad om ursäkt på Milka, men hon verkade oberörd. Hon är van, tänkte han. Och: Gode Gud vad mager hon är.

I nästa stund vändes de båda lädersäckarna med kläder ut och in, varje plagg undersöktes tum för tum, fickor vrängdes, breda fållar revs upp. Ham såg på sina män, ingen av dem avslöjade med en min att guldtackorna i deras armhålor brände.

Till slut var allt klart och huset genomsökt. Tolv man ur truppen avdelades för att eskortera dem till hamnen. Milka var så blek när hon försökte ta farväl av sin far och sina bröder att Ham fruktade att hon skulle svimma.

Högt sade han:

— Vi ses, Haran, som uppgjort är hos Noa om fjorton dagar.

Det var kanske dumt, tänkte han, men det hade avsedd verkan. Milka fick ny kraft, rätade på sig och började den korta vandringen till kajen och skeppet.

Skymningen var på väg mot svart natt när Ham lossade förtöjningarna och hoppade ombord. Det blåste, en frisk nordlig vind.

— Vi sätter segel, sade han.

— Fullt ut?

— Ja, fulla segel.

Det var inte ofarligt i den trånga hamnen, skeppet ryckte

och tog inte roder. Men Ham fick upp henne i vind.

Hon klöv floden som pilen klyver skyn och Sinear sjönk undan i mörkret bakom dem. När det sista ljuset från staden försvunnit kände Ham att han ville gråta.

– Jag är förbannat hungrig, sade han. Har vi fått någon mat alls denna dag?

Männen skrattade, en av dem sade:

– Jag känner väl till västra kusten häruppe. Om en timma har vi en udde rätt ut i floden. Vi tar natthamn i lä bakom den och lagar ett kvällsmål.

Ham nickade tacksamt, fick ett stycke bröd och en bägare med öl, åt, lämnade över styråran och sjönk ihop på durken. En man lade en fårfäll över honom, samtalet dämpades och Ham somnade tvärt.

Han vaknade först när seglet gick i däck och skeppet roddes in bakom näset.

Det var fullmåne.

Han skulle aldrig lyckas återkalla kvällen i minnet, hur de gjorde upp eld, vad de åt, hur de så småningom somnade, männen runt lägerelden och kvinnorna i båten.

Bara en händelse kom han ihåg, att han räckt Milka ett äpple, att hon hållit det i ena handen medan den andra sakta strök över frukten.

Det påminde honom om någon, om något.

Men han orkade inte leta i minnet.

Kapitel 15

De vaknade i solsken och fågelsång.

Även Kreli kände att det var för mycket. Att det förflutna hade stämt möte med henne här i paradiset.

Man måste betala, alltid betala.

Skogssus och vågstänk, trygga mäns skratt kring elden som fått nytt bränsle. För dem är det en vanlig morgon, sol och frihet som en rättighet.

Hon såg på Milka som blundade, men inte sov. Det är bara när hon sover som hon gråter, tänkte Kreli som vaknat då och då under natten och lyssnat på flickan.

– Frukost, ropade en glad röst. Nu får ni vakna, flickor.

– Är de... verkliga? viskade Milka och Kreli tog sig samman och gjorde rösten övertygande, när hon svarade:

– De är vanliga hyggliga människor.

Då slog flickan upp ögonen, lyckades le:

– Men vi är ju så ovana vid vanlig hygglighet.

Milka åt som en fågel, sade inte ett ord, såg bara på de andra med de stora mörka ögonen fulla av förvåning. Ham kände besvikelsen stiga mot förbittring. Vi har ändå riskerat livet för den där konstiga flickans skull.

Efter frukosten gick hon för sig själv, satte sig en bit nedanför lägret med fötterna i vattnet. Ham tänkte att han måste komma till tals med henne, gick ner mot stranden men hejdade sig när han kom närmare och såg att hon blundade.

– Milka, sade han tyst, rädd att skrämma.

Hon såg upp, nickade och Ham satte sig bredvid henne.

– Det är svårt, sade hon. Det finns för många verkligheter. Allt detta, skogen, floden, du, all snällheten. Det är för mycket, är det sant?

Ham kunde förstå hennes förvirring och plötsligt kom han ihåg något som Naema brukade säga.

– Där du är, är alltid världens mitt, sade han.

Då log hon mot honom för första gången, det var ett märkvärdigt leende, det skimrade.

– Det var vackert sagt, sade hon. Jag skall tänka på det: där jag är, är världen verklig.

Ham blev förvånad, så hade han aldrig förstått Naemas ord. Men han insåg att Milkas tolkning hade många möjligheter.

– Jag kom för att säga dig något viktigt, sade han. När jag fick Noas uppdrag att resa till Sinear hade jag invändningen att vi inte visste vad du ville. Att Jafet ville ha dig var säkert, men om din inställning kunde vi inget veta. Till slut sade Noa att vi får ta hit flickan, sedan får hon själv bestämma. Så du ser, du är fri.

– Och Jafet också, viskade hon.

– Ja.

Det blev tyst en stund, i viken nedanför dem slog en fisk, vinden ökade.

– Du skall veta, sade hon till slut, att jag minns så lite. Han är lika försvunnen som en dröm man drömde för länge sedan, när man var barn och hade tillit.

– Jag förstår, sade Ham, men det gjorde han inte, det var ju ändå inte stort mer än ett månvarv sedan hon var nära Jafet i hans båt.

– Det var en båt, sade hon som om hon fångat hans bild. Den var mindre än din, men vacker den också, välgjord som Jafet själv. När jag sade det till honom skrattade han, tyckte att jag hade rätt men att båten var skör, inget att lita på.

Hon rodnade som om hon sagt för mycket, återtog:

– Jag har sagt till Kreli som det var, att det inte var Jafet jag älskade, det var kärleken, vassen som sjöng, båten som gungade, händerna, hans händer...

– Menar du att du inte visste vad du gjorde?

– Ja. Vi visste inte. Det var kärleken som gjorde det med oss.

– Du får det att låta som en av hans sånger, sade Ham och i nästa stund begrep han att hans bror och flickan var lika, var syskonsjälar.

Och plötsligt visste han också vad det var som berört honom så starkt när hon strök med handen över äpplet i går kväll. Det var så mor gjorde, och skogsfolket, när de välsignade maten.

– Jag vet att du är besviken, Ham, sade flickan och han vände sig häftigt mot henne för att förneka. Men när han mötte hennes blick förblev orden osagda.

– Jag ser ju inte särskilt bra ut, sade hon och log igen och i det ögonblicket blev hon nästan vacker, tyckte Ham.

– Vad jag vill försöka säga dig är att jag inte är tokig som du fruktar ibland.

Ham satt tyst, han behövde komma tillrätta med sin förvåning.

– Hör du fågelsången? frågade han efter en stund.

– Ja, skogens alla fåglar. Du skall veta att jag aldrig varit utanför staden.

Ham ville dölja sitt medlidande och lade armen om hennes axlar:

– ”Där du är...”, sade han och hon fyllde i: ”är världens

90

mitt." Jag skall försöka minnas det hela tiden.

Hon lade huvudet mot hans hals och viskade:

— Också du skall minnas en sak, Ham. Jag är tacksam, någonstans långt borta är jag så tacksam mot dig för allt du gjort.

Hon har känt min besvikelse, tänkte Ham. Hon är som Naema.

Han reste sig, drog henne med sig och sade i vanlig samtalston:

— Vad jag ville säga dig är att du är fri och att du kan strunta i alla förväntningar och all tacksamhet. Din far har betalat för skeppet, för Noa är du en god affär antingen du gifter dig med Jafet eller flyttar söderut till någon plats i Syd.

När de började gå mot båten som gjorts klar för avfärd sade hon:

— Det var bra att jag fick veta.

Han nickade, stannade, sade:

— En sak glömde jag. Jafet är inte hemma och väntar på dig, han har sänts i väg till skogsfolket på något uppdrag för Noas räkning.

— Det var bra, sade hon igen. Då är det bara en jag är rädd för, din mamma.

Ham kastade huvudet bakåt när han skrattade så stort att också hon måste dra på munnen.

— En sak kan jag försäkra dig, sade Ham till sist. Du kommer att göra Naema mycket lycklig.

När Milka gick ombord såg Kreli att hon återfått lite av sin styrka.

Långsamt gled de ut ur viken med Noas brandröda seger-vimpel i topp. När de såg seglet fyllas av vinden sade en av männen att nu var det bara fråga om några timmar innan de skulle se varvet.

Det var lagom vind, de slörade söderut och Ham sade:

– Skall vi sjunga en av Jafets sånger?

Han log mot Milka, såg att hon blev rädd. Men det var för sent, en av roddarna hade redan tagit upp sången om solbåtens första resa över himlen, båten där den unge guden ännu sov som ett barn.

Sångaren var tonsäker, hade vacker röst. Han fick sjunga ensam och både Kreli och Ham hade god tid att se hur Milka blev allt blekare.

Men när solguden slog upp sina ögon och det var den första dagen på jorden återfick Milka färgen, log sitt märkvärdiga leende och tackade sångaren.

– Det var stort, sade hon. Det är kanske den dagen för mig i dag.

Ham såg att hans roddare var rörda, att den konstiga flickan höll på att besegra också deras fördomar.

En timma senare var de ute i bukten, vinden friskade, de kunde nå varvet på ett slag men Ham fortsatte slöra längs västra flodstranden.

– Vi ror när vi kommer tvärs, sade han. Det tar längre tid, men vi måste till varje pris undvika kontrollen vid muren.

Roddarna nickade, det kom ett och annat skratt och alla tänkte de på guldtackorna i kölsvinet.

En stund senare såg de varvet och Kreli ropade:

– Men det är ju en hel stad.

– Stad är för mycket sagt, sade Ham. Men det är många familjer som får sin utkomst i dag av Noas varv.

– God utkomst, sade Kreli när de kom närmare och kunde se de välskötta husen och de många grönskande trädgårdarna.

Och männen ombord nickade stolt och mitt för varvet strök de segel, vände och rodde mot storbryggan.

Kapitel 16

"På den heliga befallningen från Enki och Enlil,
Steg Lahar och Ashnan ned från Duku.
Åt Lahar uppför de fårfållan,
Växter och örter i överflöd skänker de honom;
Åt Ashnan uppför de ett hus,
Plog och ok skänker de henne."

Under de höga valven i Enkis tempel i Eridu hörde Noas
äldste son prästerna läsa den gamla hymnen. Han stod i
främsta ledet bland folket i templet och lät sig fyllas av de
sköna orden.

"Lahar i sin fårfålla,
En herde som ökar fårfållans givmildhet är han;
Ashnan bland sina ax,
En jungfru god och givmild är hon."

Sem tänkte på sin mors folk. De kunde ha diktat en sång
som denna om de brytt sig om att odla jorden.

"Överflödet som kommer från himlen,
Lahar och Ashnan lät det framträda på jorden,
Samhället skänkte de överflöd,

I landet blåste de livets ande,
Gudarnas lagar föreskriver de,
Förrådshusens innehåll mångdubblar de,
Förrådshusen fyller de så de bågnar."

Nu ökade takten i läsningen, tonhöjden steg:

"I den fattiges hus, som står på bara marken
Inträder de medförande överflöd;
Båda, varhelst de uppehåller sig,
Medför välstånd i huset;
Platsen där de står mättar de,
platsen där de sitter förser de,
De gläder Ans och Enlils hjärta."

När Sem lämnade templet tänkte han som han brukade på
allt han lärt som intog hans hjärta och förvirrade hans hu-
vud. Han hade ett gott förstånd, det var hans styrka och
stolthet. Men nu kom han till korta, för i Eridu var inte
gott och ont avskiljbart och människans förhållanden till li-
vet mångtydiga.

Som gudarna var.

När han gick den ståtliga huvudgatan ner mot hamnen
och fattigkvarteren mindes han ett samtal från sin första tid
i staden. Han hade berättat för en av Nanshes prästinnor
om sina fäders gud, Han som härskat i Nord tills den galne
kungen avskaffat Honom, dödat Hans präster och bränt
Hans tempel.

Prästinnan hade blivit förvånad:

— En gud, hade hon sagt och upprepat:

— En enda gud.

Sem hade sett att det skrämde henne. Till slut hade hon
sagt:

94

– För att ha sådan makt måste er gud också vara mycket ond.

När Sem upprörd och ivrig hade sökt förklara detta sköna och enkla att Gud var god, hade Nanshes prästinna skrattat ut honom:

– Litar man på en enda guds styrka måste man förstå att Han besitter all den kraft som ondskan har.

Förvirrad hade Sem sökt förklara: de fallna änglarna, djävulen. Prästinnan hade skrattat än en gång.

– Men du sade ju att ni bara hade en gud.

Nu nådde han hamnkvarteren och vek av mot basarerna, krogarna, horhusen. Där fanns hans värdshus, inte renare än andra men med bra mat till förvånansvärt lågt pris.

Han fick sin fårstuvning, sina grönsaker och en bägare vin och ansträngde sig att inte minnas ryktena om Uttu, värdshusvärden som hade fem barn. De var små och snabba som illrar och det sades att deras far sände dem till hamnen när fartygen lossades i den första gryningstimman. Där stal de allt de kunde komma över, kött, fisk, grönsaker, säd.

I Eridu var allt tvetydigt, där kunde man inte helhjärtat glädja sig åt ens en så enkel sak som att man funnit ett billigt värdshus med god mat, tänkte Sem som inte ämnade gå tillbaka till högtiden i Enkis tempel under eftermiddagen. Han visste ju hur det skulle gå för Ashnan, den givmilda jungfrun som skänkte människan axen, och för herdeguden som förökade boskapen. De skulle dricka sig berusade på vin, börja gräla så att fält och ängar genljöd av deras ord. Han skulle prisa sig själv och förringa henne...

Det onda ligger alltid på lur i Syd, tänkte Sem när han gick hemåt genom de trånga gränderna som myllrade av horor och tiggare, sjaskiga hus, tjuvar och månglare som skrek ut

95

sina varor. Innanför horhusens smutsiga draperier kunde han skymta de uttråkade halvnakna flickorna och tänkte att staden berövade männen deras lust, gjorde kärleken snaskig och enahanda.

Men han mindes också hur han tänkt under sin första tid i Eridu, att här fanns allt en människa kunde önska, allt som gav livet glans och glädje.

Han stannade vid ett stånd och såg en kvinna välja tyg till ny mantel, hon strök, nöp, klämde på tygerna med giriga fingrar, nervös som om det gällde livet.

Så fann hon vad hon sökte, händerna mjuknade, ögonen lyste när hon draperade tyget över sitt bröst och ivrigt talade med försäljaren om färgen, en blek gul ton som stod i samklang med hennes ögon. Sade månglaren. Och hon trodde honom, för hon skulle köpa glädje, ett stycke nytt liv med det nya plagget.

Sem skakade på huvudet när han gick vidare, hemåt mot Nanshes tempel där han hade sin skrivkammare och de lertavlor där Eridus vise präntat sin lärdom. Han tänkte som så ofta på sistone att de kanske hade rätt, de gamle i detta land, som lärde att det inte finns något oförtjänt mänskligt lidande.

Men sedan hejdades han av en liten pojke, kring fyra år och blind som så många tiggarbarn här.

Av vana stannade han vid flodmynningen. Men han kunde inte längre se lagunen, de skimrande vidderna som skänkt honom sådan glädje under hans första tid i Eridu.

Det är bara ett år sedan, tänkte han och såg ut över slambankarna som byggde nytt land utanför staden, flacka berg av stinkande lera. Det oroade honom som alla andra i staden, aldrig i mannaminne hade floden fört med sig sådana mängder av slam. Lagunen kunde inte längre anas bakom det nya gråa landet.

I hamninloppet arbetade pråmarnas folk för att hålla se-gelleden öppen. En nästan hopplös uppgift, de massor de hann få undan på en dag hade ersatts av nya nästa morgon.

Än värre, tänkte Sem, trots allt slit ökade slambergen som snart skulle täppa till floden. Den skulle tvingas söka ny fåra där slättlandet bjöd minst motstånd och folket bodde.

Det fanns de som fruktade att staden skulle översväm-mas, de rika sökte sig redan uppåt sluttningarna, köpte mark och byggde nya hus. Men de fattiga och de vanliga skulle bli kvar, varnade av ingen.

I månader hade man talat om att marsklandets nybygga-re, de som byggt sina hyddor bland vassarna ute i deltat, borde flyttas. Men tjänstemännen i Eridu hade hamnat i dispyt om ansvarsfrågan, som de uttryckte saken. Och me-dan dispyten pågick begravdes deltalandets invånare i slam-bergen. Bara några hundra lyckades fly in mot staden.

Ansvarsfrågan? Sem hade funderat mycket på ordet.

Han plågades av dunkla skuldkänslor, utan grund, för ansvaret kunde ju inte vara hans, en främlings. Men han visste vad Noa skulle ha gjort, Sem kunde se det i sina dag-drömmar — skeppen, pråmarna, flottarna som gick mot träsklandet för att hämta människorna därute. Han försökte stärka sig med tanken att Noa levde i en enkel värld, där handlingskraften inte splittrades av maktspel och svårtydda hänsyn. Men det var inte hela sanningen och Sem visste det. Noa hade fått kämpa för att hålla hjärtat rent och för-ståndet klart.

Han skulle aldrig kunna mäta sig med fadern, det var en gammal insikt.

Sem såg mot templet där Eridus matematiker och astro-nomer satt i eviga krismöten. Också de hade hamnat i dis-pyt och bildat olika läger. Astronomerna hävdade att kata-strofen berodde på att månen närmade sig jorden och drog vattenmassorna mot sig. För denna teori talade iakttagelserna att flodslammet ökade vid fullmåne.

I det andra lägret påstod man att en klimatförändring ägt rum i de fjärran bergen där de stora floderna hade sina källor. Det hade blivit varmare, ansåg man, is och snömassor lösgjordes från de höga bergen och rev med sig jord och lera ner i floderna och vidare över den långa slätten.

Månpartiet fann förklaringen idiotisk, is och snö var bara antaganden, skrönor som det mesta i de gamla sagorna om bergen.

– Är det någon här som sett ett isblock, sade månhävdarna ironiskt och fick åhörarna att skratta.

Om månen visste man mer, mycket mer. I århundraden hade man följt dess bana och noggrant beräknat dess kraft, månkraften som reglerade tidvattnet.

Sem hade som många av studenterna vid templen tillbringat mycken ledig tid med att lyssna till debatten. Han hade häpnat över illviljan i argumenten, hånet, fiendskapen.

– En dag sker här ett mord, hade en av Sems kamrater viskat och studenterna hade dolt sina skratt bakom kupade händer.

Bara Sem hade haft svårt att le.

Vem som än har rätt leder det inte till handling, hade han tänkt, och en dag hade hans förtvivlan besegrat fegheten. Han hade rest sig, begärt ordet och sagt vad han tänkte.

Det hade varit tyst länge innan församlingens ordförande hämtat sig och meddelat: Eridus yttrandefrihet omfattade inte främlingar.

På kvällen hade Sem kallats till översteprästen i Nanshes tempel. Med tunga steg hade han klättrat uppför de många trapporna genom skrivarnas kvarter, över gårdarna med gudinnans springbrunnar och mot templets heliga källa. Han hade varit rädd, beredd på straff, men den gamle var blid som han brukade och bjöd Sem ta plats:

– Hör på mig, son av Noa. Låt människorna strida, den dom som nu går i verkställighet kan inte undvikas, sade han. Så fick Sem höra dikten om Nanshe, hon som är de föräldralösas, änkornas och de fattigas gudinna.

Och prästen berättade hur Nanshe på årets första dag sitter till doms över människosläktet. Till sin hjälp har hon Nidaba, skrivkonstens och räkenskapens gudinna.

Och båda mäter och väger de ofullkomliga människornas handlingar:

"De som vandrar i synd...
Som ser med välvilja på ondskans nästen,...,
Som utbyter en liten vikt mot en stor vikt,
Som utbyter ett litet mått mot ett stort mått,...,"

Dikten var lång, Sem kände pulsen slå. Här äntligen fanns något han kunde känna igen, förstå och omfatta.

"För att upprätta ett ställe där de mäktiga skall
förgöras,
För att överlämna den mäktige till den svage,...
Nanshe rannsakar människornas hjärtan."

En allvarlig tystnad följde på uppläsningen. När prästen slutligen reste sig sade han:

– Gudinnans dom över Eridu fälldes vid nyår och strax efteråt steg floden och förde med sig slammet som skall förinta oss. Låt de lärde tvista, då gör de minst skada.

Sem bugade djupt. När han lämnade den gamle prästen var han egendomligt nog lugnare och mindre kluven.

Kapitel 17

Han hade svårt att sova, väcktes om nätterna av onda drömmar och lyssnade ut mot tystnaden.

Det hände att han grät av längtan efter ljuden, flodens sorl i barndomens land och lagunens mäktiga andetag som han lyssnat till den första tiden här.

Han mindes fåglarna, de som vakat om nätterna därhemma, näktergalen från skogslandet, nattskärran i gränslandets buskar. Och i Eridu, den vilda sången från deltalandets alla vadare och skränet från de tusen måsarna.

Kita som var född i bergen brukade säga att måsens skrik berättade om friheten, om hur ensam och hänsynslös den är. Och Sem hade lyssnat och trott sig förstå vad slavpojken hörde.

Men det var länge sedan, måsarna hade lämnat landet tillsammans med spov och vadare.

Slambergen i deltat växte utan att ge ljud ifrån sig. Tyst som en fiende om natten erövrade de lagunen, stycke för stycke. Någon gång gick det att urskilja de korta vågornas döda slag mot flodbanken och en natt hörde Sem en klagovisa, en kvinna som sjöng en sång om det stolta Eridus död i leran.

Det fanns inget hopp i sången, den var inte ett försök att beveka gudarnas hjärtan.

100

Jag måste resa hem, tänkte han i natt som andra nätter. Jag måste, i morgon.

Men när dagen kom var hans vilja förlamad. När han kom hem från staden i går kväll hade han mött översteprästen på tempelgården. Den gamle hade sett på Sem, frågande. Och hans ögon hade sagt: Du har ingen del i Eridus skuld.

Nej, tänkte Sem, jag har ingen del i stadens ondska, jag har bara tagit för mig av det som var gott och storslaget. Och mest tänkte han på skriften han lärt till fulländning, alla dessa tecken som berättade om vad människan gjort i århundraden.

Han älskade lertavlorna, de sköra små plattorna som berättade om tankar som tänkts, händelser som timat, visdomar som de för länge sedan döda nått fram till. Det var ett under.

Kita kom som vanligt om mornarna för att väcka honom, servera hans te med templets nybakade bröd, honung och en frukt. Sem såg på pojken med en kärlek som var svår att dölja. En enkel pojke från bergen österut. Ett annat land, ett annat språk, en annan syn.

Gud i himlen så Sem längtade till det landet.

De log mot varann som de brukade, det fanns värme i leendet men också en spänning, outsägbar, farlig och ljuvlig.

Som varje morgon tänkte Sem: Så vacker han är. Som antilopen i skogen, skygg men i varje rörelse medveten om sin värdighet.

När pojken lämnat honom slutade han att gömma sig för sig själv och gjorde det tydligt varför han stannade kvar. Han kunde inte skiljas från Kita.

Som Noa lärt, gjorde han morgonbön: Vänd ditt ansikte mot mig och ge mig frid. Befria mig från dagdrömmarna, ta ifrån mig nattens maror.

Nattens drömmar var så sprängfulla av lust att han blev

sjuk av skam. Och dagdrömmarna var meningslösa men stod aldrig att hejda. I dem köpte han pojken fri och de två begav sig på vandring norrut, hemåt.

Han gjorde sig livliga bilder av hemkomsten, av Noas glädje och mors. Och där måste han sluta, tvärt. För han förstod vad Naema skulle se när hon såg pojken och honom tillsammans. Och det var outhärdligt även om han visste att hon aldrig dömde.

Den sista tiden här i Eridu hade han tänkt mycket på sin mor, på hennes vishet och hennes hemliga kunskap av helt annat slag än lertavlornas. Han försökte minnas vad hon brukade säga, fann skärvor av samtal:

– Var tar du din kunskap, mor?

Han kunde höra skrattet i hennes röst när hon svarade:

– Från månens baksida, Sem. Kvinnorna som ännu sover äger mörkrets hemligheter.

Hon hade skämtat, men det skrämde honom ännu och han tänkte på hororna i hamnkvarteren och deras djupa sköten.

En gång hade hon sagt att den som fötts i månmörkret skulle se det oundvikliga. Det hade också gjort honom rädd för han hade hört av sin morfar att Naema lämnat sin mors kropp en natt när månen förmörkats.

Han gick som alla andra mornar genom de många trapporna i skrivarnas kvarter, hörde skolmästarna skrika över de nya eleverna och deras tafatta försök att kopiera skriften, tänkte belåten att han klarat proven lätt, snabbare än de flesta, och nådde sin studerkammare.

På bordet framför honom låg en lertavla som han väntat länge på, inte mer än åtta tum i fyrkant men delad i tolv spalter. Den skicklige skrivaren hade genom att använda de minsta tecknen fått den att rymma nästan sex hundra rader.

Den handlade om härskaren som återställde rättvisan i

102

landet, avsatte uppbördsmännen och gav värde och makt åt de fattiga.

Sem hade velat studera och skriva av just denna tavla i avsikt att förstå vad som hänt i Noas land. För en gång, när revolutionen började, hade ju också den galne Bontato i Nord syftat till rättvisa och skydd åt de svaga.

Nu läste han om hur härskaren rensade staden från ockrare, tjuvar och mördare. Men hur? Om detta fanns inga ord och Sem tydde det som att bödlarna haft mycket att göra.

Men han fick svaret på en av de frågor han haft, kungen som hävdat de föräldralösas rätt mot "männen med makt" hade inte förnekat gudomen. Tvärtom hade han slutit ett särskilt förbund med stadens gud som lovat att tillse att de nya lagarna följdes.

I snabb takt började Sem skriva av tavlan, hann ett gott stycke in på fjärde spalten när han avbröts av Kita. Pojken var ivrig:

– Din bror väntar dig i inre hamnen dit han kommit med en av Noas tioroddare.

Sem slog ner blicken, försökte dölja sorgen inför avskedet och lättnaden över beslutet som fattats.

103

Kapitel 18

Noas tioroddare väckte inte samma uppståndelse här som i Nord. Men uppmärksamhet fick det ståtliga skeppet när det långsamt gled in mot kajen som snart fylldes av nyfikna.

Ham var välkänd i staden, många hälsade honom med glada tillrop:

"Behöver du en tioroddare för att hämta din bror?"

"Är det kungen själv som beställt skeppet?"

Några var allvarligare:

"Har ni hört om slammet som täpper till utloppet?"

Ham nickade och log, skrattade rentav. Men plötsligt skrek en gäll kvinnoröst så högt att det gav eko mot de stenlagda kajerna:

"Vad skall Noa göra med allt sitt guld när syndafloden kommer?"

Syndafloden, tänkte Ham och blev underligt kall mitt i solskenet. Han hade inte hört ordet förut.

Så såg han Sem tränga sig fram genom myllret och stanna till när han fick syn på skeppet. Ham kunde se hur han fyllde lungorna med luft och hur hans gestalt växte.

I nästa stund var han ombord och bröderna såg på varandra. Han har blivit vuxen, tänkte Sem — han har blivit ödmjuk, tänkte Ham.

Ingen av dem lade band på sin glädje, de omfamnade

104

varann, kramade luften ur varann och började plötsligt skuggboxas som småpojkar.

– Du skall hem på bröllop, sade Ham.

– Ja, jag skall hem, sade Sem. Och det tog en stund innan han förstått hela budskapet och frågade:

– Vem gifter sig?

– Jafet.

– Jafet. Med vem?

– Åh, Sem, det är en lång historia.

Nu skrattade också de tio roddarna och Sem som kände dem alla gick skeppet runt och skakade hand. Sinar var äldst bland männen, han öppnade famnen för Sem och såg sedan länge och forskande på honom.

– Jag tror inte att lärdomen har gjort dig gladare, sade han och i en blink mindes Sem den enkla glädjen genom åren när Sinar lärt honom allt om båtar och gott sjömanskap.

– Hur så?

– Du har blivit tyngre.

Sem skrattade:

– Jag har inte tänkt på det förut, men kunskap är också en börda.

Sedan, oväntat, kände han en stor lycka. Han var hemma, detta var hans folk, människor med ord som inte hade dubbla innehåll.

– Vi reser i gryningen i morgon, sade Ham. Du får eftermiddagen på dig att packa och ta farväl.

Sem skrattade av glädje:

– Det är snart gjort, sade han.

– Bra, sade Ham, men i den stunden såg Sem att det fanns en oro hos brodern.

– Har det hänt något hemma?

– Alla mår bra. Men du och jag måste talas vid i enrum.

Sem såg ut över den bullrande staden.

– Det får bli i mitt rum i templet, sade han.

De åt sitt middagsmål ombord, bröd och rökt fisk. Och de höjde sina bägare för en lycklig hemresa.

Öl. Så mycket bättre för sinnet än vinet, tänkte Sem.

Bröderna gick långsamt genom staden och Sem berättade om slambergen, i försiktiga ordalag, dämpad av insikten att Ham lyssnade med intensiv uppmärksamhet.

Plötsligt avbröt Ham sin bror:

– Vi tar en bägare vin, sade han och gick före Sem in på en vinstuga, fann ett bord. Han var underligt allvarlig och Sem förstod att inte bryta in i tystnaden med småprat.

Ham tänkte på samtalet med Noa och Naema den sista kvällen när han äntligen fått veta varför Jafet sänts till skogsfolket. Det var Noa som berättat om Guds budbärare och Ham hade blivit generad.

Höll gubben på att mista förståndet?

Men Noas blick hade varit klar och klok som alltid och han hade inte sökt ord när han redogjorde för samtalen med den himlasände.

– Men far, hade Ham sagt. Du måste ha drömt alltihop.

Noa hade skakat på huvudet.

Det var då Ham hade sökt sin mors ögon och när hon sänkte sin blick i hans hade han blivit rädd.

– Mor, hade han vädjat. Det kan inte vara sant.

Men det var sant, han såg det i hennes ansikte, i allvaret och beslutsamheten. Det var i den stunden Noa sagt:

– Vi skall bygga en båt.

Men Ham hörde inte på, han tänkte i panik på sina söner.

– Mina barn, sade han.

– Du skall hämta din familj.

– Men Nin Dada...?

– För hit henne, det blir Naemas sak att tala med henne.

106

– Hur lång tid...?

– Jag vet inte, jag förhandlar.

– Far, sade Ham och hörde att han vädjade som en liten pojke som hört en hemsk saga. Det kan inte vara sant, man förhandlar inte med Gud.

– Jag trodde så jag också, sade Noa kort. Men nu gör jag det i alla fall.

Ham hade vädjat ännu en gång:

– Är du alldeles säker?

– Nej, jag tvekar. Mor är säker. Full visshet får vi när Jafet kommer tillbaka.

Jafet, hos skogsfolket, äntligen hade Ham begripit. Var det sant skulle mors folk veta om det.

Länge, länge hade Ham sett ut över varvet, allt det välbekanta.

– Du skall hämta Sem. Det är ett Herrans företag att bygga skeppet som skall rädda oss. Jag behöver en man som kan räkna.

Detta hade varit Noas sista ord innan de skildes åt. Ham hade valt tioroddaren och tagit ut sitt folk.

På resan söderut hade Ham hunnit få avstånd. De är tokiga, far har syner och mor, ja Naema hade ju själv sagt att hennes seende gått ifrån henne. Det var strömt, visst var det strömt, men världen var som vanligt och det var en vacker morgon.

De hade övernattat i hans hem hos Nin Dada och barnen. Och de hade haft det bra tillsammans, denna natt när Ham berättat om resan till Sinear, om guldsmeden och hans konstiga dotter, den galne kungen och det svältande folket.

Nin Dada hade gråtit av medlidande med de hungrande barnen i Nord och hållit andan när han beskrev sitt besök hos den Galne. Och på morgonen hade hon sett på honom

107

med ögon fulla av beundran. Det var först då han kom ihåg rubinhalsbandet.

Den morgonen hade hon givit sig åt honom utan rädsla och det var först när han kom tillbaka till sig själv som han förstått att det var Krelis kropp han smekt bakom slutna ögonlock.

Nu rustade Nin Dada för avresan till festen, till bröllopet som kanske inte skulle bli av, tänkte Ham med en grimas.

— Jag måste få veta mer om slambergen, sade Ham plötsligt så högt att Sem som suttit i egna funderingar ryckte till. Och han började berätta, om folket i deltat som begravts av slammet medan stadens styresmän diskuterade ansvarsfrågan och om de kloke som träffades varje dag i templet.

Sem rodnade av vrede när han kom till den illvilliga debatten mellan de lärde som hävdade att månen ryckts ur sin bana och dem som ansåg att katastrofen var en följd av värme och islossning i bergen.

— De är som om de var galna, sade han. Teorierna blir mer och mer invecklade och tonen allt högre. De hatar varann, en dag börjar de slåss. Slammet växer, ingen gör något, det är bara de arma slavarna på pråmarna som förgäves söker hålla en smal inseglingsränna öppen.

— Galna är de inte, sade Ham. De här svartskallarna i Syd har alltid varit knepigare och klokare än alla andra. Och alltid saknat allt förnuft.

Bröderna skrattade halvhjärtat, betalade sitt vin och gick.

När de nådde flodmynningen blev Ham stående, länge och alldeles stilla, medan vissheten långsamt erövrade honom. Den stora lagunen var försvunnen, så långt ögat kunde se tornade lerbergen upp sig.

Till sist vände han sig mot sin bror, men det dröjde innan

han fann orden och kunde viska:

— Vi skall hem, Sem. Det är bråttom, Noa skall bygga en båt.

Resten av eftermiddagen tillbringade de två bröderna sittande på den smala bänken i Sems studierum. Ham talade, Sem tänkte.

I hans huvud tog ett skepp form, ett väldigt fartyg, det största världen skådat.

Kapitel 19

I hög fart, långa årtag, klöv tioroddaren floden. Först denna morgon fick Sem höra historien om Jafets flicka.

– Hon skötte Skuggans son, sade han förundrad och Ham tänkte att brodern alltid varit en knepig människa.

– Ja, och så vitt jag begriper tog barnet nästan livet av henne, sade Ham. Hon är så mager att du kan räkna hennes revben.

När Sem såg förvånad ut berättade han om soldaterna som tvingat kvinnorna att klä av sig nakna och om guldet som bränt i roddarnas armhålor.

– Guld, det kommer väl till pass, sade Sem och Ham, som nu hade förstått att han inte skulle få någon uppskattning av sin äldre bror för den roll han spelat i Sinear, skakade på huvudet.

– Guldsmeden får betala för Nords skepp, sade han. Men hur det blir med flickans hemgift vet vi inte, hon har glömt Jafet och vill troligen inte ha honom.

– Hon måste, sade Sem och bilderna av det stora skeppet virvlade åter genom hans huvud.

På bryggan vid det vita huset väntade Nin Dada och pojkarna. De skulle ro genom natten för att nå varvet så fort som möjligt och de sömniga pojkarna bäddades ner under baldakinen i akterskeppet. Sem hälsade besvärat på Nin

Dada, han hade aldrig tyckt om sin vackra svägerska.

– Vi skall på bröllop, nog är det roligt, sade hon och innan Ham hann ingripa, sade Sem:

– Men det är ju oklart om flickan vill ha honom.

Då skrattade Nin Dada så att hon skrämde fåglarna.

– Men Sem, så dum du är. Den kvinna som inte vill ha Jafet finns inte.

Varken Sem eller Ham deltog i skrattet, de tänkte båda på sin yngste bror som fått mestparten av Naemas kärlek.

– Han är fortfarande poet?

– Ja, och alla sjunger hans sånger både i Syd och i Nord, sade Nin Dada.

I gryningen såg de floden vidgas och hörde Titzikona brusa i utloppet till bukten. Ham gav sin order: Dikt styrbord, och långsamt gled tioroddaren in mot storbryggan.

Förvånad såg Sem ut över varvet, så mycket folk, så många främlingar. Hammarslagen dånade över bukten, Noa hade bråttom att få Nords fyrtioroddare sjöklar.

– Vakta era tungor, sade Ham till Sem och Nin Dada. Varvet vimlar av Nords officerare.

Sem fick gå ensam för att hälsa på Noa medan Ham förde Nin Dada och de yrvakna pojkarna till sin mor.

– Har Jafet kommit tillbaka?

– Ja, du hittar honom i hans båt vid sydbryggan. Men gör dig hörd, han är inte ensam.

Naema såg lycklig ut, så Ham förstod att det gått som det skulle med kärleken. Men hon hade fel, Jafet var ensam i båten.

När han fick syn på sin bror lystes hans ansikte upp inifrån på det säregna sätt som han haft redan som barn. Mötet blev mindre uppsluppet än det han haft med Sem på kajen i Eridu. Men kanske fanns där en större innerlighet.

Också Jafet hade blivit tyngre, tänkte Ham. Och mindre sorgsen.

— Jag har mycket att tacka dig för, sade Jafet men Ham avbröt med en handrörelse:

— Jag vill först höra vad skogsfolket hade att säga.

Jafet satte sig på toften med brodern mitt emot.

— De väntade mig, sade han, de vet ju alltid i förväg.

Han tystnade och mindes hur han dragit upp sin båt på den vita sanden i Titzikonas flodbädd, hur han börjat gå in mot storskogen, fågelsången och så det första skrattet bland trädstammarna.

— Det känns alltid som att gå tillbaka genom tiden och komma hem, sade han. Jag var hungrig, de hade rostat antilop på glöden, du minns hur det smakar och doftar.

— Morfar, sade han, är sig lik, inte en dag äldre. Jag berättade om Noas budbärare och han nickade och sade att de väntat alltsedan solen slutade att ringa för dem vid nyårsfesten.

— I skymningen hade Ormdrottningen kallat de seende till sig. De satt tysta när jag beskrev Noas möten med den utsände. Jag fick ha tålamod, du vet vilken tid det tar när de seende väntar på sina tankar.

— Sedan sade de att Noa fått uppdraget för att han har ett rent hjärta, att vi, folken i öster, aldrig förstått att den stora kraften kommer ur den goda avsikten. De sade också att domen fällts för länge sedan, och att de anat den redan när mor föddes i månförmörkelsen. Full visshet hade de fått när hon valde Noa, främligen som kunde bygga det stora skeppet.

— När floden kommer för att tvätta bort all förvirring från jorden måste hon räddas för att skogsfolkets berättelser skall föras vidare.

— Men de själva? Ham viskade.

— De går västerut, där världen tar slut. Det är tid för det nu, sade de.

— Det får inte vara sant, de får inte försvinna.

— Det var vad jag sade också, fortsatte Jafet och hans ögon var svarta av sorg. Men de skrattade åt mig och Ormdrottningen förklarade att ingenting någonsin försvinner från den stora verkligheten.

— De var också mycket praktiska. De försäkrade att Noa skulle få den tid han måste ha för att bygga skeppet och att de skulle bistå oss med virke. De kommer att visa oss vägarna till de stora cederskogarna. Jag skulle komma tillbaka när Noa hade gjort klart för sig vad han behövde.

Ham såg länge på sin bror. Måsarna skrek över floden, hammarslagen från varvet skar genom luften.

— De talade om Milka också, sade Jafet. De visste att du lyckats med ditt uppdrag och att hon var på väg till Naema. Hon var en del av planen, sade de, hon var vald till mig för att förstärka mors makt på den långa resan undan förintelsen.

— Det förstår jag, sade Ham.

Nu såg de Milka komma över berget med matsäcken för utflykten. Hon gick lätt som en fågel, hon var glad. För första gången såg Ham hennes styrka.

När hon fick syn på Ham släppte hon sin börda.

— Åh, Ham, sade hon. Jag har längtat efter dig. För att tacka och få säga dig hur modig och hur klok du var. Och snäll.

Ham rodnade och Jafet skrattade.

— Så bra, sade han. Jag har svårt för de tacksamma orden.

Kapitel 20

I Noas stora kök satt Naema på golvet med Hams små pojkar i famnen. På något sätt fick den egendomliga människan rum för dem alla tre. De kysstes, kramades och skojade. Den minste blåste hon i nackgropen så att han kiknade av skratt.

Nin Dada var trött efter den långa natten på floden och hade förvirrade tankar:

Så där skulle ingen farmor i Eridu bära sig åt.

Öppnar jag mun hoppar det grodor ur den, som det gjorde i går kväll när jag talade med Sem om bröllopet.

Och så i häftig vrede:

Det var bra att jag sade till Ham att jag avskyr hans mor.

Nu såg svärmodern på henne, de egendomliga månögonen avslöjade som vanligt ingenting:

— Du ser trött ut, Nin Dada, du kan inte ha fått mycket sömn i natt.

— Ingen alls, sade Nin Dada. Hon hörde att det lät både grinigt och ovänligt och tänkte: Det är lika gott, det bekräftar bara hennes bild av mig.

— Jag tror du behöver sova en stund, sade Naema. Kom, låna min säng, så tar jag hand om barnen.

Nog orkar jag med en vaknatt, tänkte Nin Dada men sade det inte. Naema hade bestämt att hon behövde sova och i

114

samma stund överväldigade sömnigheten henne. Den förbannade trollkonan, tänkte hon men kröp ner i sängen och lät Naema lägga täcket över sig. Den långa kvinnan log vänligt när hon gick, men vände i dörren och sade:

— Du har fina barn, Nin Dada. Du måste vara en duktig mamma. Jag vet ju hur svårt det är med tre pojkar.

— Vad menar du?

— Bara att jag inte lyckades så bra som du, att avväga mellan dem, vara rättvis... och ändå se vad var och en behöver. Det var så mycket jag inte förstod förrän det var för sent.

Hon såg ledsen ut men Nin Dada försökte hålla fast vid tanken att trollkonan gillrade en fälla för henne.

— Jag är ju rätt ensam, sade hon försiktigt.

Naema nickade:

— Jag har tänkt på det, på Ham som så sällan är hemma. Det kan inte vara lätt.

Så skrattade hon överraskande:

— Ibland är det kanske lättare, sade hon. Rätt ofta är ju mannen som ett barn han också och svartsjukast av alla.

Så gick hon och Nin Dada önskade att hon haft mod att säga att Ham inte var svartsjuk av det enkla skälet att han inte brydde sig om dem, varken om henne eller sönerna. Men sedan somnade hon och sov gott, stärkt av de varma orden.

Hon vaknade i en ljus dröm och innan hon ännu slagit upp ögonen visste hon att hon var iakttagen:

— Nin Dada, sade en ljus kvinnoröst, Nin Dada, det är dags att stiga upp.

Nin Dada silade in bilden av den främmande genom sina ögonfransar, en lång, vacker flicka med skratt kring munnen och nyfiken blick.

— Milka?

115

— Nej, nej, hon svävar på moln över floden med sin poet.
Jag är Kreli, kusinen.

— Ja visst, Ham berättade om dig.

De såg på varandra och tyckte om vad de såg.

Hon ser bräcklig ut men är stark, tänkte Kreli.

Hon ser glad ut, gladare än hon är, tänkte Nin Dada.
Äntligen en människa att prata med.

Innan hon hann tänka sig för hade hon sagt det:

— Jag är rädd för Naema.

Kreli satte sig på sängkanten och nickade energiskt:

— Det var jag också den första tiden här. Men sedan jag
både förstått och godtagit att hon inte är riktigt mänsklig
har det blivit lättare.

— Inte riktigt mänsklig?

— Nja, det blev nog fel ord, sade Kreli. Jag menar att hon
inte känner och tänker som vanliga människor. Det är som
om hon utgår ifrån att det aldrig finns något att dölja och
att man därför kan säga precis som det är.

— Hon har inga avsikter med det hon säger menar du?

— Nej. Inga åsikter heller, så vitt jag förstår.

— Men hon ser rätt igenom en?

— Ja, sade Kreli och erkände:

— I början skrämde det mig. Men sedan tänkte jag efter
och kom fram till att jag inte har något att dölja.

— Det har inte jag heller, skrek Nin Dada.

— Jag tror dig. Och när du vet det, ja då blir det tryggt
med Naema. Så skönt, förstår du hur jag menar...

Nin Dada skakade på huvudet, hon förmådde inte se att
livet kunde vara enkelt och självklart.

— Man kan slippa bära mask, sade Kreli och började
oväntat gråta, tog fram en näsduk, snöt sig, mindes och
kunde berätta:

— En av de första dagarna här sade hon åt mig att jag

116

inte längre behövde vara så glad. Det låter enkelt, Nin Dada, men för mig var det en sådan befrielse.

Nin Dada tänkte på vad Ham berättat om Kreli vars glädje och styrka bar hela guldsmedens familj. Men Kreli stoppade ner näsduken och fortsatte:

— Varför är du rädd för henne om du inte har något att dölja?

— För att jag inte har någonting, för att hon kan se... hur lättviktig jag är.

— Men det är inte så hon tänker. Till det egendomliga med henne hör ju också att hon ser det ovanliga i varenda människa som hon möter.

— Då är det kanske så att det inte finns något ovanligt i mig, sade Nin Dada och Kreli fnös:

— Nu är du dum.

— Javisst, sade Nin Dada. Det skulle alla här hålla med om och först och främst Ham.

— Jag undrar varför du gör det så enkelt för dig, sade Kreli torrt.

Det knackade på dörren, det var Naema som kom tillbaka:

— Ham visar pojkarna varvet, sade hon. Vi måste väl planera för i morgon...

Nin Dada hann märka att Naema lät osäker och hennes förvåning ökade när Kreli började skratta.

— Kära lilla Naema, sade hon. Nu har du fallit offer för tanken att du är husmor och värdinna här. Glöm det, vi klarar det.

Naema instämde i skrattet:

— Du vet, sade hon vänd till Nin Dada, att jag aldrig haft god hand med tingen, med sakerna här. Kreli får alla ting att lyda henne. Sedan hon kom i huset är här alltid snyggt, god mat på rätt tid och blommor i vaser och rena

117

tallrikar... det är så märkvärdigt. Det måste väl bero på att hon älskar saker, tror du inte?

För första gången i livet såg Nin Dada sin svärmor och hennes ögon blev runda av förvåning.

– Jag älskar också tingen, viskade hon.

– Ja, sade Naema, det har du alltid gjort och det är en stor gåva.

Nin Dada ville säga att Ham fann henne ytlig men avbröts av Kreli:

– Nu måste vi vara praktiska. I morgon skall vi ha middag för Nords överbefälhavare och hans officerare, det är hemskt, men det är Noas order. Och på kvällen när Haran och hans söner kommit blir det bröllop.

– Mor, sade Nin Dada. Du tar hand om barnen så ordnar Kreli och jag alltsammans. Jag har tagit med mig de fina knivarna vi fick när vi gifte oss. Och gröna dryckesbägare. Dukar, finns det? Hur många oljelampor?

De tre kvinnorna fortsatte ut i köket, Kreli och Nin Dada räknade tallrikar, skålar, bägare, knivar.

– Tre rätter får räcka, sade Kreli. Rökt fisk, spädlamm och äppelmunkar med grädde. Vin har vi gott om och det skall vara fyllda krus från första stund har Noa bestämt.

– Hurdan är han, Nords general? frågade Nin Dada.

Naema tänkte efter:

– Han är som ett gammalt träd i skogen, ett sådant du vet som snart skall falla. Lager på lager av död ved och innerst en sjuk kärna. Och så rädd, så rädd för fallet.

– Stackars människa, sade Nin Dada.

– Ni vet inte vad ni talar om, sade Kreli kort. De ruttna har en förbluffande livskraft i Nord.

Både Naema och Nin Dada nickade, erkände att de inte hade rätt att uttala sig.

– Blommor till borden skulle Milka plocka, sade Kreli

och skakade på huvudet. Det måste vi kontrollera... hon är inte mycket att lita på för närvarande.

Alla tre skrattade men en halvtimma senare stod Milka i dörren med famnen full av skära vildrosor och Nin Dada såg in i ögon som saknade bottnar.

Ham hade förberett henne, sagt att det fanns en släktskap mellan Jafets flicka och hans mor. Ändå blev hon så tagen av sin förvåning att hon sade:

— Men Naema, jag tror att du äntligen fått en dotter.

Om det fanns en bitterhet i Nin Dadas röst var det ingen som låtsades om den. De skrattade.

Själv kände hon till sin förvåning att hon var ledsen som ett förbigånget barn.

Kapitel 21

Nu låg hon vid storbryggan, Nords fyrtioroddare, riggad och färdig. Det stora seglet smattrade som en segerfanfar i vinden.

Det var ett vackert skepp med sitt långa svarta skrov, den eleganta baldakinen över akterskeppet, den höga masten och det gyllene seglet.

I stäven stod Naema, ensam, ståtlig i sin röda långklädnad med de tunga guldlänkarna runt armar och hals. Långsamt höjde hon det stora vinkruset över sitt huvud och det blev tyst bland allt folket. När vinet sköljde över stäven kunde de höra hennes ord: "Må lycka och seger följa dina färder på floden."

Orden var alltid desamma och riten var välkänd för folket på varvet. De hade sett Naema välsigna många skepp under åren som gått.

Men för männen från Nord var ceremonin enastående, kraftfull och lika fängslande som Noas vittberömda hustru. De uppfattade hennes ord som magiska, som ett löfte, inte en välgångsönskan.

Det är bra pojkar, tänkte Noa förtvivlad inför det öde som var deras. I nästa stund kände han den igen, vreden mot Gud.

Jafet förde styråran när skeppet lade ut och paraderade i vid cirkel under Nords vakttorn medan Noa i sällskap med Överbefälhavaren, Naema, Sem och Ham gick stigen upp mot gränsen för att ta emot guldsmeden och hans söner.

De kom som avtalat var, utan ceremonier, grå och böjda nerför vakttornets trappa. I samma stund Ham kände igen Haran gav han det överenskomna tecknet till Jafet och skeppet gick över gränslinjen medan Jafet lämnade styråran till Nords styrman.

Innan båten förtöjde vid vakttornet såg Noa hur Jafet hoppade och landade, vig som en katt, på rätt sida om gränsen. Allt gick enligt planen.

Nu återstod bara att ta farväl av Nords överbefälhavare. De bugade djupt för varann innan den gamle på osäkra ben började klättra uppför torntrappan. Noa log i skägget, motvilligt imponerad. Generalen hade inte förlorat ansiktet trots det myckna vinet vid festmåltiden.

Äntligen kunde Noa hälsa på Haran. Han var äldre än Noa trott, kortare än han mindes och tröttare än han kunnat föreställa sig.

– Gamle vän, sade Noa men sedan tog orden slut. De blev stående och försökte le mot varann.

– Det verkar ynkligt, sade Haran till slut, men man kan ju inte säga mer än tack.

Han log och i det ögonblicket kände Noa igen honom, javisst, han var av den sorten som lyses upp inifrån.

– Milka? sade han.

– Bra, sade Noa.

Sedan böjde han sig ner för att hälsa på barnen och hans hjärta blev varmt. De var allvarliga, mycket äldre än sina tio och tolv år. Men det fanns en spelande nyfikenhet i deras ögon. Och ett slags härdad orädsla.

Den kommer att behövas, tänkte Noa.

Haran bugade för Naema, hälsade på Sem, omfamnade Ham. På vägen tillbaka viskade Naema:

– Vi måste vara rädda om hans värdighet.

– Jag hade hoppats på en jämnårig, sade Noa lika tyst. Och en riktig smed.

– Tänk på Milka, sade Naema och Noa ljusnade när han mindes sin besvikelse över den fula och tafatta flickan som stigit ur Hams båt för några veckor sedan. Nu var hon kraftfull och glad, till välsignelse inte bara för Jafet.

Ham hade talat om tortyr, ett slags sinnets tortyr. Kanske hade Haran plågats på samma sätt.

– Det är en ond stad, Sinear, sade han. Men de flesta är offer.

Han tänkte än en gång på de unga roddarna från Nord som han tränat i sjömanskap. De kunde ha varit hans söner allesammans, pojkar med god vilja.

– I kväll efter vigseln måste han komma, viskade han till hustrun som nickade. Jo, det trodde hon nog. Guds budbärare hade hållit sig borta från varvet de senaste veckorna som om han inte orkat se de unga männen från Sinear, dem som Han skulle dränka.

Naema kände Noas vrede och lade sin hand över hans:

– Vad ämnar du säga?

– Att om Gud har bestämt sig för att dränka människorna får Han själv välja dem som skall räddas. Jag kan inte åta mig det valet.

Naema sökte efter ord att hjälpa men fann dem inte. Hon avbröts av Milka och Kreli som kom springande mot dem. Det blev en svår stund för Haran där han stod med de båda flickorna i famnen.

– In i det sista, sade han, ända till för en timma sedan var det som om jag inte vågade tro. Vi är så... så tränade

122

att alltid vänta oss det värsta.

– Jag förstår, sade Noa, men det gjorde han inte. Ett långt liv hade lärt honom att alltid vänta sig det bästa. Om nätterna den senaste tiden hade han måst värja sig mot hoppet: budbäraren skulle aldrig komma tillbaka, det stora granna livet skulle återvända med sina utmaningar, sin glädje och sin tillit – Noas Gud skulle bli god igen.

Han visste att om Naema inte funnits skulle han ha hittat en smitväg och låtit sig tröstas. Men hon fanns, hon kände hans tankar och hon lät sig inte luras.

Hon hade alltid vetat att Gud var utan barmhärtighet, det förstod han. Det var ur den vissheten hennes allvar kom liksom den egendomliga förmågan att avvisa tröst och livslögner.

Nu sade Haran:

– Men var är Jafet?

Ett långt förvirrat ögonblick såg de på varandra.

– Naema?

Det var Noa och hans röst var spänd.

Hon blundade, viskade:

– Ombord på skeppet. I masttoppen.

Noa sprang tillbaka till vakttornet och där blev han stående. I masttoppen på fyrtioroddaren klängde Jafet tillsammans med styrmännen i linor som snott sig som ormarna i gropen.

– Ingen fara, ropade Jafet men Noa förstod att han väntat på sin far.

– Vi sätter ut en båt och hjälper till, ropade han.

Tio minuter senare var Noa och Sinar ombord igen och linorna klara. Noa gav ytterligare en lektion: Första linan, andra, tredje. Alltid i god ordning, den ena efter den andra.

Nords sjömän var generade men generalen sov vinets tunga sömn under baldakinen så de hade ingenting att frukta.

– Kom ihåg att ni har alla goda makter med er, sade Noa till roddarna innan han gick tillbaka till sin båt med Sinar och Jafet. Orden fick honom att känna sig illa till mods, som den som vet att han ljuger.

– Hur i Herrans namn skall det gå?

– Det är inte vår sak, sade Sinar.

– Det kommer att gå bra, sade Jafet med Naemas trygghet i rösten och Noa tänkte att i äventyr av det här slaget måste man kanske lita på poeterna. Sedan röt han:

– Varför i helvete gick du tillbaka ensam?

– Jag litar faktiskt på dem.

– Men de hade Överbefälhavaren ombord.

– Han sov, sade Jafet och skrattade.

Det blev en lång eftermiddagsvila för folket på varvet. Men när himlen lät sig svalkas av kvällsbrisen var alla på benen igen, högtidsklädda och förväntansfulla.

Kreli och Nin Dada hade dukat långbord på bryggorna, alla på varvet med hustrur och barn skulle delta i bröllopsfesten.

Haran hade sovit i Jafets hus, så djupt och lugnt som när han var ung. När Kreli väckte honom sade hon belåten:

– Det är det första som händer en i friheten, att man äntligen vågar sova.

Haran hade mött Jafet och måste gång på gång uttrycka sin förvåning.

– En sådan märkvärdig pojke.

– Jag tänkte väl så i början, jag också, sade Kreli. Men man vänjer sig, han hör ju till vardagen här.

Hon hade sytt nya kläder både till Haran och pojkarna så dem skulle hon inte behöva skämmas för. Men tanken på Milka, bruden, i sin eviga och enda bruna klädnad bekymrade henne. Hon hade försökt tala med Naema om problemet, men hon hade sin kraft riktad mot Noa och hörde inte på.

Till slut beslöt Kreli sig för att bita huvudet av skammen och sökte upp Nin Dada som fortfarande höll på med dukningen. Hon stod längst ut på storbryggan och kämpade för att få den stora brudbuketten att stanna i vasen trots den ökande vinden.

– Vi fyller krukan med våt sand, sade Kreli och så gjorde de det och Nin Dada betraktade nöjd sitt verk.

– Nu kan vi äntligen gå och klä om, sade hon.

Då gick Kreli rakt på sak.

Nin Dada blev rörd. Och glad.

– Hämta bruden så får vi prova. Vi har ju samma storlek.

Så klädde de bruden i en blekt rosa dräkt av glänsande linne och lade en vit mantel med guldbroderier över hennes axlar. Flickan var häpen och förtjust och Kreli förstod att också Milka bekymrat sig för bröllopskläderna.

– Sitt ner, flicka, sade Nin Dada och så flätade hon Milkas vilda hår till en stor och tuktad krona på huvudet, sammanhållen av ett fint broderat band. Till slut knäppte Nin Dada Harans rubiner runt flickans hals.

– Du får dem i bröllopspresent av Ham och mig, sade hon och Milka grät och Nin Dada fräste:

– Inga tårar. Hon hade ju pudrat det bleka flickansiktet och svärtat ögonfransarna.

När Milka såg sig i spegeln viskade hon:

– Jag är ju nästan vacker.

– Inte nästan, sade Nin Dada myndigt. Du har ett mycket fint och säreget ansikte.

Kreli var storögd av förvåning, aldrig hade hon trott att hennes gråa lilla Milka kunde bli så skön. Men Nin Dada som älskade stunden och sin egen storslagenhet sade:

– Vad skall du ha på dig?

– Jag har ingen festklädnad. Det är inte viktigt, det är ju inte mig det handlar om.

Men Nin Dada spelade ut en stor förskräckelse och provade sin blå dräkt och sin vita på Kreli. De var för små. Sedan fann hon lösningen:

– Min stora mantel, sade hon.

Kreli sveptes in i Nin Dadas glittrande mantel och fick också hon en ny frisyr.

När Ham vaknade en stund senare hade Nin Dada hunnit klä sina söner i deras finaste dräkter och stod själv framför spegeln i sin blå klädnad.

– Skall du inte ha din nya dräkt med den fina manteln?

– Nej, jag får duga så här.

– Inte glömde du att packa ner festdräkterna?

– Jag har lånat ut dem, sade Nin Dada. Till bruden och hennes kusin som inte hade en enda fin klädnad.

Ham såg länge på henne innan han sade:

– Det var snällt gjort.

Nin Dada rodnade men tänkte att hon inte fick bli tacksam för varje enkel vänlighet från hans sida. Och så sade hon:

– Jag har också skänkt Milka rubinhalsbandet i bröllopsgåva från dig och mig. Jag tyckte att det hörde hemma hos henne.

En timma senare läste Noa de gamla vackra giftasorden över de två unga. Haran, Nin Dada och Kreli grät, Jafet och Milka var overkligt sköna och endast Naema såg att Noa, prästsonen, inte var riktigt närvarande i sina ord.

Efter festmåltiden skulle han gå ensam mot berget i norr, till mötesplatsen vid muren.

126

Kapitel 22

Mörkret föll över bryggorna och människorna dämpade sina röster när Noa reste sig från bordet, nickade mot sin hustru och gick. Det är rätt stund, tänkte Naema, det är i skymningen, när stjärnorna tänds, som markens kraft och bergens tankar förmedlas till människorna.

Hon såg honom försvinna i dunklet in mot muren. Stegen var tunga av beslutsamhet.

Och Noa tänkte, där han gick, att budbäraren var en resonabel karl, vänlig och undfallande. Nog skulle det gå att få honom att förstå och att komma till tals både om det praktiska och det svåra att Gud ville världen ont.

Han fann sin plats, stenen så nära muren att han inte kunde ses från tornet. Natten svartnade runt honom, floden höjde sin röst som den brukade när mörkret fallit och storlommen skrek över viken.

Så — oväntat — blev det dödens tyst, som om livet stannat, floden i sitt lopp, vinden i träden och fåglarna i snåren. I nästa stund var Noa innesluten i ljus.

Bländande vitt ljus, så starkt att han kisade.

Men det fanns ingen gestalt i ljuset, bara en röst som kom från både himmel och jord men starkast inifrån hans egen kropp.

"Jag har beslutit att göra ände på allt kött,
ty jorden är uppfylld av våld som de öva;
se, jag vill fördärva dem tillika med jorden.
Så gör dig nu en ark av goferträ,
och inred arken med kamrar,
och bestryk den med jordbeck innan och utan.
Och så skall du göra arken:
den skall vara trehundra alnar lång,
femtio alnar bred och trettio alnar hög;
en öppning för ljuset, en aln hög alltigenom,
skall du göra ovantill på arken;
och en dörr till arken skall du sätta på dess sida;
och du skall inreda den så, att den får en undervåning,
en mellanvåning och en övervåning.
Ty se, jag skall låta floden komma med vatten
        över jorden,
till att fördärva allt kött som har i sig någon livsande,
under himmelen; allt som finnes på jorden skall förgås.
Men med dig vill jag upprätta ett förbund:
du skall gå in i arken med dina söner och din hustru
och dina söners hustrur..."

Den väldiga rösten fortsatte ännu en stund och orden sjönk
tunga som stenar i Noas hjärta. Det var föreskrifter om djur
och livsmedel och Noa visste att han lärde allt och skulle
upprepa det mening för mening för sin hustru och sina söner.

Men när ljuset slocknat och flodvattnet kunde höras igen
lämnade förskräckelsen honom och han kunde åter känna
sin vrede. Detta var inte budbäraren, det var Gud själv och
Han hade inget förnuft och lät inte tala vid sig. Det fanns
ingen likhet mellan Honom och den gud Noa varit förtrolig
med genom åren, Han som alltid lyssnat och givit de goda
råden.

Noa satt kvar länge på sin sten. Han frös fastän natten var varm, och han grät som den gör som till slut förstår att människan är avskild och ensam.

Rätt ut i natten sade han:

— Ta Du mitt liv också.

Men han visste att ingen lyssnade, att det aldrig funnits någon som lyssnat där ute i de stora himlarna. Han hade bara sin egen kraft att lita till.

När han äntligen reste sig och började gå utför stigen kom Naema honom till mötes och aldrig hade han älskat henne som i denna stund.

Jag har ansvar för henne och hennes folk, tänkte han. Kanske är skälet till att Han valde mig, att skogsfolkets arv skall leva kvar på jorden.

— Hos er i skogen finns ingen ondska, sade han.

Hon blev förvånad, hon hade aldrig tänkt på sitt folk som ont eller gott.

— Vi är ju inte heller så angelägna om att vara goda, sade hon.

Kapitel 23

De satt där i ritverkstaden, Noa och hans söner. Och det var morgon den första dagen sedan Noa förlorat sin tro.

Det fanns en tung beslutsamhet över honom, men hans glädje var försvunnen och det skrämde de yngre männen.

– Jag gick till mötet med budbäraren men det var inte han som kom, sade Noa. Så vitt jag förstår var det Gud själv som talade den här gången.

Noa blundade men ljusskenet från gårdagskvällen kunde inte utestängas. Och orden fanns i hans minne, obarmhärtiga och förkrossande. Långsamt började han läsa upp budskapet, mening för mening.

Naema var den enda som inte var förvånad, ledsen men inte förvånad. Noa såg det och hans vrede växte:

– Du har förstås alltid vetat att Gud är ond?

Hans söner ryckte till. De hade aldrig hört Noa höja rösten mot henne.

– Jag har aldrig förstått er tro, sade hon upprörd och beslutsam. Det har hänt att jag frågat dig hur den gode guden kan tillåta all grymhet i Nord, hur han kunnat blunda för morden på din far och dina bröder och hur han kunnat fördra alla orättvisorna i Syd där de rika blir allt rikare och slavarna allt fler? Men du ville aldrig höra på det örat, Noa, du gick till ditt varv och dina bestyr och lyckades hålla dig

130

kvar i den bästa av världar.

Hans ögon släppte inte hennes:

– Du kunde ha tagit strid med mig?

Hon slog ner blicken, när den mötte hans igen var den blank av tårar.

– Ja, sade hon. Det hör till mina många försummelser här i ditt land. Jag har dåligt hävdat min egen kunskap.

Rösten var ihålig och hennes söner tyckte att hennes förtvivlan var svårare att stå ut med än de hemska gudsorden som Noa läst för dem.

– Jag hade så många ursäkter, sade hon och tog sig samman. Jag ville inte klyva din värld. Och så var det barnen... tryggheten. Jag är ännu osäker, vem kan veta...? Varför skulle jag beröva dig grunden du stod på? Så vitt jag förstår finns det starka skäl för din tro, det du alltid hävdat... att du var en utvald. Det har ju... besannats nu.

– Men hur ser du Gud?

– För mig är den Store Guden den makt som upprätthåller balansen i världen, den helighet som måste finnas för att tillvaron inte skall gå i stycken. Han finns i oss alla... och i allt som är världen, i himlarna och i marken, hos träden och djuren.

Det var tyst länge. Noa mindes plötsligt att Guds röst kommit från alla håll men starkast inifrån hans egen kropp. Men han avvisade minnet och sade:

– Så en människa har bara sin egen kraft att lita till?

– Ja, sin gudskraft. Och så naturligtvis alla goda gåvor hon fått, sitt förnuft, sin tanke... och sin vilja.

– För mig blir en sådan gud kall. Något opersonligt som man inte kan känna gemenskap med.

Naema slog ner blicken och tänkte förtvivlat att hon aldrig skulle kunna förklara att i hennes värld var allt personligt, alla igenkända – alla träd, varje djur och varje stjärna stod i ett personligt förhållande till den enskilda människan, kände henne, skänkte henne stöd och liv i varje stund.

De har förlorat sin tillhörighet, tänkte hon. Det är därför de har så mycket längtan. I grunden är alla deras ivriga verk och heta önskningar bara olika utryck för deras stora hemlängtan.

Hon såg hur mörkret i hans ögon djupnade, blev rädd, fortsatte:

— Noa, det är inte så enkelt. Ni här i dina länder tror att allt kan besvaras med ja eller nej. Jag — vi kan inte förstå det, för oss är livet sammanhang och... förlopp. Som floden, Noa, det var ju den som först talade om för dig att något var fel.

— Jag förstår inte?

— Noa, min älskade. Om du använder din gudamakt med ödmjukhet, i harmoni med... allt i naturen så samarbetar den stora kraften med dig och du får den hjälp du behöver.

— Av Gud, menar du?

— Ja.

— Men Naema, jag vill inte samarbeta med en Gud som ämnar utplåna människorna, de oskyldiga i båda länderna, pojkarna från Nord som vi lärde att segla...

Hans röst sviktade. Men hon kunde inte trösta:

— Den värld som människorna byggt är i sådan obalans att den löper risk att gå sönder, sade hon. Det kan bli krig och krigen ökar hatet och rädslan och världen blir allt trasigare. Nu väljer... Gud översvämningen för att återställa... den ursprungliga kärleken.

Nu bröts samtalet överraskande av Ham, som var röd av vrede:

– Jag är inte så filosofiskt lagd som ni båda, sade han. För mig är det en fråga om att rädda mina barn, mig själv och er. Jag tänker förbanne mig tvinga dig att samarbeta.

Noa såg på sin son och hans ansikte mjuknade.

– Du har rätt, Ham. Vi skall sätta in alla våra krafter på att överleva.

Så redogjorde han för sina närmaste planer. Sem skulle ta ansvar för konstruktionen av skeppet, arken, rättade sig Noa och hånlog. Jafet skulle samarbeta med skogsfolket om skogen som måste fällas. Ham skulle förhandla om det som måste köpas i Syd.

Ingen utanför familjen skulle meddelas ännu. Haran, hans söner och Kreli måste resa till Eridu för att se Syd och små-ningom fatta beslut om sin framtid. Själv skulle han tillsam-mans med Naema, Jafet och Milka besöka folket i skogen.

När Noa tystnat tänkte hans söner att det var första gång-en de hört sin far ge order. Han hade förlorat sitt kluriga sätt att lyssna och lirka. De satt inför det stora skeppets befälhavare.

Noa var beredd att avsluta mötet när Jafet sköt in en fråga.

– Varför talade Gud ett sådant egendomligt språk? Om han menar att vi skall bygga en låda varför säger han ark? Och vad är goferträ?

– Det är ett ålderdomligt ord som betyder hårt och kåd-rikt trä, sade Noa förvånad som om han inte tidigare hade tänkt på saken. Min far kallade cedern för gofer. Och arken, ja det var kistan i templet där man förvarade de heliga kärlen.

– Men att kalla människorna för "allt kött", sade Jafet med avsky. Vem ser på människan som ett kött?

– Det är också gamla prästord, svarade Noa allt mer för-vånad. Lamek, min far, talade om mänskligheten som "allt kött".

133

Noa var trött efter mötet. Naema såg det och bäddade hans säng och sade:

— Försök sova en stund.

— Ham har rätt, sade Noa när hon lade över honom täcket. Så enkelt kan det sägas: här gäller det att rädda sitt eget liv.

Hon nickade, strök honom över kinden och gick. Men Noa kunde inte somna, han låg där och gick igenom förmiddagens samtal ord för ord.

Han försökte förgäves förstå vad Naema menade när hon talade om Gud. Men den fråga som mest plågade honom var:

Varför talade Gud som Lamek, fadern som han vägrade att minnas?

Kapitel 24

Skuggan stod i vakttornet och såg bröllopsgästerna samlas till festen på bryggorna. Det var Milka han spanade efter. Han hade kommit redan på förmiddagen men gömt sig i bergen. Utom synhåll för Nords överbefälhavare hade han sett det ståtliga skeppet gå över gränslinjen och insett att nu hade Noa köpt sig ställning och inflytande hos den Galne.

Men varför behövde han det?

När skeppet med den sovande generalen roddes norrut på floden hade han dykt upp hos vakterna i tornet. Han hade kallsinnigt räknat med att de ännu inte visste om att han var i onåd.

Och han hade haft rätt, de bemötte honom med den ängsliga rädsla som han var van vid.

Nu stod han här och väntade. Han hade gott om tid att se och att minnas. Nog hade han hört att Noa haft framgång, att varvet vuxit och ökat i betydelse. Ändå blev han förvånad när han såg ner över bryggorna, de långa verkstadshusen, trädgårdarna och de många bostadshusen som klättrade uppför sluttningen på andra sidan dalgången. Bortom berget i söder låg varvets repslagarbana, det visste han. Kanske fanns där fler hus, fler verkstäder, dolda för Nords spejare.

Han hade varit här en gång som barn, fått följa med den förbannade Lamek för att besöka Noa. Eftersom han redan då hade haft ett registrerande sinne mindes han varje detalj.

Nästan ingenting var sig likt. Det varv Noa byggt efter branden var i allt mycket större, bättre planerat. Det enda han kände igen var den lätta doften av jordbeck som fanns i luften över de två dalsänkorna.

Det hade varit de stora öppna dagbrotten för becket som avgjort frågan om var det nya varvet skulle placeras. Både i Syd och i Nord behövde man fartyg. Man hade böjt sig för Noa när han hävdat att utan jordbeck var skeppsbyggeri omöjligt.

Så kom han att garanteras rätten till gränszonen och det som skulle bli Ingen Mans Land hade blivit Noas land, ett välmående litet rike med egen kung. Men utan försvar.

Man skulle kunna bränna ner det på en natt, tänkte Skuggan. Det skulle bli en större brasa än förra gången men brinna skulle det.

Som alltid när han tänkte på Noa kände han en ovan upprördhet, starkare nu när han var så nära mannen. Som så många gånger förr tänkte han att det var Gud själv som räddat Lameks son och att så länge Noa och hans söner fick leva på jorden hade Gud sina redskap. Den blinda kraften kunde återerövra Sinear och slå allt mänskligt förnuft sönder och samman.

Nu kom bröllopsföljet ut från det största huset och började långsamt gå mot storbryggan där det smyckade bordet väntade.

Främst gick Jafet och Milka.

Där var hon, flickan som lyckats tända en fladdrande låga av liv och vilja i pojken.

Hon var klädd och smyckad som en prinsessa och för ett

136

ögonblick insåg han att han aldrig skulle få makt över henne igen. Men han avvisade insikten och tänkte att han skulle slita de granna kläderna av henne, piska henne till lydnad och återföra henne till den plats där hon hörde hemma, hos hans son.

I nästa stund fick han syn på Noa.

Den förbannade lismaren var sig lik från ungdomsåren. Vad värre var, han var lik Lamek, prästen som Skuggan med egna händer skurit tarmarna ur.

Så kunde du inte dö, prästdjävul.

Han hade talat högt och såg att vakthavande officeren vid hans sida ryckte till och såg förvånad ut.

Skuggan försökte skaka av sig sin upprördhet men blev inte kvitt frågan: Varför hade den onde guden sparat Lameks son?

Jag måste lugna mig, tänkte Skuggan och lät blicken gå vidare till kvinnan vid Noas sida. Där var hon äntligen, trollkonan som Noa rövat från skogen, och han fick erkänna att hon var egendomlig och vacker. Människan skimrade som om hon varit förgylld.

Kanske var det som många trodde att det var hon och inte den gamle guden som gav Noa hans framgång.

En kvinna av stjärnfolket, tänkte Skuggan och mindes hur Lamek och hans egen far förbannat de okända människorna i skogen, syndens folk, barn av fallna änglar och jordiska horor.

Ett slag undrade han om Noa kom ihåg vad de sagt om skogsfolket, prästerna? Och vad han gjorde med den hågkomsten?

Kanske hatar han sin far som jag gör.

Plötsligt kände Skuggan hur trött han blev av alla ovana känslor.

Jag måste ta mig härifrån, tillbaka till bergen.

Och han tänkte på sitt hem, grottan där han höll sig undan med sin åsna medan tiden gick och han väntade på domen från huvudstaden. Den kunde inte bli mild, det förstod han. Han hade låtit femtiotvå byinvånare försvinna, spårlöst och över en natt. Och han hade misslyckats med att finna en förklaring och gjort sig löjlig med sina spekulationer om Noas hustru och hennes trollkonster.

Nu jagade hans ögon Ham, den längste av sönerna där nere på bryggan. Jo, han såg ut som Skuggan föreställt sig, elegant och överlägsen, lik sin mor och nästan lika vacker. Han kunde se för sitt inre hur Ham stod där i dörren hos den Galne, vände och sade som i förbigående att byfolket tagit sig över träsken i öster och fått mark och nya bostäder i Syds magra bergstrakter.

– Vi får vara tacksamma att Kungen inte dog på fläcken av ilska, sade överuppsyningsmannen som varit med i palatset och kunnat berätta för Skuggan om vad som skett.

Skuggan hade sett en lång stund på sin kollega och till slut hade båda dragit på mun åt den ofrånkomliga tanken att det bästa som kunde hända dem och landet var just detta, att den Galne fick slag.

Inte blev situationen bättre för Skuggan när Nords spioner en tid senare kunde bekräfta Hams historia. På något obegripligt sätt hade byfolket tagit sig över träsken vid gränsen, träsken som bubblade av jordbeck, stank som helvetet och sög ner var och en som vågade sig dit, djur eller människa, i oljig gyttja.

De hade haft hjälp, det var uppenbart.

Skuggan tänkte på mannen som han förhört tills han dog, på hans triumferande leende in i det sista. Det pågick ett samarbete mellan byarna på berget Kerais och människosmugglarna i Sydriket. Där behövde man arbetskraft. I varje by visste man om det, i varenda idiotisk bergsbo fanns ett hopp.

Kungen hade meddelat att han var beredd att vänta med domen över Skuggan tills denne hade klarlagt var flyktvägen hade gått. Sedan veckor tillbaka hade han tillsammans med sina femton soldater finkammat träsken. Han hade förlorat två man i gyttjan. Även Skuggan hade funnit deras död obehaglig, de hemska skriken innan det feta jordbecket täppte igen deras munnar för alltid.

Till slut hade han funnit lösningen. I snårskogen längst österut bortom gränsen till okänt land fanns fastare mark. Den oljiga gyttjan var bara några tum djup här och det var fullt möjligt att i mörka nätter finna stöd för enkla träbroar.

Det var demonernas land, ett område dit ingen människa någonsin sökte sig, och Skuggans soldater hade darrat av skräck när han drev dem mot gränsen. Till slut hade de vägrat och han hade gått ensam.

Just som han väntat sig hade han funnit de träställningar som stöttat bräderna i den långa spången som Syd byggt för att ta emot flyktingarna.

Det skulle bli mycket svårt för den Galne att tvinga en officer och hans soldater till vakt i detta område. Inte så att någon skulle ha mod att vägra. Men vakttjänsten kunde inte kontrolleras och allt talade för att männen, som var räddare för demonerna än för den Galne, aldrig skulle våga sig i närheten av gränsen.

Det var detta som gav Skuggan hopp om att han trots allt inte skulle dömas till döden. Med honom vid gränsen kunde Sinear lita på vakthållningen.

Nu föll skymningen över bryggorna och Skuggan blev allt tröttare. Det fanns något vädjande över honom när han sade farväl till vakterna i tornet och gav sig av till platsen där hans åsna väntade.

– Han var ju nästan mänsklig, sade de förvånade soldaterna en stund senare när de såg den kraftiga gestalten försvinna i mörkret på stigen österut.

En enda gång stannade han och lät blicken gå mot männi-
skorna där nere på bryggorna. Oljelamporna på borden kas-
tade sitt ljus över ansiktena, och Skuggan såg länge på Sem.

Ett intelligent ansikte.

En sådan son skulle...

Innan han gick vidare såg han Noa resa sig och gå mot
muren. Där satte han sig på en sten, knäppte sina händer.
Skuggan förstod att han bad och kände det bittra hatet brän-
na till inom sig:

— Lamek, sade han rätt ut i mörkret. Se till din son, han
behöver det. För ännu lever och andas jag och en dag skall
jag krossa Noa.

Innan han vände och försvann i mörkret tyckte han sig
se ett ljussken på den plats där Noa satt. Men det försvann
snart.

Natten var stjärnklar och kall men Skuggan frös inte. Trött-
heten vek och de ovana känslorna lämnade honom där han
gick genom mörkret.

När han fann dungen där han bundit sin åsna var han sig
själv igen, lugn och klar. Åsninnan sov på den risbädd han
gjort i ordning och han lade sig bredvid henne. Hon hade
så gott om värme att den räckte också för honom, tänkte
han och bredde ridfilten över dem båda.

Som vanligt innan han somnade gick tankarna till pojken
därhemma. Under de veckor han fått vara hos guldsmedens
dotter hade han förändrats, han hade kunnat styra sin kropp
och möta sin fars ögon. Nu var han sämre igen och fick
skrämmande raseriutbrott.

Vad hade hon gjort, flickan? Om han bara kunde komma
till tals med henne, fråga... Hans gamla tjänarinna hade be-
rättat att Milka alltid bar barnet i armarna, sjöng och talade

med det. Han hade försökt sig på den behandlingen, men pojken hade blivit rädd och sämre än någonsin.

Hon måste känna en metod som verkade på barnet, något knep som han kunde lära sig.

Om det nu fanns någon framtid. Han tänkte på domen som väntade, blev det dödsstraff hade han sörjt för sonen och hustrun. De gamla trotjänarna i huset i Sinear var pålitliga, de skulle inte glömma giftet och hur det blandades i mjölk för att ge djup sömn och säker död.

Men om han fick vakttjänsten vid gränsen skulle han bygga sig ett hus där i ödemarken. Som alla andra i tjänst hos de hemliga specialstyrkorna hade han guld på hög, sikler som folk försökt muta honom med.

Det nya huset skulle bli bekvämt. Och rofullt. Hans sjuka hustru behövde stillheten. Och pojken, ja, kanske skulle också han bli lugnare där borta i tystnaden.

Snart sov Skuggan, djupt och oskuldsfullt som han var van. I gryningen kom drömmen som den brukade, men inte den vanliga om Gud som mätte hans skuld. Nej, en svårare.

Uppför trappan mot vakttornet där han stått och sett på Noas varv kom Lamek emot honom. Det var full dager och trappan ledde till det stora templet i Sinear och den storväxte prästen log som han alltid gjort, ett sorgset och lystet leende. I handen höll han knutpiskan och i sömnen kunde Skuggan känna hur det kliade i de djupa ärren i hans underliv.

Prästen talade och talade, läpparna rörde sig, och Skuggan som nu var ett barn kunde inte höra ett ord och visste att det inte hade någon betydelse. Lamek talade som alltid om sin sorg och sin tunga plikt att lyda Gud och tukta hans barn.

När de första slagen föll skrek pojken och Skuggan hann tänka att detta var innan han lärt sig uthärda. Men sedan

141

vaknade han av sitt eget skrik och av åsnan som for upp och skakade av rädsla.

– Så ja, så ja, sade Skuggan lugnande, men han darrade själv och var våt av svett.

De lade sig igen, åsnan somnade men mannen låg vaken och såg gryningen komma. Han hade gott om tid att minnas sin barndom. Modern som gick i floden. Fadern som inte stod ut med skammen för självmordet och inte med sonen, som blivit stum och fick egendomliga raseriutbrott. Till slut hade femåringen lämnats till Lamek, prästen som visste hur Gud ville ha sina barn.

Nu frös han och kröp närmare åsnan och hans sista tanke innan han somnade gällde Noa:

– Du är förbannat lik din far, sade han rätt ut mot den nya dagen.

142

Kapitel 25

Natten efter Skuggans dröm om Lamek hemsökte den döde prästen Noa. Han hade somnat tidigt, trött och upprörd av ett samtal med Milka och Jafet.

De hade mötts på eftermiddagen i Jafets båt för att tala om den gemensamma resan till skogsfolket. Noa hade menat att det var bäst att de tog två mindre båtar, små farkoster var lättare att ro motströms och enklare att hantera vid de få landningsplatserna i Titzikona.

Jafet hade instämt.

Så utan orsak och överraskande även för honom själv hade Noa frågat Milka:

— Vad blev det av Gud i Sinear, jag menar sedan Han förbjudits?

Milka hade berättat om kvällarna vid elden i köket, när pojkarna sov och tjänarna lämnat huset.

— Det hände att far berättade om Gud, om hur skönt det var med Honom som fanns där i templet och som man kunde komma till tals med när man offrade till prästerna. Han sade att livet var enklare när man inte måste fatta alla svåra beslut på egen hand. Men mor log och så liten jag var förstod jag att hon aldrig hade trott på templets Gud, trots att hon arbetat där som sierska. En gång sade hon att Gud var det inom henne som var mera hon själv än hon själv.

Milka hade sökt Noas ögon innan hon fortsatte:

— Jag var för liten att begripa... men ändå måste jag ha förstått på något vis för jag glömde det aldrig.

Det hade blivit tyst länge och de tre i båten hade sett mot väster, mot Titzikonas mynning och de gröna stränderna på andra sidan viken. Till slut hade Noa vågat fråga:

— Hur dog hon, din mor?

— Vi visste att de skulle komma på morgonen, sade Milka och hennes röst djupnade. Någon hade varnat, antar jag. Vi satt hela natten i köket... och talade... och svårast var det med far. Men till slut måste jag ha somnat ändå, för jag vaknade när soldaterna kom och då var hon död.

Både Jafet och Noa grät men Milkas ögon var utan tårar och rösten saklig när hon sade:

— Ni vet, hon kunde ju så mycket om gifter.

Det blev en lång tystnad innan flickan fortsatte:

— Men då på natten innan jag somnat... så sade hon till mig att det viktigaste av allt var att man var ärlig... och att ärlighet alltid innebar lidande.

— Det har jag svårt att förstå, sade Jafet. Men för Noa var orden klara som vatten.

När han kom hem till middagen hade han tigit om samtalet, han ville förstå det utan hjälp. Så de hade ätit under tystnad. När Naema gick för att se på stjärnorna hade Noa sagt:

— Jag går och lägger mig.

— Så du skall inte... be aftonbön?

— Nej.

När hon kom tillbaka sov Noa djupt som ett barn och hon rörde sig så tyst hon kunde när hon klädde av sig och lade sig vid hans sida, glad trots allt för att inte sömnen svi-

144

kit honom. Men den barmhärtiga glömskan varade bara några timmar.

Sedan stod Lamek vid sängens fotända.

Noa såg på fadern och undrade hur han någonsin lyckats tränga bort den mannen ur sitt minne, de gnistrande ögonen och den lystna munnen som talade och talade.

Noa hörde inte vad han sade och det var inte heller nödvändigt. Han kunde alla orden om den hämnande Guden, Han som såg på människan utan barmhärtighet. Det var därför det var prästens hårda ansvar att piska nyfikenheten och uppstudsigheten ur barnens sinnen.

Noa blundade för att komma undan men det hjälpte honom inte. Så fort han slöt ögonen kom bilderna av misshandeln, av bröderna som blödde ur tarmen.

Noa satte sig upp i sängen, spärrade upp ögonen. Och där var han, Lamek med sitt leende och den flöjtande rösten, vädjande, en leende röst som inte längre kunde utestängas.

När han blundade igen kom bilderna av Kenans son, den lille Mahalaleel, pojken som skulle växa upp och bli det nya Nordrikets Överuppsyningsman och kallas Skuggan.

Att han överlevde, tänkte Noa och sedan skrek han så att han väckte både sig själv och Naema.

Hon höll honom i sina armar men han kunde inte lugnas och gång på gång ropade han:

– Det var inte en dröm, Naema, det var ingen dröm. Han var här, såg du honom inte?

– Jag såg inte, men jag tror dig, Noa. Nog finns han men inte här i tingens värld. Han kan inte göra dig illa.

Gång på gång upprepade hon det: Han kan inte längre göra dig illa.

Lite lugnare blev han efterhand.

– Jag vill ha varm mjölk med valeriana.

145

– Jag skall göra i ordning den.

Men han vågade inte vara ensam, han följde med henne ut i köket och försökte med fumliga händer att få liv i elden på spisen. Han misslyckades, hon fick hjälpa honom och medan mjölken värmdes gick hon till skåpet där de hemliga örterna förvarades.

Hon valde inte valerianan.

När de kom tillbaka till sängen sade hon:

– Nu måste du äntligen berätta, Noa.

Trevande till en början, sedan allt snabbare och till slut i en fors av ord fick hon veta om barndomen, om rädslan, och om modern som beslutat att rädda sin yngste son och med knep och lögner lyckats föra honom till sin bror, skeppsbyggaren. Först för kortare tid, några sommarmånader, sedan i allt längre perioder.

– Så stark hon måste ha varit, viskade Naema.

Noa hejdade sig för ett ögonblick:

– Det hade aldrig gått om de inte betalat, sade han. Min morbror blev rik på sitt skeppsbyggeri och hans hustru hade en ärvd förmögenhet.

– De köpte dig?

– Ja. Lamek kunde göra allt för guld.

Berättelsen fortsatte tills gryningen kom, Naema avbröt inte fler gånger. Men hon tänkte fylld av förvåning: i hela mitt vuxna liv har jag levt nära och älskat en man med ett sådant mörker begravt inom sig.

När solen gick upp över varvet blev Noa sömnig. Valerianan verkade till sist, sade han innan han somnade.

Aldrig tidigare hade det hänt att Noa sov långt in på förmiddagen. Det väckte undran, men både hans söner och hans arbetare fick nöja sig med beskedet att Noa var trött efter all möda med Nords skepp.

146

Men till middagen i Jafets hus kom han och alla såg de att han var lugnare än dagen innan.

Kanske han finner en väg att förstå den onde guden, tänkte Ham.

De lyckades börja ett lättsamt samtal som snart blev naturligt. Hams pojkar berättade för Harans söner om märkvärdigheterna de skulle få se i Syd.

Noa såg på barnen med glädje, de öppna ivriga ansiktena hos Kus och Misraim och den solige lille Fut som hade svårt att sitta stilla vid bordet. Det är Nin Dadas förtjänst att de är som de är, tänkte han och höjde sin bägare mot Hams hustru.

Han hade alltid tyckt om henne.

Vi har tur med kvinnor i vår familj, tänkte han med lite av sin gamla belåtenhet. Så log han mot Milka:

— Jag vill tacka dig för samtalet i går, sade han. Det betydde mycket för mig.

Hon log tillbaka och Sem skrattade och sade vad alla tänkte:

— Så ni två har hemligheter ihop.

Noa instämde i skrattet och fortsatte att fundera. Jag måste få Sem att gifta sig med Kreli. Men hur? Jag får tala med Naema.

Harans söner satt stilla vid bordet, tystare och allvarsammare än de andra barnen. Noa kunde ju se att de ännu var på sin vakt och tänkte att det skulle ta tid innan rädslan släppte greppet om dem.

— Ni skall veta, sade han till dem, att ni nu är fria att välja de liv och de yrken ni vill ha. Men en sak vill jag att ni lägger på minnet och det är att ni alltid är välkomna till-

147

baka till oss. Ni kan båda bli skickliga sjömän.

De rodnade av glädje och Haran sade med osäker röst:

— En gång, Noa, skall jag hålla ett tal till dig.

Nu skrattade alla och Noa mest:

— Jag vet, du behöver inte orda om det.

I den stunden såg han så innerligt belåten ut att alla kände igen den gamle Noa.

De var i det närmaste färdiga med sin måltid när Kreli sade att hon hade något... obehagligt att berätta. Hon hade samlat ihop resterna från de stora festerna, mat som snart skulle förstöras. Naema hade sagt att hon skulle gå till de hungriga soldaterna i vakttornet, att de brukade göra det.

I tornet stod en officer som hon kände, en ung pojke som bott granne med dem i Sinear.

— Logas son, ni vet, sade hon till Haran och Milka, som nickade.

Hon hade blivit förvånad och växlat några ord med honom. Han hade berättat att Skuggan kommit till tornet på bröllopskvällen och stått där i timmar och sett på festen.

Noa kände att han var nära en viktig insikt, att han måste få tänka. Men han hann inte för Ham reste sig, röd av raseri och skrek:

— Å Gud, om jag hade vetat.

Noa såg på sin son, lät blicken gå vidare till Sem som var lika upprörd. Bara Jafet behöll fattningen och lade sin arm runt Milkas axlar.

— Vad hade du gjort om du hade vetat, frågade Noa och alla hörde skärpan i hans röst.

— Jag hade stuckit en kniv i honom, sade Ham. I hela mitt liv har jag velat ta hämnd för Lameks död.

— Du skulle ha dödat honom?

— Ja.

148

– Men Skuggan är redan död, sade Noa och nu var rösten knivskarp. Han mördades som barn av er farfar.

Han reste sig och gick mot dörren, stannade och tackade Milka för middagen, gick, men vände sig ännu en gång och såg mot sina söner.

– Om ni tror på människans befogenhet att hämnas så skall ni veta att större rätt än den Skuggan hade när han dödade Lamek kan ingen ha.

Kapitel 26

De satt kvar vid bordet sedan Noa lämnat dem. Sem hade huvudet fullt av tankar som slog åt alla håll. Som krabb sjö. Ett tag mådde han illa — sjösjuk, tänkte han.

Men svårast hade Ham det. Han tyckte att Noa skakat grunden för honom, att livet förlorat sin mening. Han hatade dem båda, Noa och Naema.

När han änligen trodde sig ha rösten under kontroll skrek han till sin mor:

— Detta kunde du ha sagt oss när vi ännu var barn.

— Nej, sade hon. Jag fick veta... det i natt när Lamek hemsökt Noa i en dröm.

Då såg de alla att hon var lika berörd som de.

— Kanske borde jag ha begripit..., sade hon och det var långt mellan orden. Det var ju alltid så underligt att Noa inte hade... några barndomsminnen. Jag tror... att han inte kunde minnas. Det finns... sådant som är outhärdligt.

— Och hur vet du att han minns sanningen nu? frågade Ham.

Också Jafet var blek där han satt med armen runt Milkas axlar. Han tänkte på Gud som talat med den döde prästens ord.

— Kanske är Gud lika ond som Lamek var, sade han.

— Åt helvete med Gud, skrek Ham. Jag vill veta sanningen om min farfar.

I samma stund insåg de alla att Haran, guldsmeden, var den ende som kunde veta.

Men Haran var motvillig och tveksam. Det hade funnits så många rykten, sade han.

De fick dra orden ur honom men kunde så småningom forma en bild av prästen som hade haft sin lust i att plåga småpojkar. Han berättade om Skuggan som blivit stum när hans mor gått i floden och som överlämnats till Lamek. Och om Noas bröder och hur de hade det och slutligen om Noa själv som sålts till sin morbror vid varvet.

Hams vrede ebbade ut, efterträddes av tomhet. Sem kunde samla sina tankar och sade förundrat:

– Det är som om vi blivit fattigare när vi förlorat hämnden.

Ingen vid bordet lade märke till Milka och den förvåning som hennes ansikte speglade.

Skuggan, tänkte hon, och förstod äntligen det hon alltid vetat – att han var död och att det var därför det var så viktigt att hans son skulle räddas till livet.

Hon såg sig om men ingen begrep att Skuggan var medelpunkten, alltid närvarande i deras öde.

Åh, Gud, tänkte hon, hjälp Skuggan och hans son.

Hon mindes plötsligt samtalen den första dagen här på varvet, hur Kreli sökt förklara för Naema vad som hänt med henne, Milka, när hon tvingades ta hand om Skuggans son.

Kreli hade skildrat hennes dagar med barnet, hur hon kallat honom sin lilla valp, sökt hans blick, jublat när han äntligen kunde möta hennes ögon och förtvivlat när han föll tillbaka i sitt mörker.

Naema hade lyssnat och efter det att Kreli slutat hade hon varit tyst länge.

151

Men till sist hade hon sagt att det kanske fanns en insikt hos Milka.

– Jag tror att Skuggan har lagt allt det han inte kan känna hos sonen, det stackars barnet.

– Du ser det ju, hade hon sagt. Han reser, han är ständigt på väg. Han är på flykt undan sitt mörker, som pojken måste bära.

Hon hade tystnat, tänkt efter, fortsatt:

– Men det är något mer. Skuggans son bär också på all den fruktan som finns i landet. Om Milka förmått barnet att bli människa, att bli medvetet, så hade ett under kunnat ske.

– Tänkte hon så?

– Nej, nej, det var en visshet bortom tanken. Men det hon inte kunde veta var att uppgiften var för stor. Inte ens Gud rår med den.

Milka hade tigit som hon gjort hela tiden i början. Hon hade inte förstått vad Naema sagt, bara vetat att det var sant.

Men på eftermiddagen samma dag hade hon sökt upp Naema och sagt:

– Vad du glömde att säga var att barnet tog min själ ifrån mig. Men att den var för liten. Han blev inte mycket bättre men jag, jag har bara skalet kvar.

Naema hade sett rätt igenom henne, innan hon svarat.

– Du har rätt i att du är tömd, men jag vågar tro att det är en annan som tagit din själ.

De där första dagarna hade Milka strövat ensam i tassemarkerna i dalgången, området som kallades de dödas land efter alla som stupat där under det stora kriget. Kreli följde henne sällan, hon var rädd för de döda. Men Milka kände sig hemma i markerna som återerövrades av unga träd, buskar och ett överflöd av blommor.

Där i skymningen om kvällen hade hon förstått vad Naema menat, att det var Jafet som tagit hennes själ och att hon skulle bli hel igen när han kom tillbaka.

Nu bröt hennes gäster bordet, de hade äntligen sett att Milka var långt borta i sina tankar. Noas söner gick till ett nytt möte med fadern i ritverkstaden och Nin Dada försvann för att packa medan Naema tog hand om barnen.

Kapitel 27

Milka plockade undan efter måltiden, diskade och försökte också hon planera för resan de skulle göra till skogsfolket. Men hon visste så lite om vad som behövdes i skogen.

Jag får tala med Jafet, tänkte hon.

Noas beslut att hon skulle få följa med på resan hade glatt henne. Hon hade sagt det till honom: den bästa bröllopsgåvan.

Milka älskade sin svärfar.

Jafet hade motstridiga känslor för sin far, beundran men också förakt. Noa är förutsägbar som alla som är omedvetna, brukade han säga.

Något ligger det väl i det, tänkte Milka men blev stående mitt på köksgolvet med sin trave av tallrikar. För nu slog det henne att Noa inte längre var förutsägbar, han hade börjat minnas och slutat stänga ute det obegripliga.

Plötsligt kände hon sig orolig för Noa.

Milka var den enda på varvet som aldrig sysselsatte sina tankar med Naema. Jafets mor var lik hennes egen och därför självklar.

När hon var färdig med sina sysslor gick hon för att se till sin far. Haran var kanske upprörd efter samtalet vid midda-

154

gen, tänkte hon. Det hade inte varit lätt för honom att berätta det han visste om Noas far.

Men Haran sov middag. Det är som om han inte kunde få nog av sömn, tänkte Milka.

Så hon drog ut i markerna, det var i vildrosens tid och skönt att ströva i humlesurr och väldoft. Under tiden här hade hon, stadsflickan, lärt sig mycket om blommorna. Det var Naema som undervisat henne sedan hon upptäckt att Milka hade sinne för växterna, för deras särart och skiftande egenskaper.

Hon gick uppför sydbergets sluttning, satte sig på en sten och såg ut över viken mot skogarna vid Titzikonas mynning. Nu tänkte hon på skogsfolket och allt Jafet berättat om dem, människorna som levde i sina myter.

En handlade om alla de gåvor som änglarna skänkt dem när de måste återvända till rymderna och lämna sina barn att reda sig ensamma på jorden.

En hade givit dem förtröstan, vetskapen att inget kan begripas men att allt, även det svåraste, sker till det bästa.

En annan hade skänkt dem samtalen. Och språken som talades av vinden och molnen, träden och djuren. En tredje hade lärt dem att förstå tecknen, alla dessa tillfälligheter som kunde fogas samman och ge människan kunskap om det som skulle ske.

Seendet kallade de den egenskapen.

Men den finaste gåvan hade de fått av mannen från Aftonstjärnan, han som innan han lämnade dem sagt:

– Jag ger er myterna för att ni skall föra dem in i framtiden. De formas av varje öra som hör dem och varje mun som berättar dem. Därför formar de livet.

Det är sant, tänkte Milka och fick hjärtklappning av förväntan när hon tänkte på att hon snart skulle få möta dem.

Långsamt reste hon sig från stenen och gick vidare ner i

155

snårskogen. Hon plockade en vildros och stod länge och såg in i blommans öga, fulländat och hemlighetsfullt.

Är det skönheten som ger dig makt? tänkte hon.

– Jag vill ha en dotter, sade hon högt till blomman och tyckte att blomman nickade.

Men sedan var Milka tillbaka i tankarna från middagen, minnet av Naema när hon sagt att det var Jafet och inte Skuggans son som tagit Milkas själ. Den gången hade hon tyckt att Noas hustru var dum, hon hade rentav övervägt att gå tillbaka till Naema för att säga som det var. Att Jafet bara var ett ögonblick i hennes liv, en främling som kom och försvann och som hon inte kunde minnas som människa och verklighet.

Nu skrattade vildrosen i hennes hand och Milka måste instämma.

Hon hade inte varit hemma när han kom, aldrig sett när Noa och Naema tagit emot honom på bryggan. Det var bra, hon hade sluppit att vara nervös och inte behövt oroa sig för vad de talade om så länge, vad de sade om guldsmedens dotter som glömt och inte ville ha honom.

Milka hade strövat med Kreli i markerna den morgonen. När de kom hem satt han där bara på terrassen.

Hon hade hört Kreli viska: Gud i himlen så vacker han är. Men Milka hade inte förstått vad Kreli talade om. Det var som om hon inte kunde se Jafet, som om hon måste rikta all sin uppmärksamhet mot ljuset som spred sig i hennes sinne och kropp, fogade samman, fyllde henne och helade.

De teg båda två när han tog henne i handen och de gick till hans båt. De var tysta ännu när han rodde över floden och rakt in i vassruggarna på andra sidan.

156

När båten gick på grund i dyn och vassen slöt sig över dem klädde han av henne och allt var som det skulle.

Som det var menat från tidernas början, sade Milka till rosen, som skrattade ännu en gång. Det påminde henne om Noas skratt och Naemas leende när Jafet och hon sökte sig hemåt i skymningen. Så hungriga de hade varit.

Och trötta av kärlek.

Skuggan och hans missbildade barn hade försvunnit. Först i dag vid middagsbordet hade pojken kommit tillbaka till henne.

Jag undrar om något blev kvar av det lilla jag väckte till liv i honom, tänkte hon.

Hastigt kastade hon rosen ifrån sig, kände att skulden högg efter henne.

I nästa stund hörde hon Jafet ropa hennes namn och de svåra tankarna försvann när hon sprang mot honom. Men hans omfamning gjorde ont och hans röst var hård när han sade:

— Du får inte längre gå ensam i markerna, Milka.

Hennes ögon blev stora av förvåning när hon förstod:

— Skuggan?

— Du måste förstå att riket som Noa byggt är litet och sårbart, sade han och höll ännu hårdare om henne.

De gick hemåt hand i hand som de brukade, men han var sluten och tystare än vanligt.

— Jafet, sade hon. Skuggan kan inte...

Men han avbröt henne:

— Hör på mig, Milka, sade han och sedan bröt han sitt tystnadslöfte till Noa och berättade om floden.

Den natten sökte de varann för styrka och för tröst. Nästa morgon visste Milka att flickan som hon bett vildrosen om hade börjat sitt liv i hennes sköte.

Kapitel 28

Han hade sett fram emot att bli ensam och få arbetsro. Men när det vanvettiga skeppet började ta form saknade han Noa.

Sem arbetade med kol på den murade väggen i verkstaden. En flytande låda. Hur skulle hon bära sig åt i sjön, i hårt väder? Hur höll man henne på rätt köl om katastrofen kom med hög sjö och storm?

De måste ha stora tankar i för och akter, träkar höga som templen i Eridu och fyllda med vatten som kunde balanseras. Vatten som barlast, ja varför inte?

Han ritade en ränna, en sluten kanal mellan för- och aktertank. I lugn sjö skulle vattnet i rännan hålla skeppet i jämvikt. Men i hårt väder måste man kunna stänga av flödet mellan tankarna.

Han ritade en slussport.

Bränd lera? Nej, också rännan måste byggas av trä! En trätrumma nästan 300 alnar lång! Var det möjligt?

Det största problemet höll han ifrån sig så här i början. Hur skulle de få den långa lådan att hålla samman?

Länge funderade han på om de var tvungna att hålla sig till den dundrande gudens alla föreskrifter. Han hade velat fråga Noa men inte vågat, faderns förhållande till guden var skört.

Men han tänkte på vad Naema sagt om gudens föreskrifter angående de vilda djuren, "av fåglarna efter deras arter, av fyrfotadjuren, efter deras arter, av alla kräldjur på marken... skall ett par av vart slag gå in till dig, för att du må behålla dem vid liv".

Bilder av lejon och hjortar, ormar och krokodiler hade svirrat runt i Sems huvud när Noa läst upp ordern. Men Naema hade fnyst och sagt:

– Det där är bara dumheter. Långt innan katastrofen kommer, har de vilda djuren satt sig i säkerhet uppe i bergen.

Sem och hans bröder hade andats ut och påmint sig alla historier de hört om skogens djur på flykt ner i floden långt innan människorna ännu kunde känna den första svaga röken från en annalkande skogsbrand.

Noa hade tagit illa upp men fått ge med sig. Gud hade talat om husdjuren, hade de enats om. Sem tänkte att om Noas gud var fallen för överdrifter så gällde det kanske också skeppets mått.

Husdjur, tänkte han.

Hur håller man tjur och ko, åsnor, höns, får, getter och grisar i bås i ett skepp i full storm? Foder till djuren hade de plats för, men spillningen... vad gjorde man med den?

I nästa stund slogs han av tanken att inget blivit sagt om tiden. Kanske skulle skeppet vara så stort för att människor och djur skulle leva där länge. Ett år? Flera?

Gud i himlen, sade han.

Plötsligt mindes han kvinnan på kajen i Eridu, hon som hånfullt frågat Ham vad Noa skulle göra med allt sitt guld när Syndafloden kom för att dränka dem alla.

I nästa stund tänkte han på de döda, de tusentals döda vars kroppar skulle förgifta flodvattnet. Vatten, tänkte han, det mesta talar för att vi kommer att få ont om friskt vatten.

– Åh Gud, sade han igen. Vatten är viktigare än mat om vi skall överleva.

Han hade börjat dagen som han brukade med ett bad i floden och tänkt som de alla gjort den senaste tiden, att vattnet var grumligt, att det slam som täppte igen flodmynningen redan fanns här i viken.

Nu var Sem så upprörd att han måste resa sig, röra sig, gå runt i verkstaden. Vad var det Sinar sagt i morse när Sem såg till kölsträckningen av skrytbåten som de byggde för den tjocke köpmannen i Eridu? Att barnen i flera av familjerna var magsjuka och att mödrarna var bekymrade.

Vattnet, tänkte Sem.

I nästa stund var han på väg mot varvet, bad Sinar sammankalla alla vuxna till ett möte på storbryggan. Vi måste sila vattnet, tänkte han. Genom segelduk? Skulle det räcka?

Han fick tid att tänka medan människorna samlades runt om honom.

Korthugget sade han att han trodde att flodvattnet inte längre var tjänligt som dricksvatten och att det var därför barnen blev sjuka.

Det blev tyst som om floden stannat i sitt lopp.

– Jag har tänkt mig att vatten för tvätt och rengöring skall silas genom segelduk. Ni får ta duk i förrådet och spänna över de stora lerkrukorna.

– Men, fortsatte han, jag tror ändå inte att vi kan använda det silade vattnet till mat eller dricksvatten. Vi får avbryta arbetet och ta alla tillgängliga båtar för att gå ett stycke upp i Titzikona. Så vitt vi vet är bifloden ren.

En ung mamma med ett barn på armen började gråta:

– De är så törstiga när de är sjuka, sade hon. Min pojke dricker och dricker.

– Ge honom mjölk så länge, sade Sem.

– Men han får inte behålla mjölken.

160

— Då får han törsta, sade Sem. Redan i eftermiddag kan vi vara tillbaka med friskt vatten från Titzikona.

Efter en halvtimma var de på väg, en hel flotta av småbåtar som drog storpråmen efter sig. På pråmen stod familjernas alla lerkärl staplade.

De fick ro länge uppströms Titzikona innan Sem fann vatten som var tillräckligt klart och kärl efter kärl kunde fyllas. På hemvägen över viken såg de för första gången att det flöt döda fiskar i strömmen på östra sidan, stora fiskar med bukarna vända mot vattenytan.

Männen såg på varandra och plötsligt sade en av dem:

— Hur länge tror du vi kan äta av fisken?

— Jag vet inte.

Det var lätt att se att Noas son var rådlös och rädd.

Nästa dag var barnen på bättringsvägen. I god sämja ransonerade man vattnet från Titzikona och häpnade över hur friskt och klart det var.

Men när Sem gav order att allt fiske måste upphöra och att de familjer som ville ha fisk fick ta sig upp i bifloden för att lägga nät, tyckte de att han överdrev. Och när han sade att grönsakslanden måste vattnas med det silade vattnet skrattade de bakom hans rygg. Grönsaker växte ju i dy.

Sem hade tillbringat större delen av natten i ritverkstaden. Där i gryningen hade han löst problemet med vattenförråden på det stora skeppet. Trimtankarna skulle fyllas med dricksvatten.

Nästa morgon gick han till repslagarbanan bakom sydberget. Den låg i en svacka på varvets lägsta punkt och det stigande flodvattnet stod redan en dryg tum över golvet.

Här skulle de bygga skeppet.

Platsen hade många fördelar. Den var osynlig från Nords vakttorn. Berget stupade brant på södra sidan, vilket skulle

161

komma väl till pass när skeppet sköt i höjden. På andra sidan skulle man så småningom bli tvungen att bygga en ramp och den skulle väcka en del uppseende i Syd.

Tills vidare skulle man säga att Noa byggde ny repslagarbana, vilket inte skulle förvåna någon. Den gamla var förfallen och hade varit ur bruk länge. Noa beställde sitt tågvirke av repslagaren i Eridu, det blev dyrt men mannen höll hög kvalitet och hade bättre tillgång till långfibrigt lin.

Sem skakade på huvudet när han tänkte på hur mycket rep och hur tjocka trossar som skulle behövas för bygget. Det kommer att kosta en förmögenhet, tänkte han.

Han stod länge i strandkanten och såg på det gamla långskjulet där repen tvinnats. Plötsligt visste han hur han skulle bygga skeppet.

Alldeles klart såg han det framför sig. Del efter del skulle han bygga, en lång rad lådor sammanfogade med de starkaste rep som någonsin tvinnats.

En bottenstock till ett skepp av sådan storlek stod inte att få, det hade han vetat från början. Nu skulle varje del få egen botten och det långa skeppet bli mindre stumt.

Om repen höll.

Resten av dagen använde han till att föra över sina idéer till väggen. Och resten av veckan beräknade han timmeråtgången, ett arbete som fick hans tankar att svindla.

Kapitel 29

På åttonde dagen efter avfärden kom Noa och Naema till-
baka till varvet. Noa var lugnare, det kunde Sem se vid förs-
ta ögonkastet. Men han var en man i sorg. Som en människa
som förlorat en nära anhörig och långsamt började vänja sig
vid förlusten.

Också Naema var ledsen. Hon hade sagt farväl till sitt
folk och sin släkt.

När Noa lagt till, såg han förvånad på den stora flotten
som just gjordes klar för att bogseras över viken.

— Vad har du för dig, pojke?

Och Sem fick börja med att förklara den upptäckt han
gjort när barnen i byn blev sjuka.

— Så länge Titzikona är ren klarar vi oss, försökte han
trösta. Naema nickade och gick mot byn. Hon skulle besöka
varje hus och undersöka varje barn.

Sem berättade tyst om den döda fisken i floden och Noa
sade:

— Så det har redan börjat, helvetet.

Det var en het dag, värmen dallrade över byn och floden.
Högsommar — färskvattnet skulle inte klara sig många da-
gar.

— Har du tänkt på soldaterna i tornet?

— Ja, sade Sem och var glad att han gjort det. Motvilligt

163

hade han gått upp mot tornet och varnat Nords vakter både för fisken och vattnet. De hade också känt av magsjukan och hos dem hade sjukdomen tagit en allvarligare vändning. En av de yngsta hade inte fått behålla maten på flera dagar.

– De har ju ingen båt, fortsatte Sem. De första dagarna bar vi friskt vatten till dem, men sedan lånade jag ut den gamla ekan.

– Det var bra, men kan de inte fiska finns det risk för att de svälter.

– Vi har försett dem med bröd, sade Sem och berättade om byns bagare som blivit ursinnig när Sem burit bröd upp till tornet.

– Jag skall tala med honom, sade Noa.

Så gick de till ritverkstaden där far och son blev sittande i timmar framför limfärgsväggen med de första ritningarna.

Noa blev imponerad.

Ett slag blev han rentav entusiastisk:

– Sem, sade han, jag har alltid sagt att du är ett geni.

Sem rodnade av glädje men sedan kom han till bekymren med repen. Skulle så kraftig tross överhuvudtaget kunna tillverkas?

Noa lyssnade och när Sem slutat tala såg han ut som han brukade när hans sluga huvud fylldes av idéer.

– Vi kanske får ta repslagaren från Eridu med oss, sade han. Han är en överdängare på att slå starka trossar.

Sem blev förvånad men hann inte tänka närmare på saken förrän Noa fortsatte:

– Har du hört talas om att det finns oren koppar? Den innehåller något annat, något mer, och det sägs att när man smälter den får man en metall som är stark som döden.

– Man skulle kunna göra lång spik som håller?

– Jag vet inte, vi får tala med Haran.

– Vi vet ju inte om han väljer att följa med, sade Sem.

– Det gör han, sade Noa. Och jag vet att han är en skicklig smed.

– Du förstår, jag har hunnit tänka en del och kommit fram till att jag inte kan bestämma vilka människor som förtjänar att få överleva. Men jag kan försöka rädda så mycket som är möjligt av den kunskap som finns på jorden.

Sem log ett stort och lättat leende, detta var ett praktiskt sätt att se på uppgiften de hade framför sig. Vilka var människans viktigaste kunskaper? Krukmakeriet, byggnadskonsten, smidet, de sköna konsterna, sångerna, berättelserna.

Han tänkte på hymnerna som prästerna läste i templen i Eridu och sade:

– Viktigast av allt är skrivkonsten.

Noa nickade, han hade redan insett det.

– Men där är vi väl försörjda. Kunskapen har du och Nin Dada.

– Nin Dada? Sem kunde inte dölja sin förvåning.

– Har du glömt att hon var enda barn till förste skrivaren i det stora templet i Eridu? Hon lärde sig läsa och skriva redan som barn. Jag har tänkt att hon skall hålla skola för barnen.

Sem hade motstridiga känslor men fick erkänna att det var en god idé också för att Nin Dada hade så bra hand med barn.

Sedan sade Noa något överraskande:

– Vi har ont om flickor.

Sem rodnade, han förstod problemet men fann ämnet obehagligt. Än värre blev det när Noa fortsatte:

– Jag vill att du gifter dig med Kreli.

När Sem återfick målföret sade han:

– Jag förstår att du börjar se på oss som avelsdjur men det ger dig ingen rätt att-att... Han stammade.

– Vad?

165

– Du är ju inte Gud, sade Sem. Du kan inte bestämma över människornas känslor.

– Nej, men över deras handlingar, sade Noa. Giftermål är en handling. Alla har guskelov inte anlag för den stora passionen. De blev tysta länge, Noa tänkte på Naema och sitt beroende av henne. Sem tänkte på slavpojken i Eridu som ännu fanns i hans drömmar om natten.

– Du kan inte befalla mig att gifta mig.

– Nej, pojke, lugna dig, sade Noa. Men jag brukar ju få det som jag vill.

Det var ett skämt men Sem kände sig kränkt och instämde inte i skrattet. Men han fick erkänna att det fanns en sanning i Noas ord när han fortsatte:

– Vi har drabbats av ödet, Sem. Det finns ingen tid för oss att tänka... personligt. Och förresten förstår jag inte vad du har emot Kreli, den man som får henne kan sannerligen skatta sig lycklig.

Plötsligt såg Sem Krelis ansikte för sig, skrattet som alltid låg på lur.

– Jag tror inte hon vill ha mig.

– Det vet jag ingenting om, sade Noa. Det blir din sak att ta reda på, när du har tänkt igenom saken.

Noa var nöjd med sig själv när han lämnade verkstaden, han hade sått ett frö och trodde nog att det skulle gro. Under resan hade han diskuterat sin idé med Naema som lyssnat motvilligt och inte sagt många ord, men sett bekymrad ut. Vad det var som oroade henne hade han inte fått veta men det hade med Sem att göra, inte med flickan.

Nu hade han tagit saken i egna händer.

Noa hade slutat att bedja. Men han befann sig ofta i upprörda gräl med Herren.

"Detta med flodvattnet kunde Du ha väntat med", sade

han när han gick stigen upp mot Nords vakttorn. "Men Du har inget tålamod."

Halvvägs upp mot tornet överväldigades han av sin vrede, måste stanna:

"Hur tror Du att vi skall kunna bygga Din båt om Du förgiftar floden", sade han.

"Båt förresten", fortsatte han rasande. "Jag talar om lådan som Du har beställt och jag tror inte att Du begriper vilken omänsklig uppgift Du har givit oss. Här på jorden får man inte tingen att lyda utan hårt arbete. Jag undrar hur du hade tänkt dig detta med allt timmer, allt arbetsfolk som måste upp i skogarna, hela den väldiga flottningen nerför Titzikona."

"Du kanske inte vet att timmer måste torkas och hur skall vi göra det om floden fortsätter att stiga över repslagarbanan?"

Noa såg mot himlen som var oföränderligt blå och stum.

"Att Du är utan barmhärtighet är svårt nog", sade han. "Men något förnuft måste Du ändå ha."

Soldaterna i vakttornet såg lättade ut när Noa kom. Utan betänkande och mot alla regler gick han över gränslinjen och in till dem.

– Hur är det med den sjuke pojken?

Officeren skakade på huvudet och Noa gick in i baracken bakom tornet och såg på den sjuke. Pojken saknade all färg, var gulblek som en redan död. Men han jämrade sig i plågor och hade svåra kramper.

– Jag skall hämta min hustru, sade Noa kort och när han sprang utför berget var hans vrede så väldig att han hade svårt att andas. Han fann Naema hemma i köket där hon stod vid sitt örtskåp och stötte kalmusrot i mortel.

– Pojken i tornet håller på att dö, sade han.

– Kramper?

– Ja.

– Då finns det nog inget jag kan göra, sade hon tyst. Men hon följde med honom och tog både kalmuspulvret och krukan med opievallmo med sig.

Opiet verkade snabbt, den sjuke slapp kramp och plågor och fick äntligen sova.

– Vi måste få honom att dricka.

Naema höll pojkens huvud bakåt och försökte blåsa in vatten genom hans näsa. Men förgäves, varje droppe kom upp igen. Noa avlöste henne, soldaterna tog vid, tiden gick och pojkens andning blev allt kortare.

Bara en gång gav han ljud ifrån sig:

– Mamma, viskade han. Mor...

Till slut fick Naema ge upp.

– Det finns inget mer jag kan göra.

De förstod.

Hon lämnade opiet kvar och sade tyst innan hon gick att om plågorna kom tillbaka fick de ge honom av medicinen.

– Den botar inte, lindrar bara.

Innan han lämnade tornet sade Noa att de skulle få kött, bröd och friskt vatten under eftermiddagens lopp. Sedan såg han på medicinen.

– Om det skulle komma något... högdjur från Nord är det bäst att ni gömmer undan krukan.

Vakthavande officeren log ett egendomligt leende.

– Det kommer inga högdjur, sade han. Barnen dör i byarna överallt längs floden... och de mäktiga håller sig undan i sina borgar i Sinear.

På hemvägen var Noa så upptagen av sin vrede att han inte såg att Naema var rädd. Först hemma i köket upptäckte han att hon var blek och att hennes händer darrade. För ett

168

ögonblick var det som om marken rycktes undan och han såg rätt ner i avgrunden.

Han grep henne om axlarna, skakade henne och viskade.

– Du är den enda här som inte får bli rädd.

– Jag är inte rädd, sade hon förvånad. Jag är bara ledsen för alla barnen. Noa, de har inte... de är utsvultna. De kommer att dö som flugor.

Han slog armarna om henne men måste säga som det var:

– Naema, det kommer att bli värre, mycket värre.

– Jag vet.

De åt ett enkelt kvällsmål tillsammans med Sem. Ordknappt berättade Noa om det som hänt i tornet med den döende soldaten. Och om vad officeren sagt om de döda barnen i byarna längs floden i Nord.

Naema såg hur Sem stelnade men blev förvånad när han plötsligt skrek:

– Men Hams pojkar, vi måste...

– Vi måste varna Nin Dada, viskade Naema.

Noa sprang från bordet för att söka Sinar, varvets bäste sjöman.

– Jag tar minsta båten, den är snabbast, sade Sinar.

– Du kanske skall ha en man med dig.

– Jag har medström, det går fortast om jag är ensam.

Noa visste att det fanns ett fel i resonemanget, men han var för upprörd för att ge sig tid att tänka efter. Han nickade.

En kort stund senare var Sinar på väg i hög fart och med ett segel som tog vara på kvällsbrisen. Med ombord hade han två lerkrus med vatten från Titzikona.

Kapitel 30

De hade valt tioroddaren och rest i gryningen, Ham, Nin Dada, Haran, Kreli och de fem barnen. Den vackra morgonen var fylld av förväntningar. Äntligen skulle familjen från Nord få se Eridu, storstaden med sina berömda tempel och sitt överflöd.

– Friheten, sade Kreli, det är den jag är mest nyfiken på. Hur rör sig människor som inte är rädda? Hur låter deras röster och deras skratt? Hur går man när man låter lusten bestämma målet?

Hon skrattade sitt stora skratt men Nin Dada såg bekymrad ut och Ham sade:

– I Eridu springer folk. Det är som en myrstack.

– Varför det?

– Alla måste hinna med allt.

– Jag förstår inte.

– Det gör inte jag heller, sade Ham. Men när jag har varit där några dagar börjar jag också att springa.

Haran iakttog dem. Hans blick stannade på Nin Dada.

– Vad säger du som är en infödd?

– Att det är som Ham beskriver det. Frihet, jag vet inte... Det är klart att folk inte är rädda på samma vis som i Sinear. Men fria? De – vi jagar oss själva. Det är som om vi hade tyrannen inom oss.

– Vad är det för en tyrann, frågade Haran häpet.

– Det är väl glupskheten, sade Nin Dada och skrattade. Men sedan fortsatte hon med plötslig hetta:

– Jag avskyr Eridu. Människor möts inte, de ser knappt varann där de rusar runt på jakt efter nya upplevelser.

Kreli såg förvånad på henne. Nin Dada rodnade och försökte ta tillbaka:

– Det är ju bara min bild, Kreli. Du kommer kanske att älska staden.

– Jag tycker det är spännande att vara där, sade Ham. Som att delta i en tävling eller ett skådespel.

Nin Dadas blick snuddade vid honom innan den fortsatte ut mot floden. Haran såg det och tänkte som han gjort sedan första dagen: Varför ser de där två aldrig på varann?

Mörkret hade fallit när de nådde Hams och Nin Dadas hus, de mindre pojkarna sov och fick bäras i land.

Det var ett vackert hus. Kreli, Haran och hans söner gick från rum till rum och beundrade de vita väggarna, de stora luckorna ut mot floden, de få och dyrbara möblerna och den vackra gården med sina blommor och sin springbrunn. Nin Dada ordnade en sen måltid och bar mat till båthuset, där roddarna övernattade.

Innan de gick till sängs berättade Kreli att den äldste av Harans söner hade sagt:

– Av alla vi mött tycker jag mest om Nin Dada.

Ham såg förbryllad ut men Haran sade:

– Det förstår jag. Nin Dada är den första vuxna människan i deras liv som talar till barn som om de var betydelsefulla.

– Det är sant, sade Kreli häpet, såg en lång stund på Nin Dada och frågade:

171

– Var lärde du det?

Nin Dada var själv förvånad men röd om kinderna av glädje.

– Jag har aldrig tänkt på det, sade hon. Men det måste komma från far. Han sade att alla människor, män och barn, kvinnor och slavar, har en hemlighet. Sin egen hemlighet, förstår ni? Och att det viktigaste är detta säregna och okända, att minnas att det finns och att visa aktning för det.

Kreli och Haran var tysta och lyckliga som människor blir när en tanke öppnar vägen för nya insikter. Men Ham skruvade på sig och sade:

– Du börjar låta som Naema.

Han skrattade men ingen tyckte att det var roligt.

Innan Haran somnade var han tillbaka till sin fråga: varför såg Noas son och svärdotter aldrig på varann? Ham hade blicken fäst vid en punkt vid sidan av hustrun även när han talade till henne. Nin Dada kunde söka mannens ansikte men ögonen var nästan alltid på flykt.

Nästa morgon talade han med Kreli om det. Hon nickade, även hon hade lagt märke till det:

– Jag tror, sade hon, att de där två angår varann för mycket.

Det lugnade Haran.

Nin Dada stannade kvar hemma med sina barn när de andra fortsatte till Eridu. Som Noa förutsett gjorde staden guldsmeden nervös. Den aldrig sinande strömmen av människor vars ögon inte mötte hans oroade honom, de många butikerna överväldigade honom, tiggarna som sov på gatorna och sträckte sina kloliknande händer emot honom skrämde honom.

Han gick till guldsmederna men fann deras arbeten pråliga. Han sökte sig till konstnärernas ateljéer och lyssnade på invecklade samtal om konstens uppgift.

Trots att han ägnat många ensamma år i Sinear åt att grubbla över skönheten, vad den var och varför den fanns i världen, kunde han inte delta i samtalen. Han hade funnit sina svar, ansåg han. Skönheten var Guds uttrycksmedel, den väckte människorna till medlidande och öppnade deras sinnen för mysteriet.

Inget av detta kunde han säga i Eridu. Han fruktade hånet, han blev osäker, fann sina slutsatser barnsliga.

Också hans pojkar var rädda för staden. Men Kreli njöt av den snabba rytmen och överflödet, de färgsprakande tygerna, de eleganta kläderna, speglarna, kopparkärlen, kryddorna och hela uppsjön av frukter, grönsaker, fisk och kött.

Men hon var överens med Haran, här skulle de inte bo.

Ham var ofta borta på möten med köpmän och hantverkare, kom sent hem till värdshuset om kvällen och verkade trött och bekymrad. Haran började begripa att Noas affärsverksamhet var större än han trott men hade svårt att förstå Hams oro.

– Det gäller väl inte livet, sade han när Ham förhandlat med stadens repslagare en halv dag utan resultat. Noas son svarade inte men gav Haran en egendomlig blick. Och på eftermiddagen sade han:

– Jag vill att du följer med mig till hamninloppet, Haran. Ensam – Kreli och pojkarna får roa sig på egen hand.

I skymningen när luften svalkades stod Ham och Haran sida vid sida och såg på slamhögarna i inloppet. De sade inte mycket, bara stod där. Efter en stund berättade Ham om floden som oavbrutet stigit sedan tidig vår och visade på templet där Eridus vise satt i ständiga sammanträden, mer oense än någonsin.

173

– Enligt Sem kan de inte bestämma vem som skall ta ansvar för katastrofen, sade Ham.

Nästa morgon skulle de återvända till huset där Nin Dada väntade.

Kapitel 31

Nin Dada njöt av sin ensamhet. Det förvånade henne, hon hade ju under många år känt sig övergiven här i sitt hus, ensam i veckor med barnen.

Det hade blivit allt varmare, pojkarna tillbringade många av sina vakna timmar i floden. Hon satt under sitt solskydd på stranden och gladdes åt dem, åt deras skicklighet och mod när de dök som fiskar ner mot botten för att söka skatter. Varje sten de fick upp var en pärla som de högtidligt skänkte sin mor. Hon tackade lika högtidligt och försökte bara någon gång förmå dem att avbryta leken.

– Ni är ju ändå landdjur och inte fiskar, sade hon. Men det fanns inget allvar i hennes röst och när de skrattade åt henne instämde hon i munterheten.

De fick kall grönsakssoppa med grädde till kvällsmat och sedan bröt helvetet ut. Barnen kräktes på ett sätt som hon fann svårt att förstå, de vände ut och in på sina kroppar. När de till slut var tömda på allt utom ett illaluktande grönt slem, skrek de i plågor, vilda magplågor.

Nin Dada skickade sin gamla trotjänarinna efter läkaren. Han kom, skakade på huvudet och ansåg att barnen förgiftats av soppan, att grädden varit dålig. Men både Nin Dada och hennes tjänarinna hade ätit samma mat.

– Barnmagar är känsligare, sade han. Det viktigaste av

175

allt nu är att de får vätska. Se till att de dricker vatten, så mycket vatten som möjligt. Och ofta.

Den gamla barnsköterskan stod följaktligen längst ut på bryggan och hivade upp nytt vatten. Nin Dada sprang från barn till barn och lyckades ibland få i dem några droppar. Men de fick inte behålla vattnet, de kräktes på nytt.

Hon bytte sänglinne och kläder och fick den gamla att bära ut och blötlägga. Huset stank. Nin Dada bevarade sitt lugn i det längsta men när Fut förlorade medvetandet kunde hon inte hålla skräcken ifrån sig:

Naema, vad skulle Naema ha gjort?

Hon tänkte på örtskåpet i Noas kök och förbannade läkaren som inte hade haft någon medicin med sig. I nästa stund skrek Misraim:

— Skall vi dö nu, mor, skall vi dö?

— Nej, sade Nin Dada, nej. Det går över, det går över till i morgon. Men när hon bytte en blick med den gamla barnsköterskan visste hon: det var fullt möjligt att pojken hade rätt.

Nin Dada gick fram och tillbaka över golvet med lille Fut i armarna, tryckte honom till sig, klappade hans kinder, grät, viskade: Kom tillbaka, lilla barn, kom tillbaka.

Hon hörde inte att en man steg in i rummet, såg honom inte förrän han lade sin arm om hennes axlar:

— Sinar, sade hon. Sinar, varifrån kommer du?

— Från Noa, sade båtsmannen. Jag kommer med bud att floden är förgiftad och att ni inte får dricka av vattnet.

— Floden, skrek Nin Dada, vid alla gudar, floden. Har du mediciner med?

— Nej, vi visste inte... men jag har friskt vatten.

Droppe för droppe fick de vattnet från Titzikona i barnen, de både äldre somnade, sov i korta stunder för att vakna igen med plågor. Lille Fut kunde inte dricka, men Sinar

176

tog pojken och röt: — Nu vaknar du, pojke.

Han lyckades, för ett ögonblick slog barnet upp ögonen och Sinar fortsatte i samma befallande ton:

— Så dricker du, Fut.

Pojken fick i sig några skedblad, men snart kräktes han igen.

— Vi måste härifrån, Sinar. Till Naema.

— Men...

— Sinar, mina barn dör.

Han insåg att hon kunde ha rätt, men måste säga som det var:

— Jag har minsta båten. Skall vi gå motströms i natt måste vi vara två som ror.

— Jag ror.

Han såg på henne, den fina damen, som de kallade henne, folket på varvet.

— Nin Dada, det blir tungt. Och någon måste sköta barnen.

— Vi har inget val, sade hon och han gav med sig.

De svepte barnen i varma filtar och bar ner dem i båten. Sinar bäddade i fören på segelduk, lade pojkarna tätt med filt efter filt över dem. De frös nu så att tänderna skallrade.

Men de var lugnare, nattluften och den trygghet Sinar utstrålade hjälpte dem.

Medan Sinar lindade Nin Dadas händer ropade hon farväl till tjänarinnan: Ham, ropade hon, Ham och de andra kommer i morgon.

Aldrig hade hon trott att det var så tungt att ro en båt motströms, ett slag trodde hon att hon skulle svimma av ansträngning. Men de fann en rytm och bit för bit segade de sig norröver.

Barnen sov, bara någon gång vaknade de, grät men lugna-

177

des av Sinars röst: Snart är vi framme. Sov så vaknar ni hos Naema som gör er friska.

Efter några timmar hade Nin Dada blodsmak i munnen och värk i armar och axlar. Värst var ändå svedan i händerna. Det blödde nu rätt igenom de lindor som Sinar knutit. Det klibbade, sved som eld, men inte ett ljud gav hon ifrån sig. Ibland måste hon släppa åran för att ge pojkarna nytt vatten.

– Jag vet inte längre om Fut sover eller är medvetslös, viskade hon till Sinar.

– Se till att du får nya lindor om händerna.

Långsamt ljusnade natten, gick från svart till grått. Barnen skrek efter sin mor, Nin Dada gick föröver, låg där på knä, droppade i dem vatten, tröstade.

Sinar hann tänka att de nu bara hade storudden kvar. Så fort han rundat den skulle han tända nödsignalen som skulle föra folk från varvet ut till hjälp. Längre kom han inte innan han blev medveten om den egendomliga tystnaden. Och lukten av oväder.

I nästa stund var skyfallet över dem.

– Nin Dada, skrek han. Kom hit, ro, ro för livet nu.

De hann runt udden och några meter in innan stormen kom. Båten drev i rasande fart mot klipporna. Sinar lyfte upp två av pojkarna och kastade Fut till Nin Dada:

– Hoppa, skrek han. Hoppa för Guds skull.

Hon lydde och när hon kom upp till vattenytan såg hon båten slås i spillror mot klipporna. Sinar lade de både barnen på stranden och sprang ut för att dra upp henne och Fut.

Genomvåt satt hon på stranden med sina barn i famnen och såg Sinar kämpa sig fram genom stormen till vraket. Så hörde hon honom ropa i triumf. Han hade funnit elddonet. I rasande fart fick han tag i urnan med bomullsgarn och slog

178

olja i den. Det brann, en kort minut brann det en eld på klippväggen.

— Nu är det bara att hoppas att stormen inte skrämt iväg vakten, sade han, tog Misraim från Nin Dada och började gnida pojkens kropp.

Hon gjorde som han, Kus fick värmen tillbaka, men lille Fut var medvetslös och kall som is.

Kapitel 32

Noa vaknade som så ofta numera i en mardröm om La- mek. Det var som om de instängda minnena från barndo- men stod i kö för att komma ut och pina honom.

Han försökte finna tröst i Naemas ord att det var bra för honom att minnas. Men han förstod det inte. Inte kunde det vara nyttigt för någon att plågas av svåra minnen.

Nu satt han på sängkanten och ansträngde sig att hålla ögonen öppna. Han var trött och behövde sova. Men han visste vem som väntade på honom där inne i drömmarna.

– Gode Gud, hjälp mig, sade han. Men sedan mindes han att Gud inte var god.

Naema rörde oroligt på sig. Kanske hade hon också onda drömmar. När han gick ut mot köket för att få sig en skopa vatten vaknade hon:

– Är du uppe?

– Ja, du vet drömmen...

Men hon ville inte lyssna, avbröt honom och viskade:

– Noa, något förskräckligt håller på att hända. Tyst, hör!

Han lyssnade, fann natten som vanligt.

– Hör du inte hur tyst det är.

Noa öppnade fönsterluckan i köket, lyssnade ut mot still- heten.

— Du har rätt, sade han. Det är tystnaden före stormen.

Sommarstormarna från havet var inte ovanliga, de brukade härja flodkusten så där vartannat år. Noa fick på sig kläderna och sprang mot vakten på bryggan.

— Det blir storm. Ta hornet och blås, vi måste få ut folk så att vi hinner rädda båtarna.

Samtidigt med ösregnet kom de sömniga männen springande ur husen, båt efter båt drogs upp på land och in i lä under klipporna. De var vana och visste vad det innebar när sommarstormen var på väg.

Men skyfallet hade en fruktansvärd kraft.

Mitt i slitet med båtarna hörde Noa ännu en signal från vakten och sprang mot bryggan.

— Någon tände nödeld på klippan syd om repslagarbanan.

— Sinar, sade Noa. Herregud, Sinar.

— Han måste ha drivit i land.

Inom några minuter var Noa på väg med fyra man över repslagarbanan och upp mot bergen. Det gick fort, de hade hård vind i ryggen.

I ryggen!

I det ögonblicket insåg Noa att allt var fel. Detta var ingen sommarstorm. Det var Guds hand som slagit till, brutalt och oväntat. Han tar hämnd för min vrede och tänker inte vänta på arken. I natt sätter Han sin plan i verket och dränker oss alla.

Noa blev inte rädd, hans ilska var häftig som stormvinden och han förbannade sin Gud.

— Så Du är inte ens att lita på.

I nästa stund hade en av hans män gjort samma upptäckt:

— Vinden, skrek han, vinden kommer från norr. Det är ingen vanlig storm från havet.

— Vad det än är måste vi rädda Sinar.

181

Karlarna fortsatte uppför berget. Snart kunde de höra Sinars röst genom regn och storm: Här, här är vi.

Vi, tänkte Noa och förstod plötsligt vad det innebar.

De fann Nin Dada och barnen, ingen av dem vid medvetande. Sinar kunde gå själv men blödde svårt ur ett sår i axeln. Nin Dadas ansikte gick inte att se i gryningsljuset, det var igenmurat av blod. Bara barnen verkade oskadda, hela men medvetslösa.

Med barnen i famnen pressade sig männen mot vinden ner till varvet. Noa själv bar Nin Dada på ryggen, fastbunden med de filtar som Sinar lyckats rädda och rivit i remsor för att stoppa blodflödet från Nin Dadas ansikte och sin egen arm.

Det var tungt, det gick olidligt långsamt. Men till sist nådde de Noas hus och köket där Naema värmt vatten, tagit fram förband och mediciner.

– Gå tillbaka till varvet där du bäst behövs, sade Naema. Och Noa, se till att folket som bor på sluttningen flyttar ur husen.

Han såg risken och nickade, stormen från norr kunde slå sönder husen i branterna mot söder. Han hade byggt dem där, just med tanke på att de skulle vara skyddade mot de sydliga stormarna.

När han sprang nerför trappan hörde han Naema ropa:

– Se till att folk håller sig borta från bryggorna.

Medan Naema slog varmt vatten i baljor på köksgolvet hörde hon Noa ropa sina order, när hon rev pojkarnas kläder från deras kroppar kunde hon lyssna till de skrämda människornas skrik när de sprang ur sina hus och upp mot berget i norr.

De måste se upp för vakttornet, tänkte hon. Det kommer att gå i bitar.

Så fort hon fått ner pojkarna i det varma vattnet vaknade de och hon log mot dem och lirkade i dem kalmusrot. Men Fut återfick inte medvetandet. Hon höll honom i baljan, klappade honom, kontrollerade hans hjärta — det slog — och hans andning som blev lugnare efter hand.

Jag borde ha hjälp, tänkte hon med ett öga mot Nin Dada, som Noa lagt på köksbänken med några torra filtar över. Men det fanns ingen hjälp att få.

Kalmusoljan verkade snabbt och snart kunde hon ge dem tunn välling. De fick behålla några teskedsblad och hon lade dem på fårfällen på golvet framför elden där de somnade. Men hon vågade inte släppa Fut, utan fortsatte att frottera honom.

Hur mycket kalmus vågar man ge en så liten kropp?

Det fanns inte mycket tid att tänka, hon böjde pojkens huvud bakåt och höll för hans näsborrar. Han svalde, guskelov. Men välling fick hon inte i honom, bara någon tesked av det friska vattnet.

— Du räddar dem, Naema, du gör det?

Nin Dadas röst borta från köksbänken var svag, men fullt hörbar och Naema svarade med större tillförsikt än hon kände:

— De klarar sig, Nin Dada. Snart sover de och jag kan hjälpa dig.

När Naema klippte upp Nin Dadas kläder och tvättade hennes kropp med varmt vatten hörde hon stormen öka där ute. Vinden tjöt som om den blivit galen, Noas lugnande röst hade för länge sedan dränkts i dånet.

Han glömmer väl inte herdarna på berget?

Såret i Nin Dadas ansikte var mindre djupt än hon fruktat. Men det måste sys. Värre var det med flickans händer, Naema jämrade tyst när hon såg de nästan hudlösa insidorna.

183

De blödde friskt, de skulle läka. Men ärren...?

– Nin Dada.

Hon fick skrika nu för att höras genom stormen men hon måste få veta om sonhustrun också var förgiftad av vattnet.

– Bara barnen.

Naema fick läsa orden på den sjukas läppar.

– Hör på mig nu, skrek Naema. Jag måste sy igen ditt ansikte och göra rent dina händer. Nu skall du dricka en medicin så att det gör mindre ont.

Nin Dada nickade, hon hade förstått. Hon jämrade sig bara när Naema sydde samman skåran på kinden men skrek trots bedövningen när händerna gjordes rena.

Noa förde byns småbarn och de gamla till ritverkstaden. Den låg en bra bit uppåt land och någorlunda i lä för nordvinden. När han lämnade verkstaden såg han Nords vakttorn flyga till väders och var glad att han tänkt på det och funnit skydd för sitt folk i bergsklyftorna längre mot öster.

I nästa stund såg han den, vattenväggen. Hög som ett tempel störtade den runt klipputsprången i norr, med rasande kraft rusade den förbi varvet, knäckte hans bryggor som om de varit pinnved, steg ännu högre mot skyn där floden smalnade och rasade vidare söderut.

Det dånade mot himlen som om helvetet sluppit lös och Noas vrede var vit och utan slut när han förbannade sin Gud:

– Du tänker inte vänta, Din satans löftesbrytare.

I nästa stund var allt över, det blev tyst, en stor, overklig tystnad.

Den förbannade guden vilar ett ögonblick, tänkte Noa och sprang mot sitt hus. Han ville dö hos Naema. Men halvvägs hejdade han sig, blev stående i stillheten.

Där stod han länge, väntade. Till sist hade han förstått och sade:

— Jaså Du, det var bara en övning.

Väl hemma hörde han Nin Dada skrika av smärta medan Naema lade tjocka groblad på såren i händerna. Men Noa brydde sig inte om Nin Dada, han sade:

— Är det över?

— Ja.

Hela morgonen gick Noa runt sitt varv, såg till djur och folk. Bryggorna var borta, fyra hus hade förlorat sina tak, masterna var knäckta på de uppdragna skeppen.

Alla hans får och två av hans herdar hade försvunnit i vattenväggen.

Varför hade ingen kommit ihåg herdarna? Varför hade han inte tänkt på de unga pojkarna med sina djur på berget? De var bröder, söner till en av hans bästa båtbyggare. Med tunga steg gick Noa till föräldrarnas hus, satt där länge och teg tillsammans med dem.

När han slutligen gick därifrån tänkte han på Ham. Hade han klarat livet? Och Haran, Kreli och barnen? Och vad skulle vattenväggen åstadkomma i storstaden?

Så kom han ihåg Jafet. Och Milka. Kan någon överleva en sådan storm i storskogen?

För första gången sedan ovädret kom lös släppte vreden taget om Noa. Och han blev rädd, mycket rädd.

Kapitel 33

Mitt i natten vaknade Ham på värdshuset i Eridu, satte sig upp i sängen och hade onda aningar.

Han hörde kärrorna gnälla mot gatstenen utanför, åsneskrin, kommandoord och en och annan skrålande sång från vindruckna nattvandrare på väg hem. Den stora staden sov inte om nätterna, tvärtom. Det var under de mörka timmarna som varorna fördes in till basarerna.

Haran sov lugnt, utan drömmar och med djupa rogivande andetag. Ham försökte komma underfund med vad det var som väckt honom, men fann ingen förklaring. Hade han drömt? Nej.

Beslutsamt lade han sig ner igen, slöt ögonen. Men då kände han oron stegras till panik, måste gå upp, gå runt i rummet och förvissa sig om att allt var som det skulle. Han gick ut, såg till Kreli och pojkarna som sov i rummet bredvid, han fortsatte utför trappan och skrämde upp den halvsovande portvakten.

— Förlåt mig, sade han och mannen nickade och återfann sin slummer.

När Ham kom tillbaka till sitt rum öppnade han fönsterluckan och såg till sin förvåning att hans händer skakade. Utanför var allt som det brukade. Ändå.

Det fanns en rädsla i luften, i själva mörkret. Som om

världen höll andan inför det oundvikliga.

Ham har ärvt varslet, hade Naema sagt en gång för länge sedan. Nu tyckte han att han hörde henne säga det på nytt.

– Mor, sade han.

I nästa stund hörde han henne, en viskning, alldeles tydlig:

– Skynda, Ham, skynda dig.

I rasande fart fick han liv i Haran, skrek åt honom att klä sig och packa det nödvändigaste. Sedan fortsatte han till Krelis rum, skrek henne och pojkarna vakna.

– Jag betalar rummen, vi skall ut ur huset, nu, genast, förstår ni.

De lydde, de kom nerför trapporna i samma stund Ham lämnat sina sikler till den sömnige portvakten. Väl ute på gatan skrek han att de skulle springa för livet, norrut längs hamnkajen mot bergrummet där tioroddaren och båtfolket fanns.

De sprang, tysta och sammanbitna. Ingen frågade vad som stod på och Ham tänkte tacksam på den träning de fått i Sinear. Nin Dada och hans egna söner skulle ha varit fulla av invändningar, gnällt och klagat.

Längst bort i norra hamnen fanns tre bassänger, uthuggna i kalkstensberget, grottor avsedda för kungens skepp. För länge sedan hade Noa begärt ankringsplats för sina båtar där, men i allmänhet brukade Ham inte utnyttja förmånen.

Denna gång hade han gjort det, trots invändningar från hamnvakterna. Det var tur att jag stod på mig, tänkte han där han sprang efter barnen. Kreli var långt före, det var mörkt och han måste ropa: Vänta på oss andra, Kreli.

I andra grottan låg hon, tioroddaren. Längst in mot bergväggen hade hon anvisats plats och av någon anledning kände han sig lättad. När han såg de yrvakna roddarnas häpna ansikten sade han:

187

– Det är ett helvetes oväder på väg.

Männen reagerade snabbt på orden, allt löst ombord surrades och Kreli och pojkarna spändes fast i livlinor under soltaket i aktern. Bara Ham stod blick stilla, som förstenad av förvåning över sina egna ord.

Ett ögonblick senare kunde de höra skyfallet utanför. Och stormen som jagade upp sig till raseri.

– Herregud, sade en av roddarna och kastade sig tillsammans med de andra på durken. Men där kunde de inte bli kvar, det blev baksug i grottan. Ett slag var det som om bassängen skulle tömmas på vatten och de måste sätta in alla sina krafter för hålla skeppet från klippväggarna.

Runt omkring dem slogs andra skepp i bitar mot berget. De få vakterna kunde inte göra någonting för att rädda sina båtar.

– Det är nordlig storm, skrek en av hans roddare och Ham nickade. Han hade sett det och det gjorde honom skräckslagen: Inte kan Noas galne Gud sätta igång nu.

Så plötsligt ekade grottan av ett dån så fruktansvärt att alla ombord tvingades hålla för öronen. Hela öppningen fylldes av vatten, en vägg av vatten.

– Berget sjunker, skrek Kreli och männen stirrade, tyckte alla som hon att de befann sig långt under vattenytan. Svallvågen som slog in hade enorm kraft, männen slet som besatta för att rädda sin båt från att slås sönder och någon skrek att än hade de luft att andas.

Sedan kom baksuget och ingen mänsklig kraft kunde stå emot när tioroddaren slet sina förtöjningar och obevekligt följde med vågen ut genom grottöppningen.

Därute var det tyst. Stilla, overkligt stilla som om en jättehand stannat stormen.

– Mot norr, skrek Ham, men båten var trög, fylld av vatten. Haran och Kreli, pojkarna och fyra av roddarna fick ösa medan Ham och de övriga försökte hålla skeppet. Men till sist var hon läns och med alla roddarna på plats gick det att sega sig norrut, i motströmmen, aln för aln, bedrövligt långsamt.

I varje stund väntade Ham att stormen skulle ta nya tag, att en ny vattenvägg skulle krossa dem. Men stillheten varade. Och tystnaden.

Det dagades, de kunde ana de sönderslagna husen längs stränderna. I det stigande ljuset bröts tystnaden. Människor skrek som vilda djur runt dem, kvinnor, barn, män som drunknade i floden.

– Ro, ropade Ham, ro. Ge all kraft ni har.

Plötsligt högg en man tag i styråran och skeppet tappade kursen.

– För Nanshes skull, den barmhärtiga, skrek mannen och Ham fick honom ombord och kunde återta kursen. Genom ropen hörde han Kreli skrika av förfäran och Ham gav order.

– In med dig och barnen under däck.

Ljuset var grått och tveksamt. De syner det avslöjade var svårfattbara. De många välmående husen längs floden hade slagits sönder och samman, båtar och bryggor flöt som drivved med floden och Ham måste använda all sin skicklighet vid styråran för att kryssa bland vrakgodset.

Mannen som Ham räddat dog och förste roddaren slängde kroppen överbord. Så småningom tystnade skriken från de drunknande människorna runt dem och Ham bad till Noas Gud för deras själar. Det var i den stunden förtvivlan byttes mot rädsla. För första gången denna morgon tog han åt sig vissheten att det vita huset vid flodstranden knappast stått emot flodvågen.

Nin Dada, min älskade.

Han förmådde inte tänka på barnen.

189

Kapitel 34

Grann och oberörd rullade solskivan upp över himlen. Båten sköt fart genom vattnet som om den hårda strömmen dämpats av solen.

Hams ögon mötte Harans och det var uppenbart att guldsmeden tänkte som han, på Nin Dada och barnen. Även roddarna gjorde det, ingen ombord vågade möta hans blick.

Och efter ytterligare en timma kunde de se att det inte längre fanns något vitt hus på strandremsan nedanför kullen.

– Hon kan ha hunnit springa inåt land med barnen, sade Haran och Ham försökte nicka, försökte tänka att Nin Dada alltid varit lättväckt. När de gled in mot platsen där bryggan legat såg han Kinati komma springande emot dem.

– Tack Gud, viskade Ham.

Den gamla ropade men det gick inte att höra orden, avståndet var för stort. Tioroddaren slog farligt nära vrakgodset längs stranden och Ham gav order om att roddarna skulle ta båten ut på fritt vatten. Själv simmade han mellan resterna av sitt hem till den gamla barnsköterskan som väntade honom på stranden.

Han brydde sig inte mycket om talet att barnen varit sjuka, han lyssnade bara till budet, att Sinar hämtat pojkarna och Nin Dada sent på kvällen före stormen.

190

När de äldre pojkarna vaknade for de i Hams famn, vilda av glädje.

— Vi måste berätta, far.

— Inte nu, vänta, sade Ham och gick med den sovande Fut till Nin Dada. När han lade barnet i hennes säng kunde de le mot varandra och Ham sade äntligen:

— Jag älskar dig, Nin Dada.

Hon slöt ögonen, fortsatte att le:

— Jag vet det, Ham. På ditt sätt, på ditt egendomliga sätt.

De åt frukost tillsammans inne hos Nin Dada, pojkarna berättade i mun på varann om sjukdomen, om Sinar som kommit och om båten som slagits sönder mot klipporna. Fut sov, Nin Dada avbröt pojkarna och viskade att Ham måste söka upp Sinar, att de hade hans mod och skicklighet att tacka för att de överlevt.

Noa kom in med Naema, historia lades till historia: Ham fick veta om det förgiftade flodvattnet, om vattenväggen och varvet, om herdarna som dött. Själv kunde han berätta om hur han vaknat mitt i natten, fått Kreli, Haran och hans söner ur sängarna på värdshuset, hur de kämpat för sina liv och sin båt i grottbassängen, hur baksuget efter vattenväggen slitit förtöjningarna.

De många döda i floden hoppade han över. Och inget sade han om det vita huset som försvunnit. Men han såg på Noas ansikte att han förstått.

Nin Dada, tänkte Ham. Hur skall jag kunna säga henne det?

Men det var som om hon också hade insett för hon frågade bara om den gamla sköterskan och suckade av lättnad när Ham berättade att han mött Kinati.

— Varför vaknade du mitt i natten?

Det var Naema och Ham måste dra på mun:

Innan han sprang i floden igen slog han armarna om den gamla och sade:

— Vi kommer tillbaka, Kinati, vänta på oss.

Hon såg förvånad ut och försökte gång på gång hejda honom. Men han hade inte tid, han hörde knappast på när hon ropade efter honom:

— De var dödssjuka, Ham. Och Sinar hade bara en liten båt.

Först när han var ombord igen och rodden fortsatte fick den gamlas ord fäste. Han förstod med ens att Nin Dada följt med Sinar för att finna bot för barnen hos Naema, att varken hon eller Sinar vetat något om ovädret.

Varför i helvete hade inte Sinar en tioroddare?

När for de?

Sent på kvällen, hade den gamla sagt. Vid vilken timma? Hade de hunnit?

När solen sjönk bakom skogarna i väster nådde Ham varvet efter den snabbaste rodd som någonsin gjorts. Det fanns ingen brygga att lägga till vid här heller så Ham gjorde som på förmiddagen, hoppade i floden och simmade. Halvvägs in mot varvet hörde han Noa ropa:

— De är här och vid liv.

När Noas hand drog upp Ham på klippan vid södra berget skakade han på sig som en våt hund och hoppades att tårar och snor sköljts bort av vattnet. Men när fadern lade armarna om honom kunde han inte hålla tillbaka sina snyftningar.

Noa stod länge och höll om sin son innan han sade:

— Du måste vara stark, Ham. Lille Fut är illa däran ännu. Och Nin Dada är skadad.

Ham rätade på sig, svalde och lugnade rösten.

— Vad hände?

Så fick han höra om Sinar och båten som slagits i spillror, om Nin Dadas ansikte som sytts ihop av Naema och om hennes händer med de djupa såren.

— Det värsta är att hon är så nedslagen. Det är som om hon förlorat livslusten, sade Noa.

Och Ham kände skulden. Den var rentav outhärdligare än den stora rädslan som pinat honom genom dagen.

— Ta hand om båten, sade han till sin far. Och folket, vi har rott hela vägen på en och samma dag.

Noa nickade och gick, Ham sprang mot Naema som väntade med torra kläder.

— De sover nu, både barnen och Nin Dada, viskade hon. Väck inte pojkarna men gå in till din hustru.

Hon sov i Naemas säng, huvudet och händerna var inlindade i stora bandage och det han kunde se av hennes ansikte var lika vitt som kudden och linneremsorna.

Så såg han hennes ögonfransar skälva, skvallra om att hon var vaken och visste att han fanns där. När hon slog upp ögonen gjorde det ont i honom, så stor var uppgivenheten i hennes blick.

— Ham, viskade hon.

Hur skulle han kunna säga henne att han aldrig älskat henne så mycket som nu när han var förälskad i en annan. Om han vågade skulle hon kanske förstå i djupet av det motsägelsefulla som var hennes väsen?

Men han skulle inte våga.

Kapitel 35

Trots att Ham var trött sov han lätt den natten, på Noas plats i föräldrarnas säng. Han vaknade varje gång Nin Dada grät i sömnen, försökte trösta med ord och tafatta smekningar. Men det hjälpte inte mot plågorna och snart kom Naema med valerianan.

I gryningen hörde han Fut gråta i köket, gick ut och fann pojken i Naemas knä. Hon lirkade i barnet vatten. Men han ville inte, ville sova.

Ham såg att hans mor var blek av trötthet, hon hade inte fått någon sömn alls de senaste dygnen. Han tog pojken ifrån henne och när Fut hörde hans röst slog han upp ögonen, log. Naema suckade av lättnad och viskade: Prata, Ham, tala.

Och Ham jollrade med sin son, kittlade honom i magen som han brukade och pojken höll sig vaken och då och då svalde han ett skedblad med den vattniga vällingen som Naema rört i ordning i hast.

— Tack gode gud, sade Naema. Gång på gång sade hon det.

Efter en stund gick hon in i sovrummet till Nin Dada, väckte henne och sade med triumf i rösten:

— Ham får pojken att äta. Krisen är över, Nin Dada.

– Du vet mycket väl att det var du som väckte mig.

Naema såg inte så självbelåten ut som Ham tänkt sig. Snarast verkade hon förvånad, tänkte han.

När Noa gått till sitt och tagit de större pojkarna med sig frågade Nin Dada:

– Huset...?

– Borta.

Hon nickade, hon hade förstått. Så sade hon:

– Det var nog meningen. Nu är vi hemma här och det är bra.

Men Ham såg att hennes ögon var blanka och han skulle aldrig få veta att det var av tacksamhet hon grät.

Aldrig mer ensam, tänkte Nin Dada.

Sedan var Naema där med nya förband och Ham fick bita ihop tänderna när han såg såren som grävt sig in i händernas insidor. Nin Dada gav inte ett ljud ifrån sig när Naema tvättade med aloe och lade nya groblad på, men efteråt sjönk hon ihop och somnade av utmattning.

– Kommer det att läka, mor?

– Ja. Men hon får fula ärr.

– Också i ansiktet?

– Det kommer att synas. Men jag har sytt och tror inte att det vanställer henne.

Ham nickade, sade:

– Jag hämtar Kreli. Hon får vaka här och ta hand om Fut. Du måste få sova nu.

– Ja, sade Naema. Jag är trött.

Ham gick först till Harans hus där Kreli redan var klädd och på väg till Naema:

– Oroa dig inte, jag tar hand om Nin Dada och barnen.

Han fortsatte till Sinar, som stod lutad mot ett träd på sin gård och såg hur hans kamrater lade nytt tak på huset.

Han hade armen i band, var grå i ansiktet av trötthet men lyste upp när Ham närmade sig.

De blev stående, tysta. Ham saknade ord, de han förberett nådde aldrig hans läppar. Till sist sade Sinar:

– Du har en storslagen hustru.

Ham nickade men sedan orkade han inte hålla sig samman, han gick rätt in i Sinars famn och snyftade som han gjort så ofta när han var liten pojke.

Noa och Sem gick runt varvet och enades om planen för hur allt skulle återställas. Bryggfästena stod kvar, det skulle inte ta lång tid att få bryggorna i stånd. Båtarna var i hyggligt skick, endast mast och rigg måste återställas. Värst var det med husen på sydsluttningen. I första hand måste de repareras så att folk kunde flytta tillbaka till sina hem.

Det var Sem som planerade, Noa nickade. Han är inte sig själv ännu, tänkte Sem och vågade en fråga:

– Är du orolig för Jafet och Milka?

– Nej, Naema är säker på att de överlevt.

Sem nickade och förstod: Noa kämpade med Gud, i förtvivlan och skräck. Rädslan fanns också hos Sem men han sköt undan den. Om även han skulle börja grubbla på hur man skall förstå Guds handlingar skulle allt gå vind för våg på varvet.

Kapitel 36

Nästa morgon kunde Nin Dada sitta upp i sängen och orkade bättre med bytet av bandage på såren i händerna.

– Det läker som det skall, sade Naema belåten.

När hon plockat undan bindor och mediciner sade hon som i förbigående:

– Du har för mycket av din kraft bunden till Ham. Det är inte bra.

Hon var redan på väg mot dörren när Nin Dada hämtat sig och kunde viska:

– Nu måste du förklara vad du menar.

Naema vände, lade ifrån sig bandagen och satte sig på sängkanten.

– Förlåt mig, sade hon. Jag har en dum vana att utgå ifrån att folk begriper.

Så var hon tyst som om hon sökte ord. Efter en stund började hon berätta om sitt folk i skogen, om hur varje kvinna där fick lära sig att ta ansvar för mannen.

– Vi brukar säga att vi bär männens själar på våra ryggar och att det är vår uppgift att mildra den kraft som männen måste ha för att bygga världen.

– Som om de... var barn?

– Många av dem blir visa sent i livet. Det är som om

197

kraven i det yttre... på handling gör det svårt för dem att mogna.

Nin Dada var storögd av förvåning:

— Min far... var vuxen och vis.

— Då var han en ovanlig man, Nin Dada.

— Ja, nog var han ovanlig, sade Nin Dada och försvann för ett ögonblick i minnena av den saktmodige skrivaren i Erudis tempel. Han var lärd och klok. Men också en man som aldrig tog strid, som gick undan och krympte.

Naema skrattade lätt och fortsatte att berätta om Ormdrottningen och de seende gamla kvinnorna. Till dem gick flickan sedan hon valt sin man och tillsammans gjorde de en bedömning av mannens själ, en beräkning av hur tung den skulle bli att ha på ryggen, om den var svårburen, hade lätt att glida av och allt sådant.

— Så märkvärdigt, sade Nin Dada och Naema skrattade igen och sade:

— Men ganska klokt, Nin Dada.

Efter en stund fortsatte hon:

— Hams själ är ingen tung börda. Men den är svårburen för den jagar vind. Redan som liten pojke jagade han vinden.

— Vad menar du?

— Att han åtrår det han aldrig kan få, Nin Dada. Tänk efter, vem fångar vinden?

Naema log och gick tillbaka till sitt kök. Men efter en stund kom hon tillbaka och satte sig på sängkanten igen. Hon var trevande, nästan blyg nu.

— Du har varit rädd för mig, för sättet jag har att se rakt igenom folk. Jag har länge sökt efter ett tillfälle att säga dig vad jag ser... hos dig, vad jag såg redan första gången vi möttes.

— Säg det, viskade Nin Dada men hon var så rädd att hon hade hjärtklappning.

198

— Du äger en styrka, sade Naema. Jag har ofta tänkt att det är som om du hade ett rum som är städat och fint och dit du alltid kan gå för att hämta kraft. Du trivs inom de egna väggarna, Nin Dada, och det är mycket ovanligt.

Naema väntade en stund innan hon fortsatte:

— Det är tydligt att din självklarhet är utmanande för... många. Det får du stå ut med. Det är en gåva du fått... av din far eller av gudarna, jag vet inte. Men det är tack vare den du förstår dig så bra på barn. Och kan vara så barnslig. Ham har rätt i att du är barnslig, Nin Dada, men han har aldrig förstått att barnslighet och vishet hör samman.

Den bleka flickan i sängen tänkte att det var sant, att hon känt igen sig i beskrivningen. Hon förstod vad Naema velat säga. Nin Dada skulle gå in i sig själv och hämta sin kraft där. Låta Ham jaga vinden.

— Det är inte lätt, flickan min, sade Naema innan hon gick tillbaka till Fut, som nu höll på att vakna framför elden i köket.

Nej, det är inte lätt, tänkte Nin Dada och vågade äntligen minnas den sista natten tillsammans med Ham i sängen i det vita huset. Denna gång hade hon inte varit rädd för famntaget men när det var över hade han viskat ett namn. Inte hennes, Krelis.

Sedan hade han somnat. Men när de skildes på morgonen hade han haft svårt att se på henne och var plågad av dåligt samvete. Det hade glatt henne, hon hade letat efter elakheter som skulle göra hans plåga värre.

Nu var hon glad att hon inte hittat de giftiga orden.

På förmiddagen gick Sem runt i sin trädgård och plockade blommor, de vackraste han kunde finna. Han hade mycket att välja på, det blommade rikt i hans rabatter.

Sem hade ärvt sin mors intresse för växtvärldens alla arter.

När han var nöjd med sin bukett styrde han stegen till Noas hus för att besöka Nin Dada. Han hade tur, Ham hade försvunnit med de större pojkarna, Naema sov och Kreli var ensam med lille Fut i köket.

— Kommer du med blommor, så snällt av dig, sade hon.

— Jag skulle hälsa på Nin Dada.

Sem kände förtretad att han rodnade men trodde inte att Kreli lade märke till det. Hon var redan på väg in till Nin Dada.

— Du har besök.

— Så snällt, Sem. Och en sådan vacker bukett.

— Jag ville önska god bättring, sade Sem.

Rösten var stadig men han var starkare berörd än han räknat med. Så blek hon var. Och så liten, så ynklig.

— Sinar berättade om resan, Nin Dada. Han sparade inte på orden när han beskrev hur modig och... tapper du var.

Hon rodnade av glädje och växte lite i den stora sängen.

— Du vet ju, sade hon, att Innana själv ger mödrarna kraft när deras barn är hotade.

Hon skrattade som om hon skämtade, men han hörde allvaret.

— Det är nog sant, sade han.

Det blev tyst så länge att båda hann bli besvärade. Men Sem samlade sig så småningom:

— Jag har en särskild anledning att be dig... skynda på med tillfrisknandet. Du vet, jag håller på med... storbygget. Det är många beräkningar, för mycket att hålla i huvudet.

Han tvekade, förvirrad av att hon såg så förvånad ut.

— Det är ju så att du är skrivkunnig, sade han. Jag behöver din hjälp för alla minneslistor... och all räkning.

Nin Dada var stum av förvåning. Och glädje. När Sem

200

Innan han sprang i floden igen slog han armarna om den gamla och sade:

— Vi kommer tillbaka, Kinati, vänta på oss.

Hon såg förvånad ut och försökte gång på gång hejda honom. Men han hade inte tid, han hörde knappast på när hon ropade efter honom:

— De var dödssjuka, Ham. Och Sinar hade bara en liten båt.

Först när han var ombord igen och rodden fortsatte fick den gamlas ord fäste. Han förstod med ens att Nin Dada följt med Sinar för att finna bot för barnen hos Naema, att varken hon eller Sinar vetat något om ovädret.

Varför i helvete hade inte Sinar en tioroddare?

När for de?

Sent på kvällen, hade den gamla sagt. Vid vilken timma? Hade de hunnit?

När solen sjönk bakom skogarna i väster nådde Ham varvet efter den snabbaste rodd som någonsin gjorts. Det fanns ingen brygga att lägga till vid här heller så Ham gjorde som på förmiddagen, hoppade i floden och simmade. Halvvägs in mot varvet hörde han Noa ropa:

— De är här och vid liv.

När Noas hand drog upp Ham på klippan vid södra berget skakade han på sig som en våt hund och hoppades att tårar och snor sköljts bort av vattnet. Men när fadern lade armarna om honom kunde han inte hålla tillbaka sina snyftningar.

Noa stod länge och höll om sin son innan han sade:

— Du måste vara stark, Ham. Lille Fut är illa däran ännu. Och Nin Dada är skadad.

Ham rätade på sig, svalde och lugnade rösten.

— Vad hände?

191

Så fick han höra om Sinar och båten som slagits i spillror, om Nin Dadas ansikte som sytts ihop av Naema och om hennes händer med de djupa såren.

– Det värsta är att hon är så nedslagen. Det är som om hon förlorat livslusten, sade Noa.

Och Ham kände skulden. Den var rentav outhärdligare än den stora rädslan som pinat honom genom dagen.

– Ta hand om båten, sade han till sin far. Och folket, vi har rott hela vägen på en och samma dag.

Noa nickade och gick, Ham sprang mot Naema som väntade med torra kläder.

– De sover nu, både barnen och Nin Dada, viskade hon. Väck inte pojkarna men gå in till din hustru.

Hon sov i Naemas säng, huvudet och händerna var inlindade i stora bandage och det han kunde se av hennes ansikte var lika vitt som kudden och linneremsorna.

Så såg han hennes ögonfransar skälva, skvallra om att hon var vaken och visste att han fanns där. När hon slog upp ögonen gjorde det ont i honom, så stor var uppgivenheten i hennes blick.

– Ham, viskade hon.

Hur skulle han kunna säga henne att han aldrig älskat henne så mycket som nu när han var förälskad i en annan. Om han vågade skulle hon kanske förstå i djupet av det motsägelsefulla som var hennes väsen?

Men han skulle inte våga.

Kapitel 35

Trots att Ham var trött sov han lätt den natten, på Noas plats i föräldrarnas säng. Han vaknade varje gång Nin Dada grät i sömnen, försökte trösta med ord och tafatta smekningar. Men det hjälpte inte mot plågorna och snart kom Naema med valerianan.

I gryningen hörde han Fut gråta i köket, gick ut och fann pojken i Naemas knä. Hon lirkade i barnet vatten. Men han ville inte, ville sova.

Ham såg att hans mor var blek av trötthet, hon hade inte fått någon sömn alls de senaste dygnen. Han tog pojken ifrån henne och när Fut hörde hans röst slog han upp ögonen, log. Naema suckade av lättnad och viskade: Prata, Ham, tala.

Och Ham jollrade med sin son, kittlade honom i magen som han brukade och pojken höll sig vaken och då och då svalde han ett skedblad med den vattniga vällingen som Naema rört i ordning i hast.

— Tack gode gud, sade Naema. Gång på gång sade hon det.

Efter en stund gick hon in i sovrummet till Nin Dada, väckte henne och sade med triumf i rösten:

— Ham får pojken att äta. Krisen är över, Nin Dada.

193

När de äldre pojkarna vaknade for de i Hams famn, vilda av glädje.

– Vi måste berätta, far.

– Inte nu, vänta, sade Ham och gick med den sovande Fut till Nin Dada. När han lade barnet i hennes säng kunde de le mot varandra och Ham sade äntligen:

– Jag älskar dig, Nin Dada.

Hon slöt ögonen, fortsatte att le:

– Jag vet det, Ham. På ditt sätt, på ditt egendomliga sätt.

De åt frukost tillsammans inne hos Nin Dada, pojkarna berättade i mun på varann om sjukdomen, om Sinar som kommit och om båten som slagits sönder mot klipporna. Fut sov, Nin Dada avbröt pojkarna och viskade att Ham måste söka upp Sinar, att de hade hans mod och skicklighet att tacka för att de överlevt.

Noa kom in med Naema, historia lades till historia: Ham fick veta om det förgiftade flodvattnet, om vattenväggen och varvet, om herdarna som dött. Själv kunde han berätta om hur han vaknat mitt i natten, fått Kreli, Haran och hans söner ur sängarna på värdshuset, hur de kämpat för sina liv och sin båt i grottbassängen, hur baksuget efter vattenväggen slitit förtöjningarna.

De många döda i floden hoppade han över. Och inget sade han om det vita huset som försvunnit. Men han såg på Noas ansikte att han förstått.

Nin Dada, tänkte Ham. Hur skall jag kunna säga henne det?

Men det var som om hon också hade insett för hon frågade bara om den gamla sköterskan och suckade av lättnad när Ham berättade att han mött Kinati.

– Varför vaknade du mitt i natten?

Det var Naema och Ham måste dra på mun:

194

– Du vet mycket väl att det var du som väckte mig.

Naema såg inte så självbelåten ut som Ham tänkt sig. Snarast verkade hon förvånad, tänkte han.

När Noa gått till sitt och tagit de större pojkarna med sig frågade Nin Dada:

– Huset...?

– Borta.

Hon nickade, hon hade förstått. Så sade hon:

– Det var nog meningen. Nu är vi hemma här och det är bra.

Men Ham såg att hennes ögon var blanka och han skulle aldrig få veta att det var av tacksamhet hon grät.

Aldrig mer ensam, tänkte Nin Dada.

Sedan var Naema där med nya förband och Ham fick bita ihop tänderna när han såg såren som grävt sig in i händernas insidor. Nin Dada gav inte ett ljud ifrån sig när Naema tvättade med aloe och lade nya groblad på, men efteråt sjönk hon ihop och somnade av utmattning.

– Kommer det att läka, mor?

– Ja. Men hon får fula ärr.

– Också i ansiktet?

– Det kommer att synas. Men jag har sytt och tror inte att det vanställer henne.

Ham nickade, sade:

– Jag hämtar Kreli. Hon får vaka här och ta hand om Fut. Du måste få sova nu.

– Ja, sade Naema. Jag är trött.

Ham gick först till Harans hus där Kreli redan var klädd och på väg till Naema:

– Oroa dig inte, jag tar hand om Nin Dada och barnen.

Han fortsatte till Sinar, som stod lutad mot ett träd på sin gård och såg hur hans kamrater lade nytt tak på huset.

195

Han hade armen i band, var grå i ansiktet av trötthet men lyste upp när Ham närmade sig.

De blev stående, tysta. Ham saknade ord, de han förberett nådde aldrig hans läppar. Till sist sade Sinar:

– Du har en storslagen hustru.

Ham nickade men sedan orkade han inte hålla sig samman, han gick rätt in i Sinars famn och snyftade som han gjort så ofta när han var liten pojke.

Noa och Sem gick runt varvet och enades om planen för hur allt skulle återställas. Bryggfästena stod kvar, det skulle inte ta lång tid att få bryggorna i stånd. Båtarna var i hyggligt skick, endast mast och rigg måste återställas. Värst var det med husen på sydsluttningen. I första hand måste de repareras så att folk kunde flytta tillbaka till sina hem.

Det var Sem som planerade, Noa nickade. Han är inte sig själv ännu, tänkte Sem och vågade en fråga:

– Är du orolig för Jafet och Milka?

– Nej, Naema är säker på att de överlevt.

Sem nickade och förstod: Noa kämpade med Gud, i förtvivlan och skräck. Rädslan fanns också hos Sem men han sköt undan den. Om även han skulle börja grubbla på hur man skall förstå Guds handlingar skulle allt gå vind för våg på varvet.

Kapitel 36

Nästa morgon kunde Nin Dada sitta upp i sängen och orkade bättre med bytet av bandage på såren i händerna.

– Det läker som det skall, sade Naema belåten.

När hon plockat undan bindor och mediciner sade hon som i förbigående:

– Du har för mycket av din kraft bunden till Ham. Det är inte bra.

Hon var redan på väg mot dörren när Nin Dada hämtat sig och kunde viska:

– Nu måste du förklara vad du menar.

Naema vände, lade ifrån sig bandagen och satte sig på sängkanten.

– Förlåt mig, sade hon. Jag har en dum vana att utgå ifrån att folk begriper.

Så var hon tyst som om hon sökte ord. Efter en stund började hon berätta om sitt folk i skogen, om hur varje kvinna där fick lära sig att ta ansvar för mannen.

– Vi brukar säga att vi bär männens själar på våra ryggar och att det är vår uppgift att mildra den kraft som männen måste ha för att bygga världen.

– Som om de... var barn?

– Många av dem blir visa sent i livet. Det är som om

197

kraven i det yttre... på handling gör det svårt för dem att mogna.

Nin Dada var storögd av förvåning:

– Min far... var vuxen och vis.

– Då var han en ovanlig man, Nin Dada.

– Ja, nog var han ovanlig, sade Nin Dada och försvann för ett ögonblick i minnena av den saktmodige skrivaren i Erudis tempel. Han var lärd och klok. Men också en man som aldrig tog strid, som gick undan och krympte.

Naema skrattade lätt och fortsatte att berätta om Ormdrottningen och de seende gamla kvinnorna. Till dem gick flickan sedan hon valt sin man och tillsammans gjorde de en bedömning av mannens själ, en beräkning av hur tung den skulle bli att ha på ryggen, om den var svårburen, hade lätt att glida av och allt sådant.

– Så märkvärdigt, sade Nin Dada och Naema skrattade igen och sade:

– Men ganska klokt, Nin Dada.

Efter en stund fortsatte hon:

– Hams själ är ingen tung börda. Men den är svårburen för den jagar vind. Redan som liten pojke jagade han vinden.

– Vad menar du?

– Att han åtrår det han aldrig kan få, Nin Dada. Tänk efter, vem fångar vinden?

Naema log och gick tillbaka till sitt kök. Men efter en stund kom hon tillbaka och satte sig på sängkanten igen. Hon var trevande, nästan blyg nu.

– Du har varit rädd för mig, för sättet jag har att se rakt igenom folk. Jag har länge sökt efter ett tillfälle att säga dig vad jag ser... hos dig, vad jag såg redan första gången vi möttes.

– Säg det, viskade Nin Dada men hon var så rädd att hon hade hjärtklappning.

– Du äger en styrka, sade Naema. Jag har ofta tänkt att det är som om du hade ett rum som är städat och fint och dit du alltid kan gå för att hämta kraft. Du trivs inom de egna väggarna, Nin Dada, och det är mycket ovanligt.

Naema väntade en stund innan hon fortsatte:

– Det är tydligt att din självklarhet är utmanande för... många. Det får du stå ut med. Det är en gåva du fått... av din far eller av gudarna, jag vet inte. Men det är tack vare den du förstår dig så bra på barn. Och kan vara så barnslig. Ham har rätt i att du är barnslig, Nin Dada, men han har aldrig förstått att barnslighet och vishet hör samman.

Den bleka flickan i sängen tänkte att det var sant, att hon känt igen sig i beskrivningen. Hon förstod vad Naema velat säga. Nin Dada skulle gå in i sig själv och hämta sin kraft där. Låta Ham jaga vinden.

– Det är inte lätt, flickan min, sade Naema innan hon gick tillbaka till Fut, som nu höll på att vakna framför elden i köket.

Nej, det är inte lätt, tänkte Nin Dada och vågade äntligen minnas den sista natten tillsammans med Ham i sängen i det vita huset. Denna gång hade hon inte varit rädd för famntaget men när det var över hade han viskat ett namn. Inte hennes, Krelis.

Sedan hade han somnat. Men när de skildes på morgonen hade han haft svårt att se på henne och var plågad av dåligt samvete. Det hade glatt henne, hon hade letat efter elakheter som skulle göra hans plåga värre.

Nu var hon glad att hon inte hittat de giftiga orden.

På förmiddagen gick Sem runt i sin trädgård och plockade blommor, de vackraste han kunde finna. Han hade mycket att välja på, det blommade rikt i hans rabatter.

Sem hade ärvt sin mors intresse för växtvärldens alla arter.

När han var nöjd med sin bukett styrde han stegen till Noas hus för att besöka Nin Dada. Han hade tur, Ham hade försvunnit med de större pojkarna, Naema sov och Kreli var ensam med lille Fut i köket.

— Kommer du med blommor, så snällt av dig, sade hon.

— Jag skulle hälsa på Nin Dada.

Sem kände förtretad att han rodnade men trodde inte att Kreli lade märke till det. Hon var redan på väg in till Nin Dada.

— Du har besök.

— Så snällt, Sem. Och en sådan vacker bukett.

— Jag ville önska god bättring, sade Sem.

Rösten var stadig men han var starkare berörd än han räknat med. Så blek hon var. Och så liten, så ynklig.

— Sinar berättade om resan, Nin Dada. Han sparade inte på orden när han beskrev hur modig och... tapper du var.

Hon rodnade av glädje och växte lite i den stora sängen.

— Du vet ju, sade hon, att Innana själv ger mödrarna kraft när deras barn är hotade.

Hon skrattade som om hon skämtade, men han hörde allvaret.

— Det är nog sant, sade han.

Det blev tyst så länge att båda hann bli besvärade. Men Sem samlade sig så småningom:

— Jag har en särskild anledning att be dig... skynda på med tillfrisknandet. Du vet, jag håller på med... storbygget. Det är många beräkningar, för mycket att hålla i huvudet.

Han tvekade, förvirrad av att hon såg så förvånad ut.

— Det är ju så att du är skrivkunnig, sade han. Jag behöver din hjälp för alla minneslistor... och all räkning.

Nin Dada var stum av förvåning. Och glädje. När Sem

började beskriva uppgiften blev hon entusiastisk. De talade länge om vilka räknemetoder de skulle använda, om system för beskrivningar och minnestavlor. Hon blev ivrig, han blev imponerad: Hon kan mer än jag trodde.

Till slut sade hon:

– Jag skall fråga Naema när hon kan ta bort bandagen. Det läker som det skall, hon är nöjd med mina händer.

– Och såret i huvudet?

– Det tar längre tid, men jag skall ju inte skriva med huvudet.

– Inte med utsidan i varje fall.

De skrattade. Innan Sem lämnade henne vågade han det oerhörda och kysste henne på den oskadade kinden.

Sem var belåten med sig själv och med svägerskan när han gick. Men han var förvånad för han hade förstått att Nin Dada inte visste någonting om katastrofen som väntade dem. I ritverkstaden fann han Noa, tung och innesluten i sig själv.

– Far, sade han så högt att Noa ryckte till. Sedan berättade han om sitt besök hos Nin Dada och att hon av allt att döma inte hade kännedom om vad som skulle hända dem.

Noa blev arg, det var bra för han rycktes ur sitt grubbel.

– Den förbannade Ham, sade han. Så suckade han och fortsatte:

– Det är inte som det skall mellan de där två.

Sem log lite och sade:

– Men Ham har ju alltid... dyrkat sin vackra docka.

– Just det, sade Noa. Men hon är ingen docka och det börjar väl gå upp för honom.

Sem hade tänkt samma tanke. Det som förvånade honom var att Noa förstått, han brukade bara se det han ville se.

Noa funderade inte länge innan han ställde stegen till Nin

201

Dada. Han nickade till Kreli, gick in till sin svärdotter, stängde dörren, satte sig och började berätta. Om budbärarens besök, om skogsfolket som bekräftat domen över människorna, om Gud själv som givit honom detaljerade order om skeppet som skulle byggas.

Det hjälpte honom att tala, det kaos han levt i sedan stormen vek och han fick ordning på sina tankar.

– Du skall inte vara rädd, Nin Dada, sade han till sist. Vi kommer att klara det.

– Du kommer att klara det, sade hon. Jag är inte rädd.

Han såg länge på henne och visste att han måste ta ansvar för hennes tillit.

– Jag behöver dig, sade han och redogjorde för sitt beslut att kunskaperna skulle räddas, yrkesmännens skicklighet på olika områden.

– Viktigast är skrivkonsten, sade han. Ombord på skeppet skall du bli lärare för barn och ungdomar.

Hon blundade för att i någon mån dölja sin oerhörda stolthet. Men när han reste sig för att gå sade hon överraskande:

– Det måste vara plågsamt för dig, detta med Gud.

– Hur menar du?

– Din Gud var ju god.

– Ja, det är svårt. Jag kan inte fatta det.

Nin Dada letade efter ord till tröst men fann dem inte. Till sist sade hon:

– Det kanske är så att vi aldrig kan förstå vad Gud är. Därför gör vi honom till en avbild av oss själva.

Noa nickade, sade farväl och förbjöd henne att tala med någon annan än Ham och Naema om det hon fått veta. Först i trappan ner mot gården hann hennes ord ifatt honom, han stannade i förvåning. Detta var äntligen något han kunde förstå, mycket begripligare än Naemas tal om balansen som måste återupprättas.

Hans Gud gick inte att förstå. För att få Honom begriplig hade Noa gjort Honom mänsklig och lik sig själv, barnslig, glömsk och överseende.

På eftermiddagen kom fyra män vandrande över gränsen i syd. De hade räddat sina familjer undan stormvågen men den snickarverkstad de ägt hade förstörts. Kunde de få arbete på varvet?

Noa behövde folk, mer än någonsin förr. Så han tog vänligt emot dem.

— Visste han vad som hänt i Eridu?

— Jo, att mycket var förstört och att stormvågen kostat många människor livet.

— Nej, inte det. Det största, det märkvärdigaste var att vattenväggen förintat slambergen i flodmynningen.

— De är borta, sade männen. Den stora vågen förde dem ut till havs.

Med beslutsamma steg gick Noa en stund senare till nordklippan där de mätte vattendjupet. Floden hade sjunkit mot den punkt i klippan som markerade normalt vattenstånd.

— Gode Gud, sade Noa men ändrade sig:

— Gud i himlen, sade han. Men ännu vågade han inte ta det som ett tecken på att han fått det han mest av allt behövde.

Tid.

Kapitel 37

Milka satt på förtoften i Jafets båt och lät handen släpa i Titzikonas vatten. De hade inte satt segel trots att det blåste en lätt västlig bris. Nej, de drev långsamt med strömmen, i flodens egen takt.

De ville förlänga resan.

Hon såg på Jafet och kände igen sitt eget vemod efter avskedet från skogsfolket. Till slut vågade hon den fråga hon ställt sig i dagar nu:

— Vad menar de när de säger att de skall gå västerut till världens slut?

— Berättade de för dig om döden?

Hon skakade på huvudet, tänkte förtvivlat: det var så det var tänkt.

— De brukar säga att i väster finns ingången till döden, landet utan motsatser där människan äntligen får fira bröllop med sin själ. Mor menar att de varit på väg i långa tider. Så länge hon kan minnas har de dragit sig allt längre ut mot jordens utmarker för att så småningom försvinna.

Milka ville gråta men hennes sorg var för stor för tårar. De långa dagarna hos Naemas folk hade förändrat henne, också för att hon förstått och fått del i Jafets sorg.

— De blir kvar bara i människornas minne. Som en dröm om ett gudafolk, sade Jafet.

– Varför bara en dröm?

– Jag tror att minnet av dem kommer att fördunklas av skulden.

– Skulden?

– De var ju ett vittnesbörd om att det fanns en annan väg för människan.

Milka var tyst länge medan hon tänkte på alla dessa dagar hon suttit vid elden hos kvinnorna, på alla berättelser hon hört, all kunskap hon fått. Det hade varit märkvärdigt från första stund, som detta med språket. Hon kunde inte tala med dem men hon förstod vad de sade. Mycket snart hade hon lärt att de läste hennes tankar, kände hennes frågor och ofta gav svar innan hon ännu formulerat sin undran.

Det allra största undret var ändå att de talade samma språk som djuren. Och träden och markens alla örter. Och att de lärt henne det, att de varit mycket angelägna om att hon skulle lära sig det.

Hon kisade mot solen och mindes sagan om månen och solen, som växte upp tillsammans som tvillingar och som älskade varandra. Solen fick månens själ att lysa om natten och hon delade sina hemliga kunskaper med honom. Allt var gott i världen så länge deras kärlek varade. Men så en dag fick de syn på Livets träd där alla stjärnor blommade.

De blev båda förälskade, de överbjöd varann i sin strävan att erövra trädets kärlek. Men trädet sökte sig till jorden och började fylla marken med sin skönhet. Solen hjälpte det nya livet med sin värme och det ljus som skärper tanken. Och månen skänkte svalka och del i den hemliga kunskapen.

Men den stora kärleken mellan sol och måne gick förlorad, de förblev rivaler och visade sig sällan för varandra.

Till slut bröt Milka tystnaden:

– Jag älskade dem alla, dina släktingar i skogen. Men jag

205

vill ändå säga som det är, Jafet. Jag skulle inte kunna leva deras liv.

Hon trodde att han skulle bli besviken, men han förstod:

— Jag vet. Det är sant även för mig och genom åren har det gjort mig eländig till mods. Så ledsen.

— Vi står inte ut med oföränderligheten, sade Milka.

— Nej. Förutsättningen för deras liv är att alla förblir i sitt öde.

— Ändå stöder de Noa och hans båtbygge.

— Ja. Jag tror att de förstått att vi, att Noa, har en egensinnig kraft som inte kan hejdas. Den måste trotsa livet och bekämpa ödet. Och den är hänsynslös som livet självt.

Som stjärnornas dans i livets träd, tänkte Milka.

En stund senare satte Jafet seglet och nu gick det undan mot varvet och de kämpande människorna som skulle bygga det största skeppet i världen.

Kapitel 38

När de kom ut i bukten och kunde skönja varvet blev Jafet förskräckt. Herregud, vilken förödelse.

Han strök sitt segel, här fanns inte längre någon brygga att lägga till vid. Försiktigt rodde han in mòt norra klippan.

– Vi har ändå goda nyheter, sade han till Milka och när Noa kom springande mot anläggningsplatsen ropade han det högt:

– Vi har goda nyheter.

Noa hade alltid varit besynnerligt blyg för sin yngste son så hans glädje över återkomsten fick riktas mot Milka. Han lyfte flickan i famnen och dansade runt med henne.

– Ni måste ha haft det besvärligt, sade Jafet och Noa satte ner Milka och tog äntligen Jafet i sina armar.

– Vi har överlevt, sade han. Ni skall få höra allt så småningom. Men vi behöver goda nyheter.

Mycket raskt berättade Jafet om de nordvästliga skogarna, om de ändlösa pelarhallarna av rakvuxna cedrar. Han hade gått där i dagar, mätt och märkt träd och försökt lösa problemet med hur de skulle hugga gator genom skogen för transporterna till floden.

– Det är svårframkomligt med kullvräkta träd överallt, sade han. Jag hade svårt att fatta hur vi alls skulle kunna ta oss fram.

Noa nickade, detta var ett av de stora problem som han skjutit framför sig.

Jafet fortsatte att berätta hur hans arbete hade avbrutits av tre unga jägare, som sagt att ett stort oväder var på väg. Han fördes till en grotta i norra bergen och där fanns Milka tillsammans med de andra.

– Det var en egendomlig grotta, sade Jafet men Noa avbröt:

– Till saken.

– Vi satt där hela dagen. Strax före gryningen nästa natt kunde vi höra stormen som ett avlägset dån och vid middagstid sade Ormdrottningen att allt var över och att vi kunde återvända till världen. När jag kom tillbaka till cederskogen hade träden på norra stranden fällts av stormen.

– Norr om floden?

– Ja. Där är bergigt som du minns. Så träden hade väl inte mycket till rotfäste.

Jafet var så upptagen av sitt minne av den otroliga synen att han inte märkte att Noa blev vit i ansiktet och måste sätta sig.

– Jag tog mig över floden med min båt, fortsatte Jafet. Stormen hade som du förstår inte röjt några transportvägar. Men stranden är fri, där gäller det bara att rulla de knäckta jättarna i floden. Och här och var inne i storskogen finns... luckor, öar av stormfällda träd. Där kan vi röja och få stapelplatser för timret.

Med glada ögon sökte han Noa och blev rädd när han såg hur blek fadern var:

– Men far, hur är det fatt?

– Jag måste bara hämta mig från min förvåning.

Det blev en lång måltid i Noas kök, allt skulle ju berättas.

Milka satt länge hos Nin Dada, tog de skadade händerna i sina och försökte tänka som hon lärt hos skogsfolket. Det hjälpte, det plågade uttrycket lämnade Nin Dadas ansikte och hon somnade utan valeriana.

– Har du sett grottan, mor?

Naema log mot Jafet och nickade. Ja, en gång strax före sitt bröllop hade hon tillbringat en natt där.

– Vilka målningar, mor. Vilka underbara målningar.

Noa hade svårt att somna. Gång på gång gick han igenom vad han sagt till Gud den dagen soldaten dött och Noa givit efter för sin vrede. Han hade anklagat Herren för floden som steg och han hade frågat hur Gud tänkt sig att de skulle kunna bygga en båt om de blev sjuka av flodvattnet.

Och han hade talat om timret, om det väldiga arbetet att fälla träden och få ner dem i tid så att de kunde torkas under vintern.

Det var lätt att tacka för att de värsta svårigheterna nu var undanröjda. Men det var besvärligt med ödmjukheten.

– Förlåt mig, sade han.

Bönen var inte helhjärtad, Noa var fortfarande arg på Gud. När Naema kom in för att lägga sig berättade han för henne om sin stora vrede, vad han sagt och vad Gud gjort. Hon lyssnade med lysande ögon och log sitt stora leende.

– Men Noa, nog ser du att du är omhändertagen.

Och när Noa sade att han var rädd att Gud skulle straffa honom för ilskan som han inte kunde komma över, skrattade Naema högt:

– Inte mäter Gud med mänskliga mått, sade hon.

Det var det Nin Dada menade, tänkte Noa innan han somnade. Jag har för klumpiga tankar för att riktigt förstå det. Men i dag har jag begripit att jag får vara aktsam med orden när jag grälar med Gud.

Nästa morgon efter frukost kallade Noa sin familj till möte. Också Haran, hans söner och Kreli bjöds in. De skulle ses i ritverkstaden på förmiddagen.

Folket på varvet hämtade fortfarande sitt vatten och drog sin fisk i Titzikonas mynning. Det var Naema som krävde det trots att den egna floden såg ren ut efter stormen.

– Alla föroreningar är inte synliga för ögat, hade hon sagt.

Både män och kvinnor hade protesterat men de var vana vid att lyda henne. Och en dag hade de stött på lik när de drog sin flotte över floden.

Hur många liv hade stormen tagit i Nordriket? Ingen visste.

Denna morgon bestämde sig Jafet för att vittja näten i Titzikona. Och han ville ha Noa med sig.

– Men jag har inte tid.

– Det är viktigt, far. Kom med nu.

De rodde i maklig takt över bukten och Jafet berättade om skogsfolkets grotta, det stora bergrummet där väggarna lyste av färger.

– Det var målningar som jag aldrig sett maken till och många var tusentals år gamla. De hade målat sin historia och sina myter i bild efter bild där inne. Men de menade också att de fäst sina själar på väggarna och skänkt sin kunskap till berget, som skulle bevara den sedan de själva försvunnit från jorden.

Som alltid när talet föll på det märkvärdiga folket var Noa intresserad.

– Vad föreställde bilderna?

210

— Vanliga händelser ur deras liv, jakt, dans, växtsamlande och sådant. Andra visade scener ur deras myter, solbåten med den sovande guden, stjärnornas bröllop med jordens döttrar och annat som du minns från deras berättelser.

Noa nickade.

— Morfar sade att bilderna var den store Gudens tal till människan.

Noa stelnade, glömde åran:

— Fortsätt!

— Jag frågade varför Gud talade om så vardagliga ting som jakt och skörd av läkeblommor och andra växter. De skrattade åt mig, du vet ju hur de skrattar.

Jafet log vid minnet.

— Fortsätt är du snäll, sade Noa.

— Till slut förbarmade sig Ormdrottningen över mig och mina dumma tankar. Hon förklarade att Gud aldrig kan tala till människan direkt. Han måste låna... uttryck från människans egen erfarenhet för att göra sig förstådd.

Noa höll andan, försökte förstå.

— Hans språk är ett annat, mycket större, sade hon. Det beror på att Hans verklighet har helt annat omfång än vår. När Han skall framföra ett budskap till en människa måste han ge det form och röst ur människans egen erfarenhet.

Noa återtog rodden, de var snart framme vid näten som de skulle vittja. Men de dröjde med arbetet, blev sittande stilla och såg på varandra. Efter en stund fortsatte Jafet:

— Jag tänkte som du förstår att här fanns svaret på frågan om varför Gud talade till dig med Lameks ord. Och jag tänkte på budbäraren, mannen som besökte dig i våras.

— Ja?

— Du beskrev honom som ödmjuk, lite trevande.

— Öppen och resonabel, sade Noa.

— Ja. Jag minns att du berättade hur han sade: "Man

skulle kunna bygga en båt." Vem talade på det sättet, far?

Noa svarade inte och det dröjde en stund innan Jafet såg att han grät. Tårarna rann och axlarna skakade där han satt på toften och äntligen mindes sin morbror, mannen som älskat och vårdat sig om den lille pojken, som köpt honom fri från Lamek och en morgon packat en båt med förnödenheter och sänt honom uppför Titzikona.

Jafet fick dra näten ensam, det var en rik fångst som skulle ge middag på varje bord i byns alla hus. När han var färdig såg han på Noa som hejdat gråten och sade:

— Du fick aldrig tid att sörja honom, far.

— Nej, sade Noa. Det gavs aldrig tid i mitt liv att minnas och sörja, varken det ena eller det andra.

Medan de långsamt rodde hemåt berättade Noa om båten som rustats med yxor och nät, rökt kött och fisk, salt — allt en människa behövde för att överleva på skogsfloden. Och om hur han rott motströms och sett varvet brinna borta i öster.

— Jag var arton år och all min kraft gick åt för att överleva, sade han. I flera veckor trodde jag att jag var ensam i världen. Sedan mötte jag... Naema och hennes folk.

Kapitel 39

Nu satt de där runt det stora bordet i ritverkstaden. Även barnen var med, Hams pojkar och Harans. Nin Dada fick den enda bekväma stolen och stöttades av kuddar.

Noa började med att vända sig till barnen:

– Jag vill att ni lovar att inget av det som sägs här i dag förs vidare. Ni är stora nog att bevara en hemlighet.

Lille Fut sov i Hams famn men femåringen Misraim räckte upp sin hand och sade:

– Jag svär vid allt som är heligt.

Kreli drog på mun men Nin Dada tog ordet:

– Jag föreslår att vi alla säger efter Misraim.

Sedan de avlagt eden började Noa sin berättelse om budbäraren och om syndafloden som skulle dränka världen. Han var kort i talet och använde i stort sett samma ord som när han berättat sin historia för Nin Dada. Så fortsatte han:

– När stormen och vattenväggen kom, trodde jag att Gud... ändrat sig, att Han tänkte dränka även oss. Men sedan har jag förstått att det stora ovädret hjälpte oss. Slammet som täppte till flodöppningen är borta, floden sjunker och vattnet kommer att vara friskt inom någon månad. Vi har fått anstånd och den tid vi behöver.

– Så kom Jafet hem och berättade om de stormfällda träden norr om Titzikona. Det kommer att bli lättare än vi trott att dra stockarna till floden.

Noa gjorde paus, hans blick sökte Harans.

– Vi skall alltså bygga ett skepp som är så stort att det kan bli vårt hem under... kanske flera år. Med på skeppet skall vi föra de husdjur som människan tämjt under århundraden. Vidare skall vi ha utsäde och odlingar av alla de växter vi behöver för att leva. Naema får tillsammans med Milka göra urvalet och ta ansvar för odlingarna ombord.

– Eftersom jag bara är människa har jag värjt mig för uppgiften att välja ut det folk som skall... räddas. Det bud jag fått har bara gällt min familj. Men det är uppenbart att ett skepp av den storlek det gäller inte kan föras av fyra man. Till detta kommer hela det stora arbetet med djuren och odlingarna ombord.

– Jag är som ni vet en praktisk man. Jag kan inte döma om människors hjärtan, om vilka som skall ha rätten att överleva. Därför har jag beslutat att rädda människans färdigheter. Med på resan vill jag ha yrkesmännen: smeden, krukmakaren, väverskan, bonden, växtsamlerskan, repslagaren, snickaren. Jag vill också rädda dikten, musiken och konsten. Och den viktigaste av alla våra kunskaper, nämligen skrivkonsten.

– En del av dessa kunskaper har vi. Andra saknas och jag ber er fundera och komma med förslag. Själv reser jag tillsammans med Naema till Eridu där jag skall överlägga med repslagaren.

Noa avbröt sig och skrattade innan han fortsatte:

– Det blir inte lätt att välja folk. Napular är en genstörtig och envis karl, ilsken och hetlevrad. Och den kvinna han är gift med är argsint och kommer från de vandrande bergsfolken som har andra vanor och gudar än vi. Men Napular är den bäste repslagaren som tänkas kan och jag har svårt

214

att se hur vi skall klara oss utan honom. Ännu en fördel har han. Han har tre döttrar och vi har som ni kan se ont om flickor.

Det var ett skämt men ingen skrattade. I stället blev det tyst, en lång och laddad tystnad. Till slut begärde Naema ordet:

– Ett samhälle som skall överleva behöver alla slags människor, sade hon långsamt. Vi måste ha med både de tröga och de temperamentsfulla och... de annorlunda, de som tänker och tror på annat vis än vi.

Noa såg länge på sin hustru innan han sade:

– Det blir en lång och svår resa. Jag skulle vilja slippa osämja och bråk ombord. Och problem med skrämda och arga människor.

– Det får du ändå, sade Naema och log.

Noa stönade, tänkte efter, log mot henne och sade:

– Alla svårigheter med folks samlevnad ombord får bli kvinnornas ansvar.

– Men då är det ju som det alltid har varit, sade Milka och nu kunde alla instämma i skrattet.

En stund senare lämnade Noa över ordet till Sem som med utgångspunkt från de stora kolteckningarna redogjorde för hur skeppet skulle byggas.

– Det är mer en låda än en båt, sade han. Det vill säga, det rör sig om tolv lådor. Om vi skall följa de anvisningar vi har fått, måste varje låda bli tjugofem alnar lång.

Det gick ett sus genom rummet när det plötsligt stod klart för dem alla vilket enormt företag de stod inför. Sems ritningar och lugna saklighet förde Noas berättelse ner i verkligheten, den otroliga och osannolika verkligheten.

– Att bygga arken i delar ger många fördelar, fortsatte han. Arbetet blir lättare att organisera, vi kan anpassa oss

215

efter timrets längder och vi kan, om vi kommer i tidsnöd, minska skeppets storlek. Men den avgörande fördelen är att hon bör röra sig mjukare i hård sjö, hon blir mindre stum.

– Det är genialt.

Det var Jafet och Sem rodnade av glädje.

– Du och jag får ha ett par dagar för att gå igenom de mätningar du gjort i cederskogarna.

– Det finns träd som är femtio alnar höga.

– Men hur långt är de bärkraftiga?

– Uppåt fyrtio alnar skulle jag tro.

– Hur många finns det?

– Hur många behöver du?

– Det gäller botten. Bara i den krävs tvåhundrafyrtio stammar. Så är det tankarna, för dem behövs ytterligare tvåhundra.

Nu var tystnaden så stor att tiden tycktes stå stilla i verkstaden. Efter lång väntan sade Ham:

– Hur i Herrans namn skall vi fälla allt detta timmer? Hur skall vi forsla det till Titzikona? Hur landar vi det här? Hur torkar man stammar som knappast går att lyfta?

– Det blir din sak att skaffa folk, sade Noa och Ham stönade:

– Det är alltid ont om arbetsfolk i Syd. Hur många menar ni att vi måste få tag i?

– Jag har räknat med etthundrafemtio man och ett hundratal åsnor, svarade Sem och Ham skakade på huvudet. Men Sem fortsatte oförtrutet att redogöra för barlasttankarna i för och akter, enorma kar som skulle rymma det vatten som skulle balansera fartyget.

– Med ett så klumpigt skepp som det här måste vi kunna trimma, sade han. Ni inser lätt att det aldrig kan styras. Vi är utlämnade åt ström och vindar.

– Och om vi får läckor, frågade Jafet.

– Jag har tänkt mig pumpar i för och akter. Vi kan ta upp vattnet till mellandäck med hjälp av två åsnevandringar.

Sem fortsatte att redogöra för djuren som skulle leva i bås på mellandäck, visade hur han planerat för gödselrännan och tillförseln av foder. På övre däck i dagsljus skulle växtodlingarna få sin plats. Människorna, slutligen, skulle bo i ett långhus, ett rum för varje familj och gemensamt kök under bar himmel.

– Vi vill bara ha en spis ombord med tanke på eldfaran.

De försökte föreställa sig hur vardagen skulle bli ombord, vecka ut och vecka in. Alla fick de olika bilder, kvinnorna tänkte på torftigheten och svårigheterna att laga mat. Och Kreli sade:

– En enda spis under bar himmel! Och om det blir skyfall som under det senaste ovädret?

Naema instämde:

– Det går inte, Sem. Vi måste ha ett kokhus.

Sem nickade:

– Jag får fundera vidare.

Men männen tänkte på de oerhörda påfrestningarna på skrovet och på hur beroende de skulle bli av de rep som måste hålla samman skeppet.

– Även om Napular är djävulen själv och gift med en demon måste vi ha honom med, sade Jafet.

Noa skrattade, repslagaren i Syd var ingen djävul, bara en man med ovanligt hett temperament, sade han och tillade:

– Napular är en bra karl, arbetsam och påhittig. Och hederlig, han har alltid hållit ingångna avtal. Risken är kanske att han inte tror på... min historia och därför vägrar.

Haran begärde ordet för första gången och var plötsligt så ivrig att han snubblade över orden:

217

– I koppargruvorna i Nord har de öppnat några schakt där kopparmalmen är blandad med en annan metall. Eftersom de menar att den är oren har de lagt ner brytningen. Men det går rykten om att den orena malmen ger ett nytt material om man smälter den, en metall som är hårdare än någon annan.

– Också jag har hört de ryktena, sade Noa, intresserad. Den måste vi kunna köpa billigt. Ham, vad tror du?

– Om vi betalar med vete..., sade Ham. Men hur skall vi förklara att vi vill ha oren koppar utan att de blir misstänksamma?

Han tänkte på den Galne i det förfallna palatset i Sinear.

– Som ni förstår är det många frågor som återstår att lösa, sade Noa till slut. En gäller skeppets storlek och där har jag beslutat att det timmer vi får tag i får bestämma.

Han tystnade och tänkte på sitt samtal med Jafet under morgonens fisketur. Lamek, mindes han, Lamek överdrev ofta.

– Rimligen behöver vi inte ett så här väldigt fartyg, sade han. Men vi vet ingenting om tiden, om vi skall flyta runt i vår låda i... åratal. Vi måste räkna med det och med djur som har kort livslängd och kan bli sjuka av vantrivsel när de skall stå innestängda i bås på ett rullande fartyg. Vi kan inte nöja oss med ett par av varje sort, vi måste ha två tjurar och fyra kor, minst två hönsgårdar, getter, får... kanske ett tiotal av varje. Åsnor... hur många? Skall vi ta med hästen och vem av oss begriper sig på det djuret?

– Så långt vi kan bedöma borde vi inte få brist på vatten. Men vi har fått lära oss att flodvattnet kan förgiftas. Om havsvattnet bryter in och blandas med flodens blir det salt och otjänligt.

– Sems förslag är att barlasttankarna fylls med färskvatten. Det är en djärv tanke men fullt möjlig. Men det kräver

218

att tankarna blir täta och förses med lock som sluter väl till. Vi behöver ofantliga mängder av jordbeck. Men det är inget problem. Hela dalgången i De dödas land är full av beck.

Jafet visslade av förtjusning.

– Det svåraste av alla problem är att räkna ut hur många vi bör vara och vilka... vi skall rädda.

Ett kort ögonblick kunde de se att Noa var tung av sorg. Det skrämde dem och fick dem att inse hur beroende de var av hans tillförsikt. Men efter en lång tystnad sade Milka:

– Jag tror nog att Gud själv väljer sitt folk. Du skall se, Noa, att urvalet kommer att ske som av sig självt, det ena ger det andra och blir rätt till slut.

Noa såg länge på flickan, tänkte på de underliga vägar som fört henne till hans familj och på det skogsfolket sagt om att Milka var utvald för att förstärka Naemas förmågor.

– Kanske du har rätt, lilla barn.

Efter en lång tystnad begärde Haran ordet:

– Jag skulle gärna vilja veta om vi får komma med för att vi blivit släkt genom gifte eller...

Noa log brett och svarade:

– Ni tillhör familjen. Lika viktigt är att du är en skicklig smed och nödvändig för uppgiften ombord. Så är det också med Milka som är Jafets hustru men har särskilda... gåvor som blir till hjälp för Naema. Detsamma gäller Nin Dada, sonhustru, men också den som har grundlig kunskap om alla skrivtecken. Sem och hon skall rädda skriften åt framtiden.

Nu talade Kreli för första gången:

– Men jag, jag har ju inga särskilda färdigheter.

Då skrattade Noa:

– För det första, Kreli, har jag hemliga avsikter för dig. För det andra har du en egenskap som är av betydelse för

219

resan. Det är din förmåga att hålla modet uppe på dina medmänniskor.

– En sista sak innan var och en går till sitt, fortsatte Noa. Så länge som möjligt måste våra planer förbli hemliga. Vi kommer att säga att vi bygger ny repslagarbana på den flata stranden bakom sydklippan. Ham får sprida rykten i Syd om stora skeppsbeställningar när folk börjar fråga varför vi flottar så mycket timmer nerför Titzikona. Det vanliga arbetet med beställda fartyg får fortsätta så länge, dels behöver vi alla inkomster vi kan få och dels måste allt här verka som vanligt. Ni kan ju lätt föreställa er vad som skulle kunna hända om sanningen blev känd.

De försökte men förstod inte, de var trötta av all sinnesrörelse. Men till slut sade Jafet:

– Panikslagna människor från hela världen skulle dras till varvet, menar du?

Noa såg förvånad ut, det hade han inte tänkt på. Men han insåg att Jafet hade rätt och nickade långsamt:

– Jag har mest funderat på vad Nords generaler kan ta sig för om de får klart för sig att vi bygger... världens största fartyg.

När Noa reste sig sade han till Nin Dada:

– Jag vill tala några ord med dig och Ham i enrum.

Både Ham och Nin Dada var illa till mods när de följde med Noa. Men Noa hade inte för avsikt att diskutera deras äktenskap. Han sade:

– Jag vill bara ha sagt att Nin Dada har samma rätt som Milka att... rädda sin släkt i Syd. Det gäller din mor, annan familj har du ju inte.

Nin Dadas ögon blev svarta av förtvivlan där hon satt och tänkte på modern, den ständigt sjuka och alltid självupptagna. Till slut viskade hon:

— Nej, min mor skulle... ändå inte orka.

Det var en dödsdom och i samma stund Nin Dada insåg det började hon skaka. Ham lyfte upp henne, bar henne som ett barn mot dörren. Och Noa sade:

— Jag måste fråga, Nin Dada.

— Jag förstår, viskade flickan.

Kapitel 40

Utanför ritverkstadens dörr väntade de andra på Ham och Nin Dada. Bara Jafet hade kallats till de fortsatta överläggningarna med Sem och Noa.

Milkas ögon mörknade när hon såg att Nin Dada skakade och förstod vad samtalet gällt.

De gick, hela familjen, tätt tillsammans som soldater, kastade skygga blickar omkring sig och hade svårt att besvara de vänliga hälsningarna från byfolket. Några pojkar kom springande, ville ha Harans söner med på en båttur. Tolvåringen vägrade och när de fortsatte hemåt såg Naema att han grät.

Också våra barn kommer att bli ensamma, tänkte hon. Avskurna från andra. Av skuld.

Hon hörde Kreli viska:

— Jag kommer aldrig mer att kunna se folk i ögonen.

Naema tänkte på Noa. Hur kände han det när han hälsade på sitt folk varje morgon, män som han arbetat tillsammans med i åratal?

Som på gemensam överenskommelse gick de alla till Naemas kök och där blev de sittande. Några av dem pratade oavbrutet utan att lyssna på varandra. Andra var stumma. Nin Dada fick långsamt värmen tillbaka och skakningarna upphörde.

När Ham lade henne på sängen och bredde täcket över henne viskade hon:

– Fråga Noa om jag får byta... om Sinar och hans hustru får komma med i stället?

– Sinar hör säkert till de utvalda. Han är fars äldste vän. Dessutom är han varvets bäste sjöman.

– Men hans hustru...?

– Henne får vi stå ut med, Nin Dada.

Sinars kvinna var argsint och sjuklig, en plåga för grannarna som fruktade hennes elaka tunga. Hon var barnlös och många hade genom åren undrat över hur Sinar stod ut.

Alla gick tidigt till sängs den kvällen. Harans söner hade svårt att somna, Kreli satt länge vid deras säng och försökte trösta. Men hon fann inga ord, fick sitta tyst med barnens händer i sina. Själv tänkte hon på Noas ord om hennes förtröstan och kände att hon inte hade mycket kvar av den längre.

Även Haran låg länge vaken och försökte förstå det ofattbara som skulle hända. Han var inte rädd och mindre skamsen än de andra.

Efter alla år i Sinear har jag rätt till livet, tänkte han. Innan han somnade kände han en egendomlig lycka. Han skulle deltaga i ett äventyr där all hans kunskap och hela hans kraft behövdes.

I nattens drömmar smög han mot koppargruvorna i Nord och lastade en åsna med oren malm.

Nin Dada talade och Ham lyssnade. För första gången kunde hon berätta om sin barndom, om fadern som älskat och vårdat sig om henne. Och om modern som gjort livet tungt för dem.

223

– Hon gnatade, hon drev honom i döden med sin äre-
lystnad. Han brydde sig inte om ställning eller makt, han
levde för att rädda de gamla legenderna. Du vet, alla dikter-
na om Innana som gick till dödsriket och Enki, guden som
dog men återuppstod. De har berättats i tusentals år, gått
från mun till mun i generationer. Nu skulle de bindas i
skrift för evig tid.

– Du förstår att varje ord var viktigt. Vi vägde dem, han
och jag. Jag var inte gammal nog att förstå det mångtydiga,
det symboliska. Men han såg det som en fördel och menade
att han behövde barnets klarsyn för sin tolkning.

Vi två, sade hon gång på gång. Som om modern inte fun-
nits, tänkte Ham. Nog hjälptes de åt att utesluta henne.

Men han sade inget, bara lyssnade. När hon slutligen som-
nat blev han liggande vaken med alla sina problem: Hur i
herrans namn skulle han kunna skaffa fram hundrafemtio
arbetsdugliga karlar? Skulle han våga en förhandling med
den Galne i Nord om byte mellan malm och säd? Och när
skulle ryktena om storbygget gå ut över världen och vad
skulle han säga för att föra folk bakom ljuset?

Jafet och Milka hade tagit hand om Hams söner, som var
skrämda av dagens alla upplevelser och Nin Dadas förtviv-
lan. De små pojkarna låg i Jafets säng och han berättade för
dem om båten som skulle byggas och rädda dem undan
översvämningen.

Han får det att låta som ett storslaget äventyr, tänkte
Milka. Här fanns det igen, det som skogsfolket talade om
att dikten, diktaren, bestämmer verkligheten. När hon bred-
de filtar över barnen tog han fram sin luta och sjöng en vagg-
sång.

– Du sjunger alltmer sällan, sade hon när pojkarna som-
nat.

– Det är inte tid för sång, det är tid för handling, sade han och det var ingen tvekan om att han var lycklig för det.

Noa och Naema sov i tempelrummet som han inrett på husets tak. Medan de klädde av sig berättade Noa om fisketuren, om vad Jafet sagt om Gud, som inte kunde göra sig förstådd på människospråk utan måste meddela sig med hjälp av de minnen, de bilder och ord som varje enskild människa hade.

– Jag vet nu vems stämma budbäraren lånade, sade han och berättade om morbrodern. Och jag förstår också varför Gud till slut måste skrämma mig med Lamek för att få mig att fatta allvaret i budskapet.

Naema var tyst och tänkte att hon kunde ha sagt honom det för länge sedan. Men hon hade glömt den gamla sanningen att Gud talar i bilder som Han hämtar ur människans erfarenhet. Det är som om min... arvsrätt håller på att gå ifrån mig, tänkte hon. Jag blir mer och mer lik folket här.

Under de många åren tillsammans hade Noa aldrig sett sin hustru gråta. Ändå blev han inte rädd. Han höll henne i handen och sade:

– När jag tänker på att jag aldrig mer skall få möta folket i skogen blir jag förtvivlad. Hur skall det då inte kännas för dig?

De låg där som de alltid gjort, sida vid sida och hand i hand. När Naemas gråt stillnat sade Noa:

– Jafet var den ende som förstod alltsammans.

– Jag tänkte också på det. Det beror på hans livliga fantasi, den som du alltid oroat dig för.

Noa måste dra på mun:

– Jag har kanske inte förstått att fantasi är en praktisk förmåga. Men du får hålla med om att han har förändrats.

Det är väl ansvaret för Milka och det väntade barnet... och för allt vi har framför oss.

– Ja, sade Naema. Men hon tänkte att Jafet blivit vuxen också därför att hans val hade avgjorts. Nu hörde han hemma här i Noas värld, där människorna slogs för livet.

Och innan de slutligen somnade insåg hon att Jafet kunde ha valt att gå med skogsfolket västerut. Om Milka inte kommit.

– Välsignade flicka, viskade hon. Men Noa hörde henne inte, han sov. För första gången på lång tid fick han sova utan att hemsökas av Lamek.

Kapitel 41

I det vita gryningsljuset stod Napular på stranden och sträckte på sig så att det knakade i lederna. Nya lik hade flutit i land och han hatade dem. Då och då hade han känt igen en död och det var alltid, som han förutsett, en av hans fiender.

– Du fick vad du förtjänade, din jävel, kunde han säga. Men så tyst att inte ens gudarna kunde höra det.

I dag fick han börja med att dra upp den fete köpmannen, som beställt tågvirke till ett skrytskepp som Noa skulle bygga för hans räkning. Det hade gällt rep för en förmögenhet, men girigbuken hade vägrat betala något på hand. Det var ett tungt lik, ett helvetes slit att dra det över strandstenen. En lång stund kämpade Napular med frestelsen att låta det försvinna i vågorna.

Men han vågade inte, för han visste att Wanda iakttog honom genom luckan i vävkammaren. Om han gav upp skulle hon komma farande och slunga sina förbannelser mot honom, övertygad som hon var om att den dödes synder skulle komma över Napular själv om han inte såg till att liket fick en anständig begravning. Så han drog i sina linor för att få den feta kroppen över stenarna, vilade ibland och var noga med att vända ryggen mot hustrun när han spottade på liket och träffade rakt mellan ögonen

227

i det uppsvällda ansiktet.

Vinden prasslade i martornet när han återvände till stranden efter att ha släpat den döde till soldaterna som grävde massgravar öster om den sönderslagna repslagarbanan. Både den och hans verkstad hade stormen gjort slut på.

Plötsligt stannade Napular och hans hjärta fylldes av glädje. För nu kunde han höra det trotsiga skränet från lagunen. Och snart kunde han se dem, måsarna på väg tillbaka till kusten. Det hade varit ont om fågel i flodmynningen sedan slambergen började växa. Nu var de borta och sjöfåglarna flög in i lagunen igen.

Han ville gärna tro att måsen bar bud om att livet skulle återvända. Men han vågade inte hoppas för han visste att landet bara fått andrum. Det hade svärmodern sagt, den gamla häxan som han tagit hand om och som förgiftade hans liv. Hon var sierska, såg rätt in i framtiden och blev alltid sannspådd.

Till honom brukade hon säga att han var barnslig som en sparv och slug som en räv. Men att han hade ett gott hjärta.

Han tyckte inte om något av omdömena och allra sämst tyckte han om utsagan om hjärtat. Och inte kändes det bättre när Wanda blandade sig i samtalet och sade:

– Du glömde, mor, att han är lat som en oxe.

Varför i helvete hade han låtit sig övertalas att ta hand om Solina? Hon var närmare hundra år och skulle säkert med lugn ha funnit sig i att lämnas ensam i bergen för att dö. De brukade göra så, bergsfolket, lämna sina gamla när de inte längre orkade flytta med betesdjuren.

Det var inte så grymt som det verkade. Alla stammens medlemmar tog ett långt och klagande farväl av den gamla på en skyddad och vacker plats, sjöng sina sorgesånger och försåg henne med vatten och frukt för några dagar. Napular hade själv sett det ske och tänkt att det var som att få vara med om sin egen begravning och njuta av de anhörigas sorg.

Men Wanda hade envisats med att ta sin mor till sig. Hon hade övertalat honom, sagt att både han och barnen kunde ha nytta av Solinas hemliga kunskaper. Det var riktigt att hon hade förutsett stormen och beskrivit vattenväggen som skulle krossa alla människoverk i flodmynningen. Han hade hunnit rädda sina dyrbara spindlar, instrumenten som snodde lintråden till rep.

Men enligt den gamla var stormen bara en förövning.

– Det dröjer kanske några år, hade hon sagt. Sedan, Napular, kommer syndafloden och dränker världen.

Vad skulle en man som han göra med den kunskapen? När oron var som värst hände det att fick lust att slå ihjäl det gamla spöket som låg i sängen i vävkammaren och lät sig passas upp. Men det skulle ju inte hejda undergången.

Ännu ett lik flöt in mot stranden, han stönade och gjorde sig beredd för den hemska uppgiften att dra det i land. Men han avbröts av Wanda, liten och fet och en härlig kvinna att ha i sängen om natten. Hon kom springande mot honom och måste pusta ut innan hon kunde tala.

– Mor säger att vi skall få besök i dag. Det kommer en herreman med ett förslag som kan förändra livet för oss.

Napular skakade på huvudet:

– Wanda, min fågelunge. Det finns ingen herreman som kan hejda en syndaflod. Dessutom misstror jag herrarna.

– Så du skulle tacka nej, du son av en orm, skrek Wanda.

– Det har jag inte sagt, skrek han. Men den här gången tror jag inte på Solinas spådom.

Hon vände på klacken, men stannade efter några steg:

– Han skall ha sin hustru med sig och det är en märkvärdig kvinna.

Då hejdade sig även Napular och sjönk ner på en sten. Han visste med ens vem som var på väg. Noa, tänkte han, Noa och kvinnan från skogsfolket. Han mindes plötsligt Ham, den eleganta spratten som dagen före stormen besökt repslagarbanan och talat undflyende men envist om en beställning av rep.

Det gällde större och starkare rep än Napular någonsin gjort. Men inte ett ord fick han ur beställaren om vad de skulle användas till och till slut hade repslagaren blivit förbannad:

— Jag slår inga rep utan att veta hur de skall brukas, hade han skrikit. Längre kom de inte och till slut hade Ham tagit ett kort farväl och gått. Efteråt hade Napular ångrat sig, han behövde beställningen och Noa betalade bra och var lätt att ha att göra med.

Nästa morgon kom stormen och blåste rent även i Napulars minne. Han hade glömt besöket.

Nu struntade han i den döde som flöt i vattenbrynet och sprang mot vävstugan och svärmodern:

— Solina, sade han. Skall Noa bygga ett skepp?

Den gamla blundade och det dröjde länge innan de svarta falkögonen sökte hans.

— Jag ser ett fartyg, sade hon. Det största som någonsin byggts.

Napular hade hjärtklappning av upprördhet, tankarna virvlade runt i hans huvud. Det är möjligt, det är ett stort varv, de är skickliga båtbyggare.

Sedan kom det igen: det är möjligt, det är möjligt. Och Noa klarar det inte utan världens bäste repslagare.

Nu dansade han runt i vävstugan med Wanda i famnen, satte ner henne, fortsatte att skrika: Städa, kvinna, städa för

230

helvete. Sätt på dig och ungarna finkläder och laga en måltid som till en kung.

För en gångs skull tappade Wanda målföret. Hon var tyst även när hon började göra rent i huset.

Själv gick Napular till tvättkällaren, tvådde sig och rakade sig för första gången sedan stormen. Sedan fortsatte han till huset på läsidan, den enda av hans verkstäder som inte förstörts av stormen. Där satte han sig att se på sina största spindlar, de som var avsedda för de grövsta repen.

Han hade rika linodlingar i bergen hos sin svåger, långfibrigt och starkt bergslin. Kanske skulle han blanda det med segt vildgräs.

– Jag får prova mig fram.

231

Kapitel 42

— Jag har väntat länge på dig, Tapimana.

Den gamla kvinnan hade svårt att hålla ögonen öppna som om väntan hade tömt hennes sista krafter.

— Sov en stund, viskade Naema.

Den gamla nickade och Naema satt kvar vid sängen och lyssnade till andetagen, lätta och snabba som ett barns. Snart sov hon och Wanda viskade:

— Mor har aldrig orkat med glädjen.

Naema log mot den runda repslagarhustrun men såg henne knappast. Hon var i stor förundran.

De hade haft en svår resa, Noa och Naema. Ingen av dem hade riktigt förstått vilka syner som skulle möta dem längs floden. Förödelsen och de många döda hade berövat dem tillförsikten. Även oron inför mötet hade tröttat dem och mot slutet hade Noa sagt:

— Vi kanske borde ha sänt bud om besöket.

Inte hade det blivit lättare när de till sist hade fått syn på den sönderslagna repslagarbanan och ruinerna av Napulars verkstad.

Men måsarna skrek i skyn, trotsigt och hoppfullt.

På den spång som repslagaren lagt ut över sin sönderslagna brygga väntade tre flickor, sju, elva och femton år gamla. Rundlagda och söta var de och stora bruna ögon hade de.

De tog vant emot linan som Noa kastade, förtöjde båten och log snabba och blyga leenden.

– Vi väntade er, sade den äldsta. Mormor berättade redan i morse att ni skulle komma.

När Napular själv kom springande upprepade han det flickan sagt:

– Jag väntade dig, Noa. Jag tror att jag... vet ditt ärende och är öppen för alla förslag.

Noa bet ihop om sin förvåning, sade bara:

– Vi har mycket att tala om, Napular.

– Jag förstår. Men först skall vi äta. Min hustru hoppas att ni är hungriga.

Naema smekte de tre flickorna över håret, betagen av hur ljuvliga de var.

– Ni skall veta att själv har jag bara söner, viskade hon till dem. Jag har alltid längtat efter en dotter.

– Men nu har du svärdöttrar, sade mellanflickan tröstande.

– Jo, de är fina de också. Men de är vuxna.

Flickorna skrattade och förstod medan de förde gästerna till boningshuset uppe på bergshyllan där ett överdådigt bord väntade dem. Där fanns nybakat bröd, sparris, frukt. Och så luktade det förföriskt av nystekt kyckling.

Noa gnuggade händerna av förtjusning och sade:

– Jag visste inte att jag var så hungrig. Detta kommer att trösta oss, Naema.

De hälsade på Wanda och Noa tänkte att hon såg snäll ut, Napulars hustru. Inte verkade hon främmande heller och allt skvaller om hennes arga tunga måste vara överdrivet.

Nu bugade hon för Naema och viskade:

– Min mor vill gärna hälsa på dig innan vi går till bords.
Det tar bara en liten stund, hon har fått sin mat och kommer snart att sova middag.

När Naema kom tillbaka från besöket hos den gamla var hon starkt berörd. Noa såg det och det dröjde en stund innan han förstod att hon var glad, nästan lycklig.

– Min svärmor är en gammal häxa som spår ofärd och får rätt för det mesta, sade Napular till Noa. Men det var Naema som svarade honom:

– Nog är hon en häxa. Henne måste ni vara tacksamma för.

– Hon tar ifrån en hoppet, sade Napular vresigt. Men Naema skrattade åt honom:

– Bara det falska hoppet, Napular.

Wanda hade aldrig sett sin man så tålmodig och dämpad som nu. Noas egendomliga kvinna har stort inflytande, tänkte hon ilsket och rösten var spänd när hon bjöd till bords. Väl där blev hon på bättre humör för gästerna åt och prisade maten.

Än gladare blev Wanda efter måltiden när Naema följde henne till vävkammaren. Det var ingen tvekan om att Noas hustru blev imponerad av tygerna som flöt ur Wandas vävstolar, skimrande vävnader i rika, invecklade mönster och med en färgprakt hon aldrig sett maken till.

– Men du är ju en stor konstnär, sade hon.

Wanda var osäker på ordet men förstod att det var uppskattande. När Naema började fråga om teknik och mönster blev hon vältalig.

De glömde viska och efter en stund vaknade den gamla. Naema gick tillbaka till sängen, satte sig på pallen och sade som om samtalet aldrig avbrutits:

– Jag har också väntat på att få möta dig, Solina. Utan

att förstå det, för jag visste inte att du fanns.

— Du behöver självtillit.

— Ja, sade Naema och berättade om stjärnfolket som beslutat dra sig undan världen när katastrofen närmade sig.

— De går västerut, sade hon.

Den gamlas ögon svartnade.

— Världen blir fattigare, sade hon.

— De menar att de lämnat sin kunskap till mig, att det är min sak att föra den vidare. Men jag tvivlar på min förmåga. Jag blir mer och mer som Noa och hans folk.

Den gamla blundade, också Naema slöt ögonen och fick genast en bild av Milka.

— Jo, sade hon. Jafets hustru stärker mig. Och pojken också för den delen. Men de är ännu så unga.

— Hans sånger.

— Ja?

— De är viktiga. Det är ju ditt folks bud till oss andra, att det är dikten som skapar världen.

— Men jag har vansläktats, Solina. Jag är en praktisk människa, lik Noa. Jag har inga berättelser.

Nu skrattade den gamla åt henne:

— Alla har en berättelse, Tapimana. Jag känner dina invändningar, att de som tillhör samma folk har samma historier. Men det är bara ramen. Alla liv är olika, du får aldrig höra två likalydande berättelser.

Naema tänkte på stjärnans gåva: "Jag ger er myterna som formas av varje öra som hör dem och varje mun som berättar dem..."

— Ja, just så, sade Solina. Men du har kanske inte förstått att berättelserna också är personliga, att varje barn väljer sin utgångspunkt. Man kan säga att folkets föreställningar är som varpen i livsväven. Men sedan fogas erfarenheterna in i väven och de skiftar och tar färg av varje enskild

235

människas upplevelser och tolkning.

Solina funderade en stund innan hon fortsatte:

– Vad jag vill säga är att man inte behöver anstränga sig. Livet vävs och ju längre det blir desto tydligare syns mönstret. Du har allt du behöver, Tapimana. Din väv har rikare grundmönster och märkligare inslag än andras.

Det blev en lång tystnad. De tre kvinnorna i vävstugan hörde männen tala i rummet utanför och flickornas ljusa röster från trädgården.

Till sist sade Naema med en blick på Wandas vävstolar:

– Mitt folk väver inga sinnrika vävnader, Solina. Det är ett konstlöst liv.

– Så är det, sade den gamla. Det är det som går förlorat, det självklara.

Hennes ögon blev blanka av tårar, men hon slöt dem, blundade så länge att Naema trodde hon somnat igen. Men när hon reste sig för att smyga ut återtog den gamla:

– Det är enkelheten som gör det så tungt för dig, Tapimana. Vi har svårt att hålla fast vid det självklara.

En stund senare sade hon:

– Du kommer att ta väl hand om mina barn?

– Det lovar jag.

– Det blir inte lätt, Napular är barnslig och slug på samma gång. Du får aldrig ta hans ord på allvar. Men han har ett gott hjärta. Vad Wanda beträffar är hon lik sin man och älskar skådespelet. Men också hon har ett rent och barnsligt sinne.

Naema såg på Wanda, ängslig att hon skulle ta illa upp. Men Wanda log, hon var van.

I rummet utanför gick samtalet lätt, allt var enklare än Noa väntat. Napular hade snabb uppfattning, gott förstånd och stora kunskaper. För att förklara hur skeppet skulle byggas gick de utomhus, till sandplanen nedanför huset. Noa ritade och Napular lyssnade och var mer imponerad än han tyckte om.

Men han fick ju lov att säga det till slut, att det var en storslagen plan.

När de suddat ut sin ritning och återvänt till rummet sade han:

– Jag måste provdra rep. Det blir ett helvete att hitta tillräcklig belastning. Men jag kommer nog på ett sätt.

– Så ni kommer med?

– Noa, sade Napular. Du vet lika väl som jag att du inte klarar dig utan mig. Och jag... man vill ju leva och se barnen växa upp.

Kapitel 43

Det blev sen kväll och männen hade ännu mycket att tala om. De satt i köket nu, för Wanda bäddade för sina gäster i matsalen. Hon lade sina mjukaste bolster på långbänkarna och tog fram sitt finaste sänglinne.

Hon var rädd för Naema. När hon gick till vävkammaren för att sköta om sin mor för natten var hennes händer hårda.

— Jag spricker snart av ilska, sade hon ursäktande.

Solina log spefullt mot sin dotter:

— Du är rädd för Noas hustru, sade hon.

— Jag är väl det. Aldrig kommer jag att duga för henne.

— Hon är en snäll människa, sade den gamla.

— Snäll, skrek Wanda. Om du hade sagt att hon är klok och bildad hade jag förstått. Men snäll, nej du, hon är högfärdig som en drottning och flyger långt ovanför huvudet på vanligt folk.

Men Solina hörde henne inte, hon hade redan somnat.

I köket var Noa framme vid sitt största problem, det som gällde timret.

— Hundrafemtio man i tre månader!

Napular stönade.

— Enligt Ham är vår enda möjlighet att hyra eller köpa slavar.

238

Napular fnös.

– Din stilige son har glömt en sak, sade han ilsket. I hela Sydriket behövs varenda man, slav som fri, för att bygga upp landet efter stormen. Priset på slavar har aldrig varit så högt som nu och ändå finns inte en enda till salu.

De gick till sängs och trots alla bekymmer somnade Noa ögonblickligen. Men mitt i natten väcktes han och de andra av Napulars skrik.

– Noa, för helvete. Vakna, jag tror jag har lösningen.

Noa kom fort ur sängen, drog på sig manteln och smög ut i köket. Wanda och hennes döttrar hade redan somnat om. De var väl vana vid repslagarens utbrott, tänkte Noa.

– Hör på, skrek Napular i köket och Noa insåg det lönlösa i att försöka förmå honom att dämpa sig. Efter en stund hade han själv glömt att det var natt och att huset borde sova.

Högröstat och vältaligt berättade Napular om bergsfolket, hustruns släktingar som vandrade med sina djur i bergen. Ett hårdfört släkte, sade han. Stolta och galna. Och törstiga efter guld.

– Det är något annat än vanlig girighet, Noa. De samlar guld för att guldet är heligt.

Napular redogjorde för hur han tänkt sig saken. Noa, han själv och andra som skulle med på skeppet fick lägga samman sina förmögenheter och skaffa guld. Med en eller ett par guldtackor skulle bergsfolket kunna övertalas.

Noa satt tyst, tackade Gud och tänkte på Harans guld, de tunga tackorna som hans roddare smugglat från Sinear. Så fanns det en avsikt också med dem, tänkte han. En var hans, hederlig betalning för Nords fyrtioroddare. En var Milkas hemgift, den hade han och familjen rätt till.

– Jag har guld, sade han. Två tackor.

Äntligen tystnade Napular, häpen och stum. Men sedan kom glädjen över honom och han måste upp och dansa på köksgolvet och ropa av förtjusning.

Även Noa skrattade högt och märkte inte att Naema stod i dörren och såg från den ene till den andre.

— Men kan de något om trädfällning?

— Vid alla gudar, de fäller ju skog varhelst de drar fram i bergen. För att få betesmark till sina djur, fattar du. De är vana vid hårt arbete, sega och envisa som oxar.

Det var tyst en stund innan Napular tillade:

— Det vill säga om de vill, om de bestämmer sig. De är hederliga också, på sitt vis. Men det är ett stolt och vilt släkte, som inte drar sig för att sticka kniven i den som försöker lura dem.

Var det en varning?

— Jag har ju inte för vana att luras, sade Noa.

— Det är sant, sade repslagaren. Men klurig är du när du gör dina affärer. Och inte så lite slug i dina beräkningar.

Nu skrattade Naema där hon stod i dörren och de båda männen såg förvånade på henne:

— Napular har rätt, sade hon. Din slughet får du glömma när du förhandlar med bergsfolket.

Noa log mot henne och sade att han skulle försöka.

Så blev det till slut bestämt att Noa och Napular skulle rida österut nästa morgon. Naema skulle vänta hos Wanda och det hade hon ingenting emot. Hon ville ha fler samtal med Solina.

Men det blev inte som Naema tänkt. Nästa morgon låg den gamla död i vävkammaren.

Wanda skrek gällt och klagande. All hennes förtvivlan fann utlopp i ilska.

— Det är du, din best, som dödat henne med dina hems-

240

ka tankar, ropade hon och Napular blev vit som ett spöke och tog på sig skulden. Han hade önskat livet ur sin svärmor.

Wanda slet sitt hår och fortsatte att skrika. De enda i familjen som bar sig värdigt åt var småflickorna, tänkte Noa. De satt vid mormoderns säng och grät stilla.

Noa vädjade till Naema: Försök få tyst på henne. Men Naema märkte det inte, hon stod vid sängens fotända och såg på den döda med förundran och tacksamhet. Till slut öppnade Napular sin mun och skrek han också:

— Det är inte bara mitt fel. Hon var ju gammal.

Men orden kunde inte hejda Wanda och Noa lyssnade häpen till hennes förbannelser.

— Guds straff skall komma över dig, du hyndans son, du orm utan själ, du...

Bara ibland fick hon leta efter ord.

Till slut stod Noa inte ut längre, tog ett hårt tag om Wandas nacke och sade:

— Nu tiger du.

Han blev själv förvånad när hon lydde, stängde sin mun och började gråta, högljutt men mer uthärdligt tyckte Noa som stod där med den tjocka kvinnan i sin famn och försökte torka hennes tårar.

Sedan sade äldsta flickan:

— Mormor har länge velat dö. Men hon måste vänta på Naema.

Naema nickade, hon hade förstått det.

Wanda var lugn nu och bad dem lämna henne ensam med den döda, som skulle tvättas och göras fin inför sin begravning. Så fort de slapp ur vävkammaren återfann Napular sin handlingskraft och sade:

— Det var inte så dumt, Noa. Nu fick vi en naturlig anledning att besöka hennes släktingar.

Det var het sommar och många döda i staden. Någon anledning att kalla på en präst från templen i Eridu fanns inte, ansåg Napular. Noa såg oroligt på Wanda och väntade ett nytt utbrott. Men hon nickade bara och sade att hon och hennes mor inte hade mycket gemensamt med Eridus gudar.

Så de begravde Solina i trädgården redan samma eftermiddag. Och Noa läste sitt folks böner för den döda.

Tidigt nästa morgon red Napular och Noa österut, mot bergen och Wandas släktingar. De två kvinnorna kom varandra närmare när de kunde tala om den döda. Naema fick höra den långa historien om Solinas liv. Hon var av gammal släkt, dotter till en hövding. Men det hade inte gjort hennes liv lättare, hon hade haft tre äkta män och fött tolv barn.

— Männen dog, tänk dig att bli änka tre gånger om, sade Wanda och Naema försökte förstå men kunde inte. Av de tolv barnen hade fyra överlevt, Wanda och tre bröder.

242

Kapitel 44

Även Ham var i Eridu. Han hade valt tioroddaren för att stärka sin ställning och sitt anseende.

Men han fann snart att hans ståtliga skepp och hans många roddare inte skulle hjälpa honom. Människorna i Eridu var trötta intill döden. Stora delar av hamnen, lastkajer och lagerhus, var krossade.

Han sökte upp sina vänner i köpmännens kvarter, gick från kontor till kontor och frågade om möjligheten att hyra eller i värsta fall köpa slavar.

De orkade inte ens skratta åt honom. I Eridu behövdes varenda människa för att bygga upp staden igen.

Ham talade om varvet som förstörts, de nickade och förstod att Noa behövde folk för att sätta varvet i stånd. Men han fick vänta.

– Hur länge?

– Kom tillbaka om ett år, sade slavhandlaren som Ham talade med som den siste denna tröttsamma dag.

Han fick ett mål mat på ett av värdshusen nära templen, där förstörelsen var mindre och det ännu fanns någon ordning. Det låg en tung lukt över hela staden. Den kom från kropparna som drogs fram under de rasade husen. Eridu grävde massgravar åt sina döda, slav och fri, kvinna och man lades sida vid sida i de stora groparna. Prästerna läste över gravarna men också det fick gå fort. Det var het sommar och liken ruttnade.

Sedan Ham ätit vandrade han upp mot berget där det väldiga templet, byggt till Enkis ära, låg. Byggnaden var märkvärdigt oskadad. Ham stod där en stund och beundrade de höga murarna och de många statyerna. Nog hade han kraft att skydda sin egendom, svartskallarnas gud.

Hans ögon sökte det höga tornet bakom den vackra tempelfasaden. Där bodde den gamla prinsessan, kungens förstfödda som redan vid födseln utsågs till mångudens gemål. Varje nyårsnatt stod hon tillsammans med sina prästinnor på tornets tak och förtärde ett spädbarn som offrats till månens ära.

Ham ryste av obehag och lät blicken vandra till det långsträckta kungapalatset vid tornets fot. Det var också en vacker byggnad, mycket elegantare än det storvulna palatset i Sinear.

Det var länge sedan kungen hade makten i Eridu. Ham hade sett honom en gång vid en ceremoni i templet och blivit besviken. Det var en småväxt man med ögon som ängsligt sökte översteprästens gillande.

Kungen var gammal redan då. Men det var inte åldern som gjorde honom obetydlig. Hans vilja hade brutits tidigt, han hade inte fyllt tio år när hans far mördades och hans mor drevs ut ur palatset jagad av pöbelhoparna.

Från sin utsiktspunkt kunde Ham se ner över hamninloppet och fann att även de andra templen hade klarat sig oskadda genom stormen. Men det kunde förklaras med att de låg i lä för nordlig vind.

Det fanns de som påstod att i de templen fanns den verkliga makten i Eridu, hos prästerna som var skickliga matematiker och astronomer. Till dem flöt också en stor del av stadens rikedomar. De skatter kungen och Enkis präster

244

kunde pressa ut av folket var obetydliga i jämförelse med vad de rika betalade astronomerna för att få sina horoskop ställda.

Ham tänkte som han gjort många gånger förr att det kanske var hos köpmännen i Eridu makten fanns, inte hos kungen eller prästerna. Det var ett underligt folk, som kallade sig själva svartskallar och var mer begåvade och mer sammansatta än andra.

I nästa stund kom han att tänka på att han var gift med en av dem. Det var kanske inte så konstigt att han hade svårt att förstå henne.

Men Ham var på väg till smedjorna innanför tempelmuren på bergets östsida. Han skulle gå från smed till smed och höra sig för om möjligheterna att köpa kopparmalm.

En smed var en man av hög rang i Eridu. Det fanns rentav folk som ansåg att hans makt var större än prästens. En smed var herre över elden, kände dess hemligheter och tvingade den att skapa i stället för att förtära. Och när Ham närmade sig den första smedjan kunde han förstå talet om smedens magiska krafter. Det var en imponerande anläggning med sina stora ugnar, sin hetta och sina svarta moln av rök.

Men den sotige mannen som lämnade sin härd för att hälsa på honom hade ingen kopparmalm att sälja. I nästa smedja fick Ham samma besked och kände samma hopplöshet som på förmiddagen. Det blir med malmköpet som med slavhandeln, tänkte han.

Men i den fjärde smedjan längst ner på sluttningen sade smeden som var större och sotigare än någon av de andra:

— Den malm jag har med hygglig kopparhalt behöver jag. Men jag har en del orena klumpar, skräp som jag köpte för att pröva. Smugglarna som sålde den påstod att den skul-

245

le ge hårdare metall än ren koppar men det var lögn. Jag vet för jag har prövat.

Ham kände hjärtat slå och kontrollerade noga sina anletsdrag när han sade:

– Det kan passa. Vi skall ha den som barlast i en båt. Hur den ser ut har ingen betydelse, bara den är tung.

Smeden såg förvånad ut:

– Det måste vara ett dyrbart skepp, sade han. Är det kungen själv som har beställt det? Varför i alla gudars namn kan ni inte nöja er med tegel som barlast. Som ni brukar göra.

– Stenar förskjuts lätt i hårt väder, sade Ham. Vi har prövat med sand men det finns risk att den blir alltför tung när den blir våt. Och eftersom beställaren inte ser på kostnaden...

Smeden nickade, han var ju ingen båtbyggare och Noa var känd för att veta vad han gjorde. Att beställarens namn var hemligt fick han godta, också han hade kunder vars namn inte fick uppges.

– Ni har Haran där uppe vid varvet nu, sade han. Hälsa honom att han måste åstadkomma den hetaste smälta som tänkas kan om han alls skall få malmen att flyta.

De gjorde upp affären, Ham betalade och lånade några åsnor för att föra sin tunga last till skeppet. Smeden frågade hur varvet klarat stormen och Ham överdrev när han beskrev förödelsen.

Jag ljuger av bara farten, tänkte han. Smeden bjöd på öl, de skålade för affären och till slut vågade Ham fråga:

– Vad är det för smugglare du talar om?

– Det drar en del folk från Nord över gränsen, stackare som säljer vad de kan för att köpa säd här nere. Någon gång har det hänt att de fört med sig malm av bra kvalitet, men det är sällan.

246

Ham tvekade, men vågade ännu en fråga:

— Men var i herrans namn tar de sig över gränsen?

— Längst bort i öster finns det tydligen några öppna maskor i nätet, sade smeden och skrattade. Troligen knyts de till nu, för Skuggan har förvisats från Sinear för att bevaka gränsen i träsken österut.

Det hann bli mörkt innan Ham nådde båten. Men han fick sin tunga last ombord och sände en av roddarna tillbaka med åsnorna.

Nästa morgon beslöt han sig för att ta tioroddaren till repslagaren. Där kunde han lasta över malmen i Noas mindre båt, som snabbare skulle föra kopparn till varvet och Haran. Naema och Noa skulle också få en bekvämare hemresa.

När han nådde udden före repslagarbanan var han orolig för att Noa redan givit sig av. Men båten låg kvar, förtöjd vid resterna av bryggan.

Ham och hans roddare såg tysta på resterna av den ståtliga repslagarbanan. Men de hade sett så mycken förödelse de senaste dagarna att de reagerade med en axelryckning. Detta var ju bara vad de kunnat vänta sig, så utsatt som banan legat.

Kapitel 45

På förmiddagen den andra dagen tog samtalsämnena slut för Naema och Wanda. De hade kommit varandra närmare så länge de talat om Solina. Också Wandas vävnad räckte till ett långt samtal om teknik och mönster.

– Du skulle kunna sy mig en ny klädnad av det mörkblå tyget med det lila mönstret, sade Naema längtansfullt och Wanda blev entusiastisk. Hon draperade vävnaden över Naemas axlar och Noas hustru gjorde sitt bästa för att kråma sig framför spegeln. Men som vanligt blev hon rädd för sin egen bild.

– Vad skulle det kosta?

Wanda tänkte efter och det runda ansiktet fick ett drag av slughet. Men när hon uppgav sitt pris, sade Naema:

– Det var inte dyrt för så fint hantverk. Men jag kan ju inte bestämma själv så vi får vänta på Noa.

Wanda nickade och den tystnad som båda fruktat lade sig tung mellan dem. Till slut sade Naema:

– Jag har lite ont i huvudet. Blir du ledsen på mig om jag försöker sova en stund?

Wanda blev full av omsorger, bäddade åt Naema i det innersta rummet där ingen skulle störa, lade filten över sin gäst, drog för fönsterluckan och smög ut ur rummet.

Naema var illa berörd. Så lätt det hade varit att ljuga och

vilken vinst det hade givit.

Varje dag lärde hon nya knep, tänkte hon bittert. I dag hade hon förstått hur ändamålsenlig nödlögnen kunde vara. Nu fick hon vara ensam med sig själv och kunde fortsätta sitt samtal med Solina:

"Du måste förstå att det inte var lätt", sade hon. "Jag kom till Noas folk och de talade och talade. Jag trodde att människor som har så mycket att tala om måste ha stora kunskaper. Så lärde jag mig språket och förstod att de hade ett helt annat sätt att tänka än jag. Att de hela tiden delade upp världen, namngav allt och ställde frågor om hur och varför.

Det var häpnadsväckande och jag var full av beundran. Jag såg med missaktning på mig själv och mitt folk. Det tog mig många år att förstå att Noas folk talade och tänkte så mycket för att de visste så lite."

Hon tyckte att hon kunde höra Solina skratta.

"Men efter ett tag började jag också att tänka", fortsatte Naema. "Det var väl ofrånkomligt?"

Hon log:

"Jag överdriver lite, det förstår du säkert. Visst kunde skogsfolket tänka, de, vi måste ju också lösa problem när örterna skulle samlas och torkas, när vi jagade och när vi målade våra grottväggar. Men det var mer påtagligt, det var tankar som hörde naturen till, djuren och tingen. I de stora sammanhangen hade vi inga frågor och inga tankar. Vi visste. Vi hade inget behov av... idéer.

Det är ju idéerna som för människan vilse", sade Naema och kunde känna hur Solina instämde.

Efter samtalet var Naema trött och somnade.

Den tredje dagen började samvaron plåga de båda kvinnorna. Wandas rädsla kom och gick och Naema lyckades aldrig

249

förstå vad hon gjorde för att framkalla den.

Men den fann utlopp i ilska och det var barnen som fick ta emot den. Det var svårt för Naema som allvarligt funderade på att fråga rent ut: Vad är det hos mig som sårar dig?

Men antagligen skulle det bara skrämma Wanda ännu mer.

Hennes funderingar avbröts av minsta flickan som kom inrusande och sade att en tioroddare försökte lägga till vid den trasiga bryggan och att de äldre systrarna redan fanns där för att hjälpa till.

Ham kommer till undsättning, tänkte Naema. Men i nästa stund blev hon orolig och medan hon och Wanda sprang mot bryggan sade hon högt:

— Det måtte väl inte ha hänt något?

Det tog nästan en timma innan det långa skeppet var förtöjt vid ankare och brygga. Sedan stod Ham där med armarna runt sin mor.

Naema såg att han gjorde intryck på Wanda och hennes döttrar. Men hon lade också märke till att Ham sände långa blickar till den äldsta flickan.

Förbannade pojke, tänkte hon.

Snart hade hon klart för sig varför han kommit och gick utan vidare med på att de skulle lasta över malmen i den mindre båten som med fyra man vid årorna kunde nå varvet på halvtannat dygn.

— Var är far?

Naema berättade tyst om Napulars förslag att söka arbetshjälp i bergen och Ham andades ut och redogjorde för sina misslyckade försök att få tag i folk:

— Här finns inte en man att anställa eller en slav att köpa.

Eftermiddagen och kvällen gick lätt med Ham och hans män runt bordet i matrummet och Wanda vid spisen. Naema gick tidigt till sängs och tänkte innan hon somnade att Ham hade lärt konsten att tala mycket och trevligt om ingenting.

Det var naturligtvis bra, det var en av de färdigheter som gjorde honom till en sådan skicklig förhandlare. Men hon tyckte inte om det.

Vid middagstid nästa dag kom Noa och Napular tillbaka, trötta efter den långa ritten. Men Noa såg glad ut och var full av tillförsikt:

— Det skall nog gå att få ett avtal med bergsfolket, sade han.

Han blev glad också över att se tioroddaren. Det skulle bli en bekväm hemresa. Både han och Naema kunde sova under baldakinen i förskeppet. Han tog ett bad, åt ett mål mat och sedan var de på väg hemåt efter ett långt och ordrikt avsked.

Napular skulle komma efter till varvet inom tio dagar.

Kapitel 46

Vecka lades till vecka. Vid kanten av oljeträsken sydost ut i Nordriket väntade Skuggan på domen från Sinear.

Han var tålmodig, inställd på att budet skulle dröja. Den Galne hade alltid haft nöje av att hålla folk på halster.

En dag började Skuggan slå tegel till sitt hus. Inte för att han räknade med att få leva, mer för att ha något att göra. Han var inte hantverkskunnig. Men han hade tillbringat åtskilliga dagar med att övervaka murarnas och snickarnas arbeten i Sinear. Och han hade gott minne.

Arbetet gick fort och samma dag budbäraren kom med sina fyra soldater hade han lagt grunden. Domen löd på förvisning från Sinear och en enkel vakttjänst vid gränsen.

Ett månvarv senare hade han rest sitt hus och väntade på flyttlasset från staden. När möblerna kom, bolstren, dukarna, mattorna och lerkärlen ställde han allt på plats och erfor en ovan känsla, starkare än tillfredsställelse.

Efter ytterligare några dagar anlände bärstolarna med hustrun och sonen. Med följde de gamla tjänarna, mannen och kvinnan som en gång varit slavar hos Lamek och som troget stannat hos Skuggan i tacksamhet för att han befriat dem från prästen.

Hustrun skrek inte av rädsla när hon mötte honom. Hon hade glömt hur han såg ut. Det var ett framsteg. Han bar in henne i huset och lade henne på sängen i rummet som han gjort i ordning till henne. Hon grät lite, mest av trötthet efter resan. Nästa morgon hade hon glömt att hon flyttats, hon låg där i sin vanliga säng och hennes liv var likadant som i Sinear.

Inte heller pojken påverkades av flyttningen. Han hade växt och Skuggan såg med tillfredsställelse att han höll sitt huvud upprätt och hade bättre styrsel i kroppen. Allt han lärt av guldsmedens dotter hade inte gått förlorat.

Men han hade fått en ny vana. När han blev upprörd slog han huvudet mot väggen, dunkade det envist och ihärdigt och så hårt att näsan sprang i blod. De gamla försökte hejda honom men han var storvuxen och stark.

Motvilligt började Skuggan fläta en bur till pojken och gemensamt hjälptes de åt, han och tjänarna, att klä burväggarna med bolster.

Plikttrogen som alltid gick Skuggan sin dagliga vakt längs gränsen. De soldater han fått för vakttjänsten var rädda för träsken och Skuggan som inte längre hade några maktmedel fick finna sig i att själv bevaka de yttre områdena.

Han hade snart gjort upp en plan för rundvandringen, lärde sig hur han skulle gå för att inte slukas av träsken och var han hade fast mark, kunde stanna och överblicka terrängen. Men han såg aldrig en människa. Flyktingar och smugglare visste vid det här laget var Skuggan fanns och hade insett det hopplösa i att försöka ta sig förbi honom.

Som alltid hade han god tid att tänka. Hans tankar gick allt oftare till Noa och hans varv, hans söner, ja hela den lycka som Skuggan bevittnat från vakttornet. Den var ett hån mot vanligt liv.

Gång på gång återkom han till tanken att Noa var utvald av den gamle guden, sparad för någon dunkel plan som den

253

obegriplige hade. Den ende som skulle kunna sätta stopp för den planen var han, Skuggan. Om allt varit som förr, om han haft kvar sin makt.

En dag när han rastade i snåren på en av öarna i träsket fick han se en otrolig syn. Tre män kom ridande på andra sidan gränsen, ett gott stycke in i Ingen Mans Land. De var storvuxna, insvepta i lysande vävnader, hade guldringar i öronen och välklippta skägg.

Ändå var det inte männen som gjorde störst intryck på Skuggan utan djuren de red på. Hästar, tänkte Skuggan, och stirrade på de högresta djuren som rörde sig lätt som i dans över markerna.

När Skuggan hämtat sig från sin förvåning kom frågorna: Vad skulle männen från det främmande folket göra hos Noa? De såg ut som krigare, planerade Noa krig? Uppror?

Äntligen hade han något att rapportera till Sinear.

Men på hemvägen hann han tänka igenom saken. Om ryttarna var på väg till varvet skulle vakten i tornet sända en rapport. Själv skulle han avvakta, försöka ta sig dit en månlös natt. Om främlingarna ingick i den onde gudens plan skulle Skuggan på egen hand ta reda på varför.

Kapitel 47

Haran arbetade oförtrutet vid de enkla smältugnar han byggt, skålformade gropar i jorden klädda med lera och fyllda av glödande träkol. Han hade snart insett varför smeden i Eridu misslyckats: han kunde inte få tillräckligt hög temperatur i sina stora ovanjordsugnar.

Inte heller Haran lyckades vid de första försöken. Det var vanskligt att få rätt luftblandning i groparna under smältningen. Han fick Sems hjälp att tillverka större bälgar och lärde sig så småningom att avpassa luftfördelningen vid den underjordiska härden. När han för femte gången rev det runda taket över första ugnen kunde han äntligen lyfta degeln med den flytande metallen och slå den i formarna.

Gjutformarna hade han enkelt gjort efter varvets vanliga kopparyxor som packats i lådor med hårt pressad sand.

De nya yxorna såg inte mycket ut för världen, de var mattare och tråkigare i färgen än kopparyxan. Men när Haran bearbetat eggen på första yxan kallade han på Sinar och bad honom pröva den. Sinar hade som alla de andra på varvet följt Harans arbete med häpet intresse. Nu gick han nästan högtidligt till vedstapeln där det alltid fanns överblivet virke som skulle klyvas till ved.

Redan samma kväll fick Haran beskedet att den nya yxan var skarpare, slant mindre och tog bättre. Och viktigast av

allt: den bibehöll skärpan i eggen och behövde inte slipas
efter dagens arbete.

När Noa kom hem prövade han de nya yxorna, en efter en.
Han var glad som en kung:

Men skulle Haran hinna få fram ett hundratal yxor inom
den närmaste månaden? Skulle malmen räcka?

Den första frågan kunde smeden besvara utan tvekan.
När han nu funnit sin teknik skulle takten i tillverkningen
kunna ökas. Värre var det med materialet, kanske räckte
det till yxorna, men...?

– Men, sade Noa uppfordrande.

Haran och Sem förklarade hur de tänkt. Under vintern
skulle Haran gjuta grova spjut i räta vinklar, ta ut dem, klip-
pa dem i längder på en dryg aln i vartdera vinkelbenet och
göra hål för nitar i dem.

– Håller metallen vad den lovar kan vi hålla ihop arken
också med metallvinklarna. Vi blir inte helt beroende av
jordbecket och Napulars rep, sade Sem.

Noa var ovanligt tillfreds när han gick till sängs den kväl-
len. På något sätt skulle han skaffa blandmalm.

På fjärde dagen efter hemkomsten kom tre män ridande
genom tassemarkerna i öster. De väckte sådan uppmärk-
samhet att arbetet upphörde överallt på varvet. Män, kvin-
nor och barn samlades i flockar på den öppna platsen mel-
lan bryggorna och Noas hus.

Med ögon runda av förvåning såg de på främlingarna,
långa män med skägg och blixtrande guldringar i öronen,
klädda i livklädnader och mantlar som skimrade i dunkla
färger. Och djuren de red? Efter en stund gick en viskning
som ett sus från man till man: Det är hästar.

Ingen på varvet hade någonsin sett en häst, bara hört rykten om den märkvärdiga åsnan som var snabb som vinden.

De stora djuren dansade elegant på långa ben när Noa gick fram för att hälsa på männen. Han såg ut att känna dem och varvets folk förstod att främlingarna var väntade gäster.

Men sedan de bytt sina välkomsthälsningar blev det tyst. Det var tydligt att Noa och hans gäster inte kunde tala med varandra. Deras ledare såg sig om efter repslagaren.

— Na pu lar, sade han med omsorg om varje stavelse.

Noa skakade på huvudet, pekade mot floden och försökte på alla sätt göra klart att de väntade på repslagaren. Kreli, den välsignade människan, kom ut med en bricka med höga bägare fyllda av vin och Noa höjde välkomstskålen.

När Noa förde sina gäster till det hus han låtit ställa i ordning för dem viskade han till Kreli: Den finaste måltid du kan åstadkomma, flicka lilla.

Främlingarna sadlade av sina djur och försvann i sitt hus för att tvätta sig och byta. Varvets folk återgick till arbetet och Noa till sitt hus.

Naema hade redan förstått stundens betydelse och var klädd i sin röda klädnad med guld runt halsen. Bra. Kreli dukade det stora bordet med bästa lergodset och Milka stod vid spisen och rörde sås till den nyrökta fisken.

— Var är Jafet? Vi kan inte tala med bergsmännen och han är ju den bäste vi har när det gäller att... prata med kroppen.

Jafet fanns i ritverkstaden och kunde snart hämtas. Tillsammans med Noa väntade han på främlingarna utanför gästhuset. När de kom ut presenterade han sig med vältaliga gester som Noas yngste son och utgick från att de gärna ville se varvet.

Han förde dem från skepp till skepp, intresserat studerade de hur fartygen sträcktes och fogades samman. Arbetet med att reparera bryggorna intresserade dem särskilt, noggrant följde de hur snickarna knöt samman stock vid stock i de långa golven. I ritverkstaden hos Sem var de mest hövliga, hans arbete förstod de sig inte på. Men de bugade djupt för Nin Dada och såg förundrat på lertavlorna under hennes flinka fingrar.

– Gå och klä om er, sade Noa till Sem och Nin Dada. Det blir middag om en stund.

Men middagen blev försenad för bergsmännen stannade hos Haran, som med hjälp av Jafet visade hela den långa processen vid gjutningen. Mycket noga följde de demonstrationen och Noa kunde se hur de präntade in de olika momenten i minnet. Detta var kunskaper som de hade användning för.

När Haran till sist visade en ny yxa med hård egg, skrattade de högt av förtjusning.

– Kan du på något sätt få sagt att vi tillverkar yxorna för deras arbete uppe i skogarna, sade Noa till Jafet. Han blev själv tagen av skådespelet när Jafet tecknade höga trästammar mot himlen, pekade på en av bergsmännen och fällde ett av de stora träden.

Bergsmännens hövding nickade, han hade förstått. Men hans ögonbryn drogs mot pannan i en fråga: Var? Han tecknade med handen runt horisonten.

Jafet gick före dem mot stranden, visade mot skogarna på andra sidan bukten och mot Titzikonas mynning. Så pekade han på varvets båtar.

Hövdingen hade ännu en fråga och det tog en stund innan Jafet förstått att den gällde de många åsnorna. Hur skulle de föras uppför floden?

– Pråmarna, Jafet, sade Noa.

Så gick de tillsammans mot hamnbassängen där varvets pråmar var förtöjda, bergsmännen såg tvivlande ut, men

258

både Noa och Jafet log: det var inget problem, de hade gjort det förr.

Vid det vackert dukade bordet i Noas hus väntade Naema och det stod klart att bergsmännen kände hennes rykte. De bugade djupt men hade svårt att dölja sin nyfikenhet.

Efter måltiden sjöng Jafet sina sånger och gästerna skrattade och grät. Snart kunde de sjunga med i omkvädena, tonsäkert med röster som var ovanligt djupa.

Också de är ett diktarfolk, tänkte Naema.

Men främlingarna var trötta efter den långa ritten, bordet bröts tidigt och efter att ha sett till sina hästar bjöd de sitt värdfolk godnatt. Bara en halv timma senare kom Napular roende uppför floden, trött men mångordig och ivrig som vanligt.

När han fått ett mål mat och en säng i Noas hus sade Naema att det var bra, mycket bra att bergsmännen kommit före repslagaren. Att de hade fått lära känna Noa, hans familj och hans varv innan Napular svepte in dem i skurar av ord.

Vid förhandlingarna nästa dag tänkte Noa på hennes ord och förstod dem. Det fanns förtroende nu mellan honom och hövdingen och ibland kunde de le åt varann när korta repliker översattes i långa haranger. De kom överens på punkt efter punkt: bergsfolket åtog sig att röja stapelplats för timret på sluttningen vid gamla repslagarbanan, att fälla skogen och föra timret till Titzikona samt att ta upp timret vid varvet och stapla det för torkning.

Däremot ville de inte befatta sig med flottningen, det var en färdighet de inte hade. Med upp i skogarna ville de ha folk från varvet som kunde överta ansvaret för timret så länge det flöt i floden. Vidare krävde de att få Jafet med i skogen, som vägvisare och för hans sångers skull.

De underströk noga hans roll som rådgivare. De skulle själva leda det stora arbetet och fatta alla beslut.

Till slut hade de enats. Noa hade svårt att dölja sin lättnad när han insåg att det största av hans problem höll på att lösas. Han kallade in Sinar, presenterade honom för gästerna som sakkunnig på flottning och bad honom själv bedöma hur många man han behövde.

Till slut återstod bara frågan om arvodet. Napular hade sagt att bergsmännen krävde att få se guldet innan de lämnade slutbud och Noa hade redan tidigt på morgonen hämtat två av Harans tackor ur sitt lönnfack. Nu lade han dem på bordet och blev förvånad över den högtidlighet som plötsligt härskade i rummet.

Det var länge tyst innan hövdingen reste sig, tog guldtackorna i handen och vägde dem, en i taget. Så lade han dem långsamt tillbaka på bordet som plötsligt förvandlats till ett altare.

Först när Noa svept in sitt guld i linnetyget och lagt det tillbaka i lådan bröts andakten och bergsmännen log: det var ett gott guld, tungt och rent. De var redo för uppdraget och räknade med att vara tillbaka inom tio dagar med ett hundratal man och lika många åsnor.

Och Noa bjöd på vin och de skålade för överenskommelsen.

Kapitel 48

Det var ännu het sommar den dagen bergsmännen kom och slog upp sina svarta tält i tassemarkerna bakom varvet. På mindre än en vecka hade de röjt platsen där timret skulle torkas. Resan uppåt floden kunde börja.

Allt som flöt, alla varvets båtar, drog västerut uppför Titzikona. Det var tung rodd med folk, redskap, tält och proviant ombord. Inte en enda av främlingarna erbjöd sig att hjälpa till.

Noa såg nog att det förvånade hans egna män. Men det som främst tilldrog sig hans uppmärksamhet var den påtagliga oro som uppstod i Nords vakttorn när hela hans flotta passerade bukten.

– Nu får de äntligen något att rapportera, sade Sem med ett skratt.

Han var glad denna dag då det första steget togs. Noa log mot sin äldste son och tänkte att det kanske fanns ännu en orsak till Sems goda humör. Sem närmade sig Kreli långsamt och skyggt. Men Noa var lugn för utgången, han skulle få det som han ville.

– Har du förklarat för Nords vakter att vi har hyrt folk för att fälla timmer?

Det var Ham som ropade sin fråga från den båt där han skötte styråran. Noa ropade sitt JA så högt att det gav eko

261

över viken. Han hade tillbringat en god stund uppe vid vakt-
tornet, talat om sin nya repslagarbana, om allt timmer han
behövde fälla och om bergsfolket som värvats för uppdra-
get.

Jafet var tystare än vanligt, vemodig efter avskedet från
Milka. Ändå kunde Noa se att han var stolt över att bergs-
männen valt honom till vägvisare i skogarna. Hans yngste
son hade det tyngsta ansvaret nu, det var på hans förmåga
att samarbeta med främlingarna som utgången berodde.
Noa var orolig, han hade hört Napular säga:

— Du måste vara listig som en orm och mild som en
duva. Råkar du trampa på någon öm tå kan du få halsen
avskuren.

Jafet hade blivit arg och svarat:

— Jag är som jag är och inte särskilt listig. Och jag litar
på främlingarna.

Jafet hade tillbringat många timmar tillsammans med
Napular för att lära sig bergsfolkets språk. Eftersom han var
läraktig hade han kommit långt. Nu skötte han styråran i
hövdingens båt och Noa iakttog hur de två samtalade, Jafet
lite tvekande och hövdingen både road och smickrad.

Två dagar senare återvände Noa och hans folk med de
tomma skeppen. Medan bergsfolket redde sitt läger långt
däruppe vid Titzikonas strand lastade Noa pråmarna med
deras åsnor.

Det blev tyst på varvet när främlingarna försvunnit och det
vanliga arbetet återupptogs. Då och då greps Noa av oro för
sin son och vågade inte lita på Naema när hon försäkrade
att Jafet hade det bra. När rädslan var som värst försökte
han be, men som alltid denna sommar saknade hans böner
både tillit och innerlighet:

— Nu ser Du till att inget ont händer pojken.

Hettan klingade av, det blev klarare i luften för varje dag. En kylig morgon väcktes Noa av vakten och snart stod han på sin nya brygga och såg det första timret komma flytande ur Titzikonas mynning.

Det var en svår flottning, de långa stammarna fick inte brytas. Sinar och hans män var slitna när de nådde varvet och Noa insåg att de måste ha avlösning, att han måste ordna med ännu ett flottarlag.

Men Sinar var nöjd, arbetet i skogarna gick bra:

– De är ena baddare att arbeta, sade han.

– Och Jafet?

– Han börjar kanske tröttna på att sjunga varenda kväll, sade Sinar med ett skratt. För övrigt mår han som en prins och behandlas som en sådan.

Noas lättnad kändes i hela kroppen.

– Och skogsfolket?

Det var Naema och hennes fråga var lågmäld, nästan skygg.

– Vi har inte sett en skymt av dem.

Två månvarv senare hade timret växt till väldiga högar vid varvets sydgräns. Prydligt som om det rört sig om pinnved staplades de långa träden med smalända mot bredända så att vinterns torra vindar kunde spolas genom timmerbergen.

Till slut kom dagen när främlingarna fick sitt guld och lämnade varvet. Noa och hövdingen skildes med ömsesidig högaktning. Och Jafet sade när han kom åter efter att ha följt dem en bit på väg att han skulle sakna dem så länge han levde. Han hade lärt sig mycket, sade han.

En vecka senare sökte en av de äldsta snickarna på varvet upp Noa. Han ville sluta sin anställning och ta tjänst hos hantverkarna i Eridu, där det behövdes folk, meddelade han.

263

Noa gjorde inga invändningar, mannen var skicklig men inte oersättlig. Han hade alltid varit grinig och svår att samarbeta med. Men efter ytterligare några dagar sade ännu en snickare upp sig och Noa fick erkänna att han blev sårad. Han såg på sig själv som en far, även för de anställda.

När hans skickligaste drevare kom i samma ärende måste han fråga:

– Vad är det ni är missnöjda med?

Mannen blev generad och Noa fick undvikande svar: Hans fru trivdes inte längre i byn, hans barn ville till staden där möjligheterna var så många...

På kvällen hade Noa ett långt samtal med Sinar som trodde att folk drevs bort från varvet av de många stora förändringarna. De hade insett att skeppsbyggeriet inte längre intresserade Noa. De hade känt sig kränkta av bergsfolket, avskytt främlingarna och varit rädda för dem.

Sinar som var en av de få invigda på varvet sade:

– Det är bäst som sker, Noa.

Vid middagsbordet senare den kvällen sade Milka:

– Nu kan du se själv att du inte har ansvaret för att välja de människor som skall räddas. Urvalet görs... som av sig självt.

Noa nickade och tänkte att de ändå måste hyra slavar när det stora bygget skulle igång framåt vårkanten. Han avskydde tanken.

På kvällarna den hösten gick Noa fram och tillbaka vid norra muren och funderade på hur han skulle bära sig åt för att skaffa malmen från Sinear. Den ena listiga planen efter den andra föddes. Och förkastades.

Till sist fattade han sitt beslut. Det var djärvt, kanske dumdristigt, men han skulle tala sanning. Säga som det var, att de köpt oren malm i Eridu och funnit att den lämpade sig utmärkt att göra verktyg av. Vad skulle det kosta att köpa ytterligare ett parti direkt från Sinear?

Helt kort meddelade han Nords vakter att han önskade köpa kopparmalm och skulle vara tacksam för ett sammanträffande med någon som hade behörighet att sälja.

Det dröjde bara tre dagar innan Nords överbefälhavare var på plats i tornet. Noa blev förvånad, detta var ju inte en militär fråga. Men han hade inte tyckt illa om den gamle generalen och var glad att få förhandla med någon han kände.

Efter en kort stund förstod Noa varför Nord valt en general. Den gamle visste det mesta om Harans experiment, steg för steg hade vakterna från tornet följt det och meddelat Sinear att guldsmeden lyckats ta fram en smälta som gav varvet nya och mycket bättre yxor.

Man hade gjort upprepade försök i Nord men misslyckats. Om de var villiga att avslöja Harans hemliga metod skulle de få köpa malm.

Noa förstod. Kan man göra skarpa yxor kan man göra skarpa svärd. Kan man göra verktyg som håller kan man göra spjut som inte bryts.

Tanken var obehaglig. Å andra sidan skulle Nord knappast få tid att prova sina nya vapen. Han bad att få återkomma, han ville tala med Haran.

Smeden hade inga betänkligheter, han sade trosvisst att den store Guden själv skulle dränka Nord innan de nya vapnen kunde användas. Generalen var välkommen att studera smältningen.

Den gamle blev förvånad över de primitiva jordugnarna men förstod snart principen. Han var kunnig, ställde de rätta frågorna och lade allt han fick höra på minnet. Till sist sade han:

— Om vi trots allt får problem kanske vi kan sända en

av våra... vapensmeder på studiebesök.

Noa tvekade:

— Vi har ju insyn också från Syd.

Den gamle nickade och lät frågan falla när Haran försäkrade att Sinears smeder inte kunde misslyckas. Det var ju enkelt, bara en fråga om att hålla hög och jämn temperatur. Och det kunde man lätt i en jordugn.

De gjorde upp om priset, Noa skulle betala i guld. En vecka senare anlände fem åsnor med malm till tornet, Noa betalade och Haran började tillverka sandformarna som skulle ge honom de vinklade metallstavarna.

Vid midvinterståndet, just den dagen när solen vände, födde Milka sin flicka. Det var ett barn som fick alla att häpna.

Hon hade blå ögon och krusigt ljust hår.

Och alla sade de att något liknande aldrig setts.

Hon fick namnet Rehuma efter Milkas mor.

Ett månvarv senare fick Nin Dada sin fjärde son och också han var ett märkvärdigt barn, viljestarkt och envist. Han kallades Kaanan och var mycket lik Ham.

Kapitel 49

Våren kom tidigt det året. Noa gav noga akt på vädret, varje skiftning intresserade honom. Men det fanns inga oroande tecken.

De svala regnen föll som de skulle och den torra jorden drack. När de första blommorna lyste upp sluttningarna bortom varvet gick Naema tillsammans med Milka ut i markerna för att se och tänka. Snart skulle det vara dags att skörda fröna från de tidigt vårblommande.

Från somliga, de rikblommande och envisa, räckte det med frön. Andra? Vilka skulle de sätta i såningsbäddarna på skeppet? Hur mycket ljus och vatten krävde de för att överleva?

Rosenfibbla, glimt, reseda. Den gula picrisblomman bredde ut sina mattor över kullarna. Naema funderade. Skulle hon ta med den? Och hur skulle hon göra med de många liljearterna? Vilka lökar måste hon få med sig på skeppet?

Vitrosa cyklamen slog ut sina fjärilsvingar framför henne och hon nickade mot blomman. Du skall följa med mig, sade hon. Tro bara inte att det är för skönhetens skull.

Av cyklamen gjorde Naema ett av sina bästa värkstillande medel.

Hon såg länge på det rika beståndet av nerium, skakade på huvudet:

– Du är så giftig att du bara duger till råttgift, sade hon. Men hon tyckte det var ledsamt för hon älskade de spröda blommorna och deras doft.

Hon stannade framför snåren av lågväxande änglatrumpet. Ja, tänkte hon, för narkotikans skull och för den dekokt hon kunde göra av frukterna och lindra ledsmärtor med. Här fanns gott om rotskott. Hon skulle driva några plantor på prov, bestämde hon.

Men hon gick förbi häxörterna, både alrunan och bolmörten.

Judasträdet? Det stod i knopp nu, snart skulle det lysa mot himlen. Det måste hon rädda, för skönhetens skull. Liksom klipprosen.

Hur skall jag kunna komma ihåg allt detta, tänkte hon, förvirrad för ett ögonblick. Men sedan påminde hon sig att hon skulle börja i sin egen trädgård, där mycket redan fanns och allt var välordnat.

Hon log åt minnet av Noa som sagt:

– Glömmer du vinstockarna förlåter jag dig aldrig.

Hon stannade länge under den gamla sykomoren, trädet som bar frukt året runt. Nog skulle de kunna få ett skott att slå rot i en kruka.

Milka följde henne med det blonda barnet i bärpåse på ryggen. Naema tog en frukt från trädet och visade hur blomman levde i en hålighet längst inne i frukten.

– Som barnet gör i livmodern, sade Milka och Naema skrattade. Kanske det är av den anledningen sykomoren blivit kärleksgudinnans eget träd, tänkte hon.

Bortom kullarna kunde de se de högresta dadelpalmerna teckna sina solfjädrar mot himlen i söder. Dem kunde de inte nå, de växte bortom gränsen till Sydriket. Naema suckade lite och berättade för Milka om sitt besök i Eridus palmlunder.

– För en gångs skull blev jag imponerad av sydfolket, sade hon. De odlade ett fåtal hanträd i utkanten av den stora palmodlingen. Resten var honträd. Om våren när träden blommade klättrade de upp i hanträden, plockade blommorna och flätade dem till enkla kransar. Sedan klättrade de upp i honträden och fäste kransarna i deras kronor.

– Man behövde bara ett hanträd till trettio honträd, sade Naema och båda skrattade högt.

Det var sen eftermiddag. De hade dragit sig allt längre in på sluttningen ovanför träsken när Naema plötsligt kände att fara hotade. Det var en så stark förnimmelse att hon fick hjärtklappning och svårt att andas.

Hon stod med ryggen mot snårskogen vid de stora oljeträsken. Det var kanske ett hundratal alnar kvar till skogsbrynet och hon vände sig inte om. Ändå visste hon att det var därifrån skräcken kom.

– Milka, sade hon utan att höja rösten. Gör ingen häftig rörelse men se mot snårskogen bakom mig.

– Det står en man bland träden, viskade Milka efter en stund och Naema höll upp en kvist från sykomoren framför flickans ansikte för att dölja hennes upprördhet. Hon tänkte fort.

Napular fanns en bit bort på berget där han byggt en bana för att provdra sina rep. Naema böjde sig och rev upp ett gräs under trädet, skrattade högt och ropade:

– Napular, Napular, jag tror vi har hittat gräset som du söker.

Det dröjde men han kom, motvilligt och långsamt gick han mot trädet där Naema väntade. Ett tag tänkte hon gå honom till mötes, men hon kunde inte, hennes ben var som fastvuxna i marken. Hon höll gräsknippan över huvudet, lockade honom med den, ropade gång på gång:

– Napular, din latoxe, skynda dig. Vi har hittat ditt gräs.

Han kom, tog gräsknippan, skakade förvånad på huvudet och fnös. Men innan han började tala hann Milka viska: Det står en rövare bland träden därborta.

Naema sade blixtsnabbt:

– Vänd dig inte om och gör ingenting.

Han förstod, stod stilla, stirrade på gräset och ropade på sin äldsta dotter som varit med honom vid repprovningen. Flickan kom springande och Napular gav henne gräsknippan och väste:

– Spring för helvete och hämta folk.

– Spring inte förrän du är utom synhåll, sade Naema tyst.

När flickan försvunnit viskade Napular:

– Jag kan gå runt kullen därborta och försöka ta honom bakifrån. Naema nickade, pekade uppåt kullen och ropade efter honom:

– Det finns gott om gräs av samma sort däruppe.

Tiden stod stilla, i evighet efter evighet väntade de båda kvinnorna. Spädbarnet som kände av oron började gråta och Milka tog flickan ur bärpåsen och lade henne vid bröstet. Naema såg med beundran att Milkas händer var lugna och säkra, själv skakade hon i hela kroppen.

– Jag förstår inte riktigt varför jag är så rädd, viskade hon.

– Men det gör jag, sade Milka tyst. Mannen i snåren därborta är skräcken själv, den som vi kallade Skuggan.

När hon såg Naema rycka till fortsatte hon:

– Hjälp är på väg, Naema. Vi klarar oss.

I nästa stund hörde de Napular skrika i triumf:

– Nu har jag dig, din jävel.

Han kom ut ur snåren med främlingen framför sig. Man-

270

nens ena arm var krokad som i ett skruvstäd på ryggen. Framför hans hals höll Napular sin långa kniv.

I samma ögonblick kom männen från varvet springande, de tre sönerna och Sinar. Naema återfick förmågan att röra sig, vände på klacken och såg rätt in i Skuggans ansikte.

Noa har rätt, han är redan död, tänkte hon.

Sedan hörde hon Jafet skrika:

— Det är Skuggan, vid Gud, det är Skuggan.

Sem, som höll på att binda främlingen och just sagt till Napular att sluta hota med kniven, vitnade.

Av rädsla? Av hat? Naema visste inte men när Ham skrek att han ville ha kniven för att döda, höjde hon handen och överröstade dem alla.

— Här sker inga mord. Nu lugnar ni er tills Noa kommer.

— Mor har rätt, sade Jafet. För övrigt behöver vi inte döda. Vi följer bara reglerna och lämnar honom till vakten i tornet. Sedan får generalerna i Nord avrätta honom.

— Varför skulle de göra det, sade Ham.

— För att han försökt rymma ur tjänsten, sade Jafet. Vi vet ju att han redan ligger dåligt till.

Men Jafet var illa till mods där han stod och såg rätt in i Skuggans ögon. Blå ögon, samma himmelsfärg som hos hans lilla dotter. Vi är släkt, tänkte han. Hans mor var Lameks syster.

Jafet såg och såg på det oberörda barnsliga ansiktet och tänkte på allt som Noa inte sagt, på hur dold och dunkel den var, familjens historia.

Vi är av samma blod, han och jag. Och barnet har tagit hans ögon i arv.

De fick vänta på Noa. När han slutligen kom stannade han framför Skuggan, såg på honom på samma sätt som Jafet och frågade slutligen:

271

– Var tog du dig genom muren, Mahalaleel? Och vad vill du mig?

– Murkanten har rasat en bit inåt träsken. Jag vill veta vad det är för ett stort bygge du förbereder.

Rösten var torr och orden klanglösa, en smula släpiga. Han var inte rädd, han hade godtagit sitt underläge.

– Din son har just påpekat att jag kommer att avrättas om du överlämnar mig till vakten, sade han i samma ton, konstaterande.

– Släpp honom, sade Noa till sönerna och när ingen lydde lossade han själv repen:

– Jag följer dig tillbaka till den rasade muren.

De gick sida vid sida, nerför sluttningen, över träsken på Noas spångar och försvann ur sikte i snåren på nordsidan. Napular skrek av ilska, Noa var inte klok, mannen kunde ju hugga ner honom vilket ögonblick som helst. För att inte tala om att han skulle komma tillbaka.

Noas söner teg.

De talade inte med varandra, det fanns inga ord. Men när Noa gick där bredvid Skuggan, tänkte han för första gången på det som han alltid vetat men inte velat veta. Det var Mahalaleel som givit Noa fri. Två pojkar hade bytts ut och det liv som var ämnat för Noa var det som Skuggan levde.

Lamek hade inte skänkt bort sin yngste son om han inte fått en annan pojke att plåga.

De var framme vid muren. Skuggan hoppade vigt över. Så blev de stående en stund och såg på varandra:

– Mig lurar du inte, Noa. Jag vet att du är den onde gudens redskap.

Noa log ett snett leende, ryckte på axlarna och gick. På hemvägen kom han att tycka att Skuggan hade rätt. Han var den onde gudens redskap, medarbetare i en dunkel plan.

Kapitel 50

Varje ensam stund under den korta vintern hade Kreli funderat på vad Noa menat när han sagt att han hade hemliga planer för henne. Till slut övervann hon sin tveksamhet och beslöt sig för att fråga Milka.

Milka rodnade, fnittrade, såg mot himlen och sade:

— Inte tänker jag förklara det för dig. Det är ju så uppenbart.

Kreli blev arg men som vanligt hade hon svårt att motstå Milka när flickan lade huvudet på sned och vädjade.

— Tänk efter, Kreli.

— Jag har tänkt länge, sade Kreli och gick sin väg. Efter en stund tog hon av mot ritverkstaden. Hon skulle fråga Nin Dada.

Hon hade tur. Nin Dada var ensam med sina lertavlor.

— Söker du Sem finns han på byggplatsen där han provar sin lyft, sade Nin Dada och Kreli nickade. Sem hade byggt en anordning för att hissa de långa timmerstockarna och var sedan dagar tillbaka sysselsatt med att prova och förbättra den.

— Det är dig jag söker, sade Kreli. Och så ställde hon sin fråga rakt ut.

Också Nin Dada blev full i skratt och sade att nog kunde

Kreli begripa det. Men när Kreli skakade på huvudet fortsatte hon:

– Då är du den enda på hela varvet som inte förstått att Sem är förälskad i dig.

Kreli måste sätta sig.

– Men Kreli. Nog har du väl lagt märke till att han rodnar och tappar saker när du är i närheten. Ibland stammar han rentav, så upprörd blir han.

– Jag trodde att han var sådan, lite långsam och tafatt.

Nin Dada skrattade igen och sade:

– Också du måste ha insett att Sem är den klokaste av Noas söner. Han är snabbare i huvudet än andra, den mest skarpsinnige man jag mött. Inte är han tafatt annat än när du är med och går runt här i ritverkstaden och svänger med stjärten.

– Jag svänger inte med stjärten, skrek Kreli, blodröd av vrede och skam.

När hon sprang därifrån hörde hon Nin Dada skratta. Men hon vände sig inte om och fick aldrig se det belåtna uttrycket i hennes ansikte.

Jag överdrev en del, tänkte Nin Dada. Men hon var nöjd med sig själv och mycket nyfiken på vad som skulle hända nu när Kreli tog hand om spelet.

Som alltid när Kreli hade problem måste hon arbeta. Hårt arbete skärpte hennes tankar och stillade upprördheten. Den här dagen beslöt hon att det var dags för stortvätt.

Hon gick till tvättgrytan vid södra bergshyllan, fyllde den med vatten och fick så småningom fyr i pinnveden. Det går att få eld också i de hårdaste vedträn. Om man har tålamod, tänkte hon.

En stund senare var hon på väg till Noas hus.

– Jag tänkte jag skulle tvätta, sade hon till Naema som

såg skyldig ut som vanligt när det gällde hushållsarbetet. Hon hjälpte Kreli att lyfta den tunga korgen med smutskläder upp på huvudet och sade:

– Jag måste ju passa småbarnen.

– Bekymra dig inte, det här klarar jag, sade Kreli och lyckades le. Det var onödigt, inget leende i världen kunde lura Naema. Hur länge hade hon vetat detta med Sem? Och vad tyckte hon om det?

Krelis leende var alldeles äkta när hon gick mot tvättplatsen med korgen. Hon visste med full säkerhet att Naema skulle välkomna henne som svärdotter.

Det skulle Noa också, det hade han redan visat med sitt belåtna leende den där dagen vid stormötet.

Alla hade förstått. Utom hon. Nog hade de rätt både Nin Dada och Milka som tyckte att hon var en idiot.

Det brann friskt i gropen under den stora tvättgrytan och Kreli började sortera tvätten i prydliga högar.

Prydliga högar, väl ordnade. Det passade. Det passade så väl att det nästan var för bra för att vara sant. Hon visste att Noa behövde henne, han hade sagt det. Hennes praktiska förstånd och hennes goda humör var viktiga tillgångar på resan mot det okända.

Hon var arg nu, slog soda i kokvattnet och dängde i de första plaggen. Det passade dem.

Medan första tvätten kokade gick hon mot Harans hus för att hämta mer smutstvätt. Den korgen blev lättare, Kreli brukade tvätta lite efter hand. Hon gjorde inte som Naema, slängde det smutsiga i korgen och glömde det.

Hon gick förbi Milkas hus och ropade:

– Jag tvättar. Om du vill ha något med i byken får du själv komma med det.

Hon hörde inte vad Milka svarade, men hon var nöjd med sig själv. Det var inte tjänarinnan Kreli som talat.

275

I nästa stund blev hon så förvånad att hon måste stanna på vägen upp mot tvättplatsen. En härlig tanke fick hennes hjärta att slå: den ödmjuka Kreli, vars ställning som fattig släkting alltid hade varit obestämd, skulle försvinna för alltid. Som äldste sonens hustru skulle hon bli högst i rang bland svägerskorna. Platsen närmast Naema skulle bli hennes.

Nästa tanke var ännu bättre: hon skulle få sitt eget hem, egna kläder, eget husgeråd och egna möbler.

Egna barn, tänkte hon i samma stund hon var framme, slängde korgen i backen och drog djupt efter andan. Hon som i hela sitt liv passat andras ungar skulle få egna...

När Kreli drog den första heta byken ur grytan rann hennes tårar. För första gången i livet kunde hon gråta av glädje. Det var inte förrän hon tog fram sitt klappträ och började slå luten ur plaggen som hon kom att tänka på Sem. På mannen själv och vem han var.

Slagen mot kläderna var hårda och rappa. Vem var Sem? Hurdan var han? Lärd, skrämmande begåvad. Snäll? Ja, snäll.

Plötsligt mindes hon vad Nin Dada sagt om henne, att hon, Kreli, den mest anständiga av kvinnor, viftade på stjärten när Sem fanns i närheten. Nu slog hon i sådant ursinne att det var fara värt att Noas livklädnader skulle gå i trasor.

Tänk om det var sant? Om hennes kropp visste något som hon själv inte vetat?

Han hade vackra ögon, det hade han. Och ett blygt och fint leende.

Hon tänkte på hans händer, kortare än brödernas men nästan ömma när han förde sitt kolstift över ritväggen. När hon gick för att hämta den tredje och sista byken till sköljplatsen kände hon att hon var röd i ansiktet och hade en konstig pyrande eld i kroppen.

Väl tillbaka vid sköljplatsen i floden rättade hon sig. Nej hon brann inte. Det var mera som hunger, en egendomlig lystenhet som pirrade i magen och drog samman hennes sköte.

När hon hängde sin tvätt i eftermiddagssolen var hon våt på insidan av låren. Och hennes bröst var tunga med styva bröstvårtor.

Kär i honom är jag inte, sade hon när hon gick hemåt efter slutfört arbete. Det är bara kroppen som spökar. Och jag har inte bestämt mig ännu.

För övrigt har han inte friat.

Ham kom hem samma kväll från en av sina många resor till Eridu. Han förde ständigt nya varor till varvet nu och tänkte ofta och med oro på att Noa tömde varvets alla tillgångar.

Barnen sov och Nin Dada lagade en god måltid. De drack en bägare av vinet som Ham haft med sig. Samtalet mellan dem flöt lugnt, han berättade nyheter från staden och hon om det som hänt på varvet.

Ham blev mycket intresserad av Sems lyftanordning.

– Det kan väl inte vara så knepigt, sade han. Sem måste ju ha sett många sådana i Eridu.

– Ja, jag vet inte. Men han har problem med lyften, sade Nin Dada och gjorde en kort paus innan hon fortsatte:

– Just nu är han lite förvirrad. Han är ju så förskräckligt kär i Kreli och det splittrar honom.

Hon hade väntat sig att Ham skulle reagera men blev ändå förskräckt när han reste sig från bordet och skrek:

– Den förbannade idioten gör allt för att vara Noa till lags. Noa har satt i honom tanken på att gifta sig med Kreli. Och genast lyder han. Han är som en dresserad... åsna.

277

Efter utbrottet sprang Ham mot dörren, men tvärvände och sade något lugnare:

— Det är ju löjligt. Inte vill Kreli ha Sem.

— Det tror jag nog, sade Nin Dada lugnt. Jag har sett henne fjanta runt honom hela vintern.

— Vadå fjanta?

— Hon viftar på stjärten och kör ut brösten, sade Nin Dada med ett skratt. Just så där du vet som flickor gör när de är förälskade.

När Ham försvunnit ut i mörkret satt Nin Dada kvar och försökte komma över sin egen förvåning. Jag visste inte att jag var så slug, tänkte hon.

Kreli sov gott hela natten, trött efter stortvätten. Men hon vaknade med fåglarna och åt frukost på en plats som hade utsikt över Sems gårdsplan.

I samma stund som han stängde dörren om sitt hus och började gå mot ritverkstaden gensköt hon honom:

— Du är tidigt i farten, sade hon. Han rodnade så häftigt att hon tyckte synd om honom. Herregud, så blind jag har varit, tänkte hon.

— Jag skulle gärna vilja vittja näten i Titzikona, sade hon. Vi behöver fisk. Men jag är ovan vid båtar och dålig på att ro.

Han nappade och sade just som hon tänkt:

— Men jag ror dig gärna, Kreli.

De log mot varann, och nu kunde hon se det. Han hade ett vackert leende. Och när de satte sig i båten och Sem började ro hade båda hjärtklappning.

De blev borta så länge att folket på varvet kunnat bli oroliga om de inte sett båten hela tiden.

— Inte drar de nät, sade Sinar till Noa och båda skrattade.

278

– De där två verkar ha mycket att tala om, sade Nin
Dada och log mot Ham.
– Jag är så glad, sade Milka till Jafet.
Bara Naema var tyst och såg vemodig ut.

Efter tre timmar kom de två tillbaka, utan fisk. De gick raka
vägen till Noa och Naema och sade att de fattat sitt beslut
och ville gifta sig så fort som möjligt. Noa hurrade av för-
tjusning, inte bara för att han fått som han ville. Naema såg
länge på sin äldste son utan att finna någon tvekan hos ho-
nom.
Han var lycklig.
Kreli var mest förvirrad:
– Det har gått så fort att jag inte riktigt hunnit fatta
det, sade hon. Men när Nin Dada sade att hon för sin del
tyckte att de tagit ovanligt lång tid på sig, kunde hon instäm-
ma i skrattet.
Den här gången var det Milka som kom med vinbrickan.

När Kreli blev ensam den kvällen tänkte hon lugnt och sak-
ligt igenom samtalet i fiskebåten. Hon hade sagt honom
sanningen, att hon tyckte om honom men att hon inte trod-
de att hon var förälskad. Sem hade sagt att de flesta männi-
skor fick nöja sig med att känna sympati och att det var säk-
rare grund för gemenskap än den stora passionen.
– Folk som är förälskade ljuger om varandra, hade han
sagt. Se på Ham som blev kär som en dåre i Nin Dada och
diktade ihop en flicka som inte fanns.
Hon hade dragit en suck av lättnad. Jag är helt enkelt
inte den sortens människa som blir förälskad, hade hon
tänkt.
Sem hade talat mycket om hur han beundrade henne:
– Du får allt att verka lätt och roligt, hade han sagt. Så

hade han fortsatt med att säga att hon var den vackraste kvinna han någonsin sett och att han inte vågat tro att hon ville ha honom.

Som frieri var det inte dåligt, tänkte Kreli och njöt en stund av minnet av hur hon stått i centrum för uppmärksamheten hela dagen.

Tre dagar senare firade de ett enkelt bröllop och redan på kvällen for de söderut på en kort bröllopsresa. De skulle ro hela natten. Det var Sem som velat ha det så och det skulle dröja ännu en tid innan Kreli förstod att han var rädd för henne.

Kapitel 51

En tidig vårmorgon satt Noa på Jafets terrass och jollrade med det guldlockiga barnet. Flickan var oemotståndlig där hon låg mot Jafets axel och log sitt änglaleende mot Noa.

Noa kunde med gott samvete säga sig att han älskade alla sina barnbarn. Men aldrig förr hade hans känslor varit så innerliga som när det gällde den nya lilla flickan.

Det var tidigt, solen hade ännu inte orkat upp över kullarna i öster. Milka sov men från byggplatsen kunde de höra hur de långa stockarna drevs ihop med hårda hammarslag. Noa hade två lag med femtio man i arbete nu, slavar hyrda i Eridu. Det doftade fortfarande gott från timret men snart skulle den kvävande röken från värmt jordbeck lägga sig över varvet.

– Jag hade ju ett ärende, sade Noa till sist och Jafet nickade, han hade begripit det.

– I höstas, fortsatte Noa, råkade mor och jag tala om dig. Jag fick erkänna en sak som jag aldrig förstått tidigare.

Noa såg generad ut och Jafet väntade med spänning på fortsättningen.

– Jag insåg plötsligt att din fantasi är en praktisk tillgång. Du kan lättare än någon annan här... föreställa dig saker och händelser.

Jafet teg, alltför häpen för att svara. Var detta menat som

en ursäkt för alla förebråelser under barndomsåren? Skulle dagdrömmaren få upprättelse?

Men när Noa fortsatte förstod Jafet att fadern nu som alltid tänkte ändamålsenligt och praktiskt. Snart var han entusiastisk inför Noas plan.

Jafet skulle få ledigt några dagar från bygget. Tiden skulle han använda till att fantisera om vad som skulle hända, hur ovädret skulle komma, hur regn och vindar skulle drabba dem.

— Jag har ju inte så lätt för att föreställa mig framtiden, sade Noa. Jag har talat med mor men hon får inte heller några bilder. Men hon säger att katastrofen kommer snabbt och överraskande. Det är ju till någon hjälp, vi vet att vi måste vara uppmärksamma.

Noa fortsatte med att berätta att han bestämt att akterskeppet skulle byggas så snart förskeppet var klart. De många sektionerna mellan för och akter fick göras efter hand.

— Jag förstår hur du tänker, sade Jafet. När de första... himlatecknen visar sig drar vi ihop båten med så många delar som vi har färdiga. Men hur gör vi med långhuset på övre däck.

— Det får byggas på de första sektionerna, sade Noa.

— I fören?

— Som kan bli aktern, sade Noa och försökte skratta. Men tanken på skeppet som inte skulle kunna styras var så motbjudande att skrattet fastnade i halsen.

— Vi kan komma att driva runt som ett rö för vindarna. Och strömmarna.

— Ja.

Också Jafet fann tanken outhärdlig. Men han samlade sig och frågade:

— Vad är det du vill att jag skall föreställa mig?

282

– Allt vad som kan hända och vad vi skall göra för att förbereda oss. Olika situationer, olika lösningar. Du satt ju i en grotta när sommarstormen kom förra året, men herregud, Jafet, vilken vattenvägg! Högre än templet i Eridu.

– Ligger vi på tvären och får en sådan midskepps kantrar vi, sade Jafet.

– Just det. Hur bär vi oss åt för att hålla henne med fören mot vinden, Jafet? Använd din fantasi.

När Noa reste sig för att gå sade Jafet med ögonen fästa på barnet i famnen:

– Jordbävning, sprutande jordbeck, skyfall, översvämning, storm. I Eridu talar de gamla om orkaner som driver upp vågor högre än hus.

Noa såg på sin son och ruskade på sig:

– Jag är glad att jag inte har din fantasi, sade han kort när han gick. Jafet satt kvar på sin plats och tänkte att förut skulle Noa ha litat på sin Gud, vänt sig till Honom och fått försäkran att det värsta inte kunde hända.

Nu visste Noa som de andra att Gud var obegriplig och att människan bara hade sin egen kraft att lita till.

När de ätit sin frukost och Milka tagit hand om barnet gick Jafet till bygget. Människor, små som myror mot timmerhögarna, reste de väldiga väggarna till den första sektionen. I dag tyckte han att hela företaget såg hopplöst ut, vanvettigt. Några galna människokryp förhävde sig, satte sitt övermod mot urkraften själv.

Genom hans huvud for ramsan som han själv uppfunnit: jordbävning, sprutande jordbeck, skyfall, översvämning, storm. Orkan! Varifrån hade den kommit?

Han vände, gick till sydbryggan, tog sin båt. Långsamt rodde han mot skogen på Titzikonas södra strand, fann en landningsplats, drog upp båten och lade sig på stranden. I bild efter bild gav han gestalt åt sin ramsa.

På eftermiddagen sökte han upp Sem. Bröderna kallade på Noa och tillsammans gick de in i ritverkstaden. Jafet sade kort att han valt att föreställa sig den värsta händelsekedja han kunde tänka sig.

– Jag vet, sade Noa. Också jag har haft dina ord ringande i öronen hela dagen.

– Vilka ord, sade Sem och hans ansikte knöts när Noa upprepade: Jordbävning, sprutande jordbeck...

Det blev tyst i ritverkstaden sedan Jafet beskrivit sina bilder. Det fanns hopplöshet i tystnaden. Och rädsla.

Men Jafet fortsatte:

– Sem, jag har tänkt på ett drivankare, ett helvetes stort drivankare. Om det är tillräckligt tungt och trossarna håller kan vi... kanske hålla henne mot vinden.

Varenda muskel i Sems kropp var spänd när han lyssnade på sin bror. Han kunde också se det, hur de flöt loss vid översvämningen och drev med flodströmmen till havs. Sedan kom stormen rakt från söder. Fanns det en möjlighet att hålla skeppet mot vågorna med hjälp av ett tungt släp? Hon skulle stå där – i timmar? i dagar? – och stampa i sjön. När vinden avtog gällde det att kapa trossarna, i rätt ögonblick, i absolut rätt ögonblick för att undvika en kollision med släpet, som Jafet kallade drivankare.

– Hur i Guds namn gör vi ett drivankare med sådan tyngd, sade Noa.

– Vi tar en av våra pråmar och fyller den med sten och gammalt tegel, lastar den så att den håller sig i ytan och inte sjunker om vattnet slår över.

– Nu är det du som är snillet, sade Sem och skrattade. Gör det, Jafet, du kan ta folk till hjälp redan i morgon och

284

provlasta en pråm. Sedan gäller det om Napular kan tillverka tillräckligt starka trossar.

— Och att skeppet inte slås sönder när hon skall stampa på stället i stormen, sade Noa och lämnade dem.. Han stannade när Jafet ropade:

— Det behöver ju inte hända, far. Det var bara det värsta jag kunde hitta på.

— Jag hoppas det, sade Noa och gick.

Sem såg länge på dörren där Noa försvunnit. Men sedan mötte hans ögon Jafets:

— Jag begriper inte varför, sade han. Men jag har en sådan... stark känsla av att det är så här det kommer att bli.

Samma kväll bjöd Kreli hela sin nya familj på middag. Det var en stor händelse för henne, hon hade lagat mat nästan hela dagen och dukat med de nya vackra faten hon köpt i Eridu.

Noa hade varit svår att övertala och sagt ja först sedan de bestämt att när barnen somnat efter maten skulle de tala allvar. De hade ingen tid att förlora, hade han sagt.

Under hela eftermiddagen vid bygget där man nu drev ihop de bilade stockarna till golv i akterskeppet hade han försökt att bli kvitt Jafets hemska bilder. Utan att lyckas.

När han kom hem dröjde det innan han tvättade sig. Han satt på bänken i köket och beskrev Jafets föreställning, scen för scen. I det längsta hoppades han att Naema skulle skratta åt alltsammans, men hon lyssnade allvarligt och sade till sist:

— Jag vet inte, Noa. Men jag har en känsla av att pojken får rätt.

Samma känsla som han sett avspeglas i Sems ansikte under mötet, tänkte Noa. Samma känsla som han själv haft hela dagen.

Kapitel 52

Kreli hade dukat på verandan och lagt stor omsorg vid maten. Hon bjöd på småfisk som hon marinerat i vin med starka kryddor och en lammstek som doftade av vitlök. Det finns en stor ömhet mellan dem, tänkte Naema när hon iakttog de nygifta. Men hon upptäckte också oro, en hunger hos Kreli. Hennes sinnlighet är väckt men inte mättad, tänkte Naema.

I nästa stund lät hon blicken snudda vid Ham, bara ett ögonblick men tillräckligt för att veta att också han lagt märke till Krelis rastlöshet. När han log, belåtet, sköljde vreden genom Naema.

Middagen ville inte bli så trevlig som Kreli tänkt sig. Det gick inte längre att hålla tillbaka tanken på katastrofen när skeppet tog synbar gestalt. Rädslan kröp in i deras sinnen, i dagens tankar och nattens drömmar. I skräckens spår följde skuldkänslorna, plågsamma, stundtals outhärdliga.

I kväll var det Harans äldste pojke som tog upp ämnet, trettonåringen som arbetade som hantlangare på storbygget.

— Jag står inte ut med att se alla slavarna. De skall dö när floden kommer och de har aldrig levat. Det är så orätt-vist... Jag tycker Gud borde ge skeppet... och räddningen till dem.

Ingen hade ett tröstens eller förklaringens ord och efter

en stund fortsatte pojken:

– I hela mitt liv har jag hört talas om friheten och välståndet i Eridu. Men vad är det för ett land som säljer människor som om de var oxar? Och vad är det för ett folk som talar så storslaget i sina dikter om människans rätt och sedan håller sig med slavar?

Han var nära gråten nu. Men han fortsatte. Han berättade om en av slavarna han arbetat tillsammans med när de drevade däcket i akterskeppet.

– Han var en vanlig bonde. Så brast en damm för att templet misskött kanalerna, det blev missväxt och han fick skuldsätta sig för att få utsäde. När skörden slog fel igen, av samma skäl, kunde han inte betala för sig. Han sålde sig som slav för att hans barn skulle få behålla gården. Och nu skall han dö, som alla de andra.

Pojken vände sig inte mot Nin Dada, ändå kände hon sig tvingad att försöka säga något.

– Min far sade alltid att vårt folk bar sin egen undergång inom sig.

Allas ögon riktades mot henne och hon fick söka länge efter ord för att förklara:

– Det är ju som du säger, Anamin. Alla vet att templet missköter kanalerna och att jordlagarna är orättvisa. Man vet också att när de skuldsatta småbönderna säljs som slavar förstörs deras jordar. Stora delar av åkerjorden förvandlas till sandöken... det är som en sjukdom.

– Man ser det, man vet vad det beror på, man diskuterar, rycker på axlarna. Och förstörelsen fortsätter år ut och år in.

Sem såg länge på Nin Dada innan han berättade om de lärdas alla sammanträden om vem som hade ansvaret för folket i deltalandet när slambergen där ute växte sig allt högre.

— De kom aldrig till något resultat, sade han. De lät människorna dö!

— Far ansåg att vår olycka hade sin grund i vår religion, sade Nin Dada. Vi tror ju att människorna skapats av gudarna för deras nöjes skull. Gudarna leker med människornas öden och vi kan inte göra något för att påverka leken.

— Det är bara det enkla folket som ser det så, sade Sem. Inte tror astronomerna och matematikerna på de gamla gudasagorna?

Nin Dada såg länge på Sem innan hon svarade:

— Kanske inte bokstavligt, Sem. Men det är ändå samma grundtanke... Människan är skapad av slumpen, hennes öde beror på tillfälligheternas spel. Det finns en kyla och en hopplöshet i en sådan världsbild. För den betyder att det inte tjänar något till, att kämpa, att anstränga sig.

Hon var vänd mot Noa nu:

— Jag vet att du tycker att din Gud är blint orättvis. Men jag har kommit fram till att Han är obegriplig. Vi förstår inte Hans avsikt med detta som skall ske, vi har för små tankar. Men någon mening finns, Noa.

Hon tystnade, letade efter nya ord:

— Trots allt kan jag inte låta bli att grubbla över varför det är vi som skall räddas. Och när jag ställer den frågan kommer jag alltid till samma slutsats. Det är Noa som är vald. Han är den enda människan i vår värld som inte låter sig böjas och aldrig kan avskräckas.

Hon log mot Noa och fortsatte:

— Jag kan tänka mig att Gud är mycket nöjd med sitt val också för Naemas skull. För med henne räddas kunskapen om det som ingen kan veta.

— Alla dessa färdigheter som du är så angelägen om att få med på skeppet, skrivkonsten och matematiken och krukmakeriet... ja det är väl bra. Men det är alltsammans

288

saker som de överlevande kommer att uppfinna igen.

– Vi andra, sade hon lågt och såg längs bordet, kommer med av nåd. Vi är inte valda, vi räddas för att vi råkar höra till familjen. Eller som i Sinars och Napulars fall, för att de behövs på resan.

De satt länge tysta innan Kreli reste sig för att hämta den stora äppelkakan, som skulle serveras med ett nytt vin. Det var starkt och sött, druvorna hade jäst tillsammans med fikon.

Efter måltiden bäddade de ner de mindre barnen i den stora sängen. Hams äldste gjorde sitt bästa för att hålla sig vaken, men måste ge upp. Spädbarnen sov redan.

Det var en varm kväll, de satte sig på verandan och såg ut över floden och stjärnhimlen. Månen steg, röd och rund. Allt var välbekant och vackert.

Noa log mot Nin Dada :

– Jag skall tänka på vad du har sagt. Men på en punkt tror jag du har fel. Det är inte bara Naema och jag som är utvalda, ni är det allesamman. Jag har också grubblat på urvalet och jag börjar mer och mer tro att det är som Milka sade en gång, att de som skall med oss väljs av... Gud själv. Och nu skall jag berätta en egendomlig historia för er. Om detta får ingen tala, inte ett ord, förstår ni?

De nickade, alla mindes eden de avlagt sommaren förut.

– Ham har stora svårigheter när det gäller att köpa säd i Syd, både matsäd och utsäde som skall med på resan. Vill du berätta, Ham.

Och Ham sade att skörden i Eridu skadats av flodvågen förra hösten. Mycket av kornet och både klubbvetet och emmern var angripna av gift från ett ogräs. Bönder och sädeshandlare kunde skilja den skadade säden från den friska, men vanligt folk såg inte skillnaden. Och sädeshandlarna sålde allt, mycket till de svältande i Nord.

– Nej, nej, sade Milka. Hon som de andra mindes pråmsläpen med säd som dragit norrut under vintern.

– Noa blev så arg att han meddelade en officer i tornet att säden till Nord kunde vara förgiftad, berättade Ham. Soldaterna hade snart fört budet till Sinear.

Nu tog Noa tillbaka ordet.

– Det var en helt ung officer, klok och trevlig. Några dagar senare bad han mig om ännu ett samtal. Han berättade att han och hans bror som också går vakt i tornet var uppväxta på ett av de stora jordbruken i Nord, att fadern var inspektör för de sammanslagna gårdarna.

– Uppriktigt sagt förstod jag inte vart han ville komma. Men till slut sade han som det var. Han hade iakttagit vårt bygge i veckor och trodde inte på förklaringen att vi byggde repslagarbana och verkstäder. Så hade han tänkt på ovädret förra året och fått en idé. Nog var det så att vi räknade med nya katastrofer och att vi byggde ett skepp.

– Jag varken bekräftade eller förnekade, sade Noa.

– Men vad ville han, viskade Kreli.

– Han ville följa med. Och ta brodern med sig.

– Är det utpressning, sade Ham. Han lovar att tiga om...

– Nej, sade Noa. Pojken sade mycket klart ifrån att han inte skulle meddela sina överordnade vad han trodde. Och det oberoende av vilket beslut vi fattade. Jag lovade att ge besked i morgon.

– Du vill ha dem med. Jag kan känna det, sade Naema.

– Han och hans bror är bönder och känner till allt om djur och jord. Och så tyckte jag om honom, det var en landsman.

– Men vi tar en stor risk om vi hjälper Nords soldater att fly. Och för övrigt, hur skall det gå till?

Det var Ham som frågade. Noa log sitt gamla sluga leende och sade att det hade han redan räknat ut. De skulle vänta tills de båda bröderna fick avlösning i vakttjänsten i tornet. Sedan fick de bäst de kunde ta sig till platsen där muren rasat inåt träsken. Där skulle Noa gömma nya kläder.

– Av typiskt sydsnitt, sade han.

Pojkarna skulle fortsätta över kullarna vid sydgränsen och där skulle Ham vänta på dem med en båt.

– Du tar med dem till Eridu och med deras hjälp köper du frisk säd. Och djur, nya får och så småningom grisar, getter och kor. Ni blir kvar så länge att de hinner låta skägg och hår växa. När ni kommer tillbaka hit har de flätade skägg och böljande hår, sade Noa och skrattade.

De instämde alla i skrattet. Nords soldater var slätrakade och kortklippta.

– Det är bra, sade Jafet. Jag röstar för.

– Jag också, sade Sem. Inte för att det har någon betydelse. Far har redan bestämt sig.

Alla utom Noa drog på mun. Och så började de sin genomgång av hur många de skulle bli.

– Sinar och fyra till av mina bästa sjömän, sade Noa. Han nämnde namnen, Nin Dada räknade familjerna. En var ungkarl, Sinar hade bara sin hustru, de övriga tre hade familjer med barn.

– Sinar vill ha hit sin brorson som är krukmakare. Det måste jag godta eftersom Sinar inte har någon egen son. Så har vi Napular med hustru och tre döttrar. Han kräver att få med sig ytterligare fyra repslagare, varav tre är gifta och har barn. En är ungkarl liksom de två flyktingarna från Nord.

Nin Dada räknade, de skulle bli femtiotre personer, sexton män, tolv kvinnor och tjugofem barn.

– Det är bra, sade Noa. Det är barnen som är viktiga.

291

Men han oroade sig för att männen var för få.

– Vi måste räkna med vakthållning ombord, alla dygnets timmar.

Innan de bröt upp för att var och en gå till sitt vände sig Noa till Kreli:

– I morse bad jag Jafet föreställa sig vad som kan hända när översvämningen och stormen kommer. Hans... fantasier var till stor nytta för det fortsatta arbetet på skeppet. Nu tänkte jag be dig göra på samma sätt när det gäller de många människorna, alla familjerna och deras liv ombord. Hur skall ni laga maten och baka brödet? Var skall barnen leka? Och hur skall kvinnorna finna sig tillrätta och hålla sams? Det kan bli svårare för dem än för männen som kommer att ha fullt av arbete hela tiden.

Kreli rodnade av stolthet men måste säga som det var:

– Men jag har ingen fantasi, inte som Jafet.

– Det är nog riktigt, sade Noa. Men du har något som är viktigare för den här uppgiften. Du förstår dig på människor, Kreli, deras sätt, deras olikheter, deras rädsla och humör. Jag tror att du gör det för att du tycker om dem.

– Ja, sade Kreli, jag tycker om folk. Och jag kan ju en hel del om hushållsarbete och hur det skall organiseras.

– Jag vill att du lär känna och blir vän med alla de hustrur som skall med på skeppet, sade Noa. Du kan börja att öva dig på Napulars hustru Wanda som kommer hit i morgon med sina barn. Själv tycker jag att hon är obegriplig som ett argsint barn.

– Hon är konstnär, sade Naema. Och så är hon av ett annat folkslag.

– En bergsmanskvinna, sade Jafet. Henne kommer jag att gilla.

292

Kapitel 53

Jafet låg på magen vid södra bryggan och lekte med en liten låda som han lastat med grus när Sinar kom släntrande förbi:

— Har du blivit barn på nytt?

Jafet satte sig upp. Han skrattade men rösten var kort och arg när han sade:

— Den sjunker när vattnet slår över den, Sinar.

— Naturligtvis gör den det, sade Sinar och i det ögonblicket såg Jafet munterheten i den gamle sjömannens ögon.

— Du förstår, sade Jafet och skulle just till att dra sin ramsa: översvämning, jordbävning, skyfall..., när Sinar avbröt:

— Jag har just talat med Sem. Och alldeles som han fann jag dina... fantasier mycket tänkvärda. Du är Naemas son, Jafet, på samma sätt som Sem är Noas. Nog skall vi göra det största drivankaret som någonsin skådats men inte med en lastad pråm.

— Hur gör vi det då?

— Av timmer som flyter i marvatten och håller sig kvar där vilka sjöar som än slår över.

— Det är du som är varvets geni, sade Jafet.

Under eftermiddagen kom Napular tillbaka och blev omedelbart kallad till möte i ritverkstaden.

Skulle det gå att göra trossar av sådan styrka att de kunde hålla kvar ett stort timmersläp i hård storm?

Napular var på gott humör. Han hade besökt sina linodlingar i bergen och så vitt han kunde bedöma skulle han få rik skörd också denna sommar. Och vad bättre var, med bergsfolkets hjälp hade han hittat det långfibriga gräset som skulle blandas i linet.

– Hjälpte du inte din hustru att packa, frågade Sem förvånat.

– Du är nygift och vet inte mycket om kvinnor, sade Napular. Vem står ut med en ylande hynda som tjuter genom natt och dag för att hon inte kan bestämma sig vad som skall slängas och vad som skall flyttas?

Bara Ham skrattade, de andra blev generade.

– Jag har själv tänkt på att vi kan behöva ett drivankare, sade Napular. Jafet såg besviken ut men Noa tänkte: Du ljuger, din skojare. Napular fortsatte:

– Jag tror inte det är repen som är problemet, mer hur vi skall göra fast dem. Det rör sig om djävulska krafter.

– Jag har tänkt på det, sade Sem som tillbringat vinterns många kvällar med att göra en enkel men begriplig modell av skeppet.

– Vi drar linorna förbi aktertanken och gör fast dem i stockarna som håller samman akterskeppet med sista sektionen, sade han. De stockarna går från botten till topp, så starkare kan det inte bli.

Han visade på modellen och Napular såg nöjd ut.

Så gick de igenom skeppet del för del. Botten var lagd i förskeppet och första delen med sina höga bord hade rests. Den första barlasttanken lyfte som en väldig skål mot himlen.

Fartygets bredd hade minskats från femtio alnar till trettiofem.

– Varför, sade Napular.

Sem förklarade tålmodigt att inte ens de starkaste av de långa cederstammarna hade bärkraft nog i smaländarna. Dessutom hade man fått för stora springor när de bilade stockarna lades samman tjockända mot smalända.

– Det betyder att vi måste minska också på längden, sade Napular.

– Jag är rädd för att omständigheterna kommer att tvinga oss till det, sade Noa.

– Vi kommer inte att få tid, menar du? Det var Sinar som frågade.

– Jag räknar med den möjligheten, sade Noa. Så fort förskeppet och den första delen blir färdiga måste vi bygga aktern med sin tank. På stockar och några hundra alnar inåt dalen. Egentligen skulle vi behöva ytterligare två arbetslag... så att vi kunde bygga jämsides.

– Vi har inte råd, sade Ham. Vi skrapar snart i botten på varvets kassakista.

– Jag har inte lagt mitt kapital i den kistan ännu, sade Napular. Däremot har jag sålt allt jag ägde i Eridu.

– Och jag har kvar mitt guld, sade Haran.

– Det är bra, sade Noa. Ni får göra en beräkning av de samlade tillgångarna tillsammans med Ham och Nin Dada som har ansvaret för dem. Kanske får vi råd att hyra fler slavlag.

– Guldvärdet stiger i Eridu, sade Ham som tänkte på Harans skatt.

Sem fortsatte sin genomgång. Hela undre däck skulle fyllas med sand och annan barlast, sade han. På andra däck skulle förråden stuvas, varvets alla verktyg, jordbruksredskapen, familjernas möbler och husgeråd, reservmaterial, sädesförrådet...

– Vi skall ha varvets bästa båtar med oss och jag har funderat mycket på var vi skall placera dem, sade Sem. Egentligen skulle de surras här på förrådsdäcket. Men om det blir ett nödläge och vi snabbt behöver få dem i sjön tar det lång tid att få upp dem. Så jag tror nog vi får förvara dem bland djuren på mellandäck. Han visade på de stora luckorna från huvuddäck.

– Större delen av tiden bör vi kunna ha dem öppna eller åtminstone på glänt, sade han. Vi måste ju ha luft och helst också ljus till djuren.

Nu gick han igenom inredningen.

– Jag tror att vi måste ge dem bås med ordentliga mellanväggar, sade han. De måste kunna tjudras ordentligt, jag vill inte riskera att tjurarna och oxar...

Alla förstod honom men Napular avbröt.

– Vi har ju inte en enda jävel som förstår sig på djur, sade han.

– Men far har en idé, sade Jafet.

– Jag skall berätta om den så fort planen klarnat något, sade Noa. Men så mycket kan jag säga som att jag har gott hopp om att få med två erfarna bönder.

– Vid alla gudar, sade Napular. Hur tror ni att bönder skall klara livet på ett skepp i storm? De kommer att krypa ihop bland sina djur och spy, skrika till sina åkergudar och dö av ren skräck.

Noa måste skratta.

– De två jag har... valt är unga. Dessutom är de tränade soldater.

Napular stirrade med runda ögon på Noa men sade till sist:

– Några sådana djur har jag aldrig mött. Det skall bli

intressant.

Sem fortsatte att beskriva långhuset på huvuddäck. I mitten låg det stora kokhuset med spis och bakugn, långbänkar och bord.

– Kokhuset blir samlingsplats ombord. Föröver finns bostäderna, ett eller två rum för varje familj. Allt sjövant folk får sina bostäder längst ut så att de snabbt kan nå däck. Om virket och tiden räcker gör vi enkla mellanväggar. Annars får vi balka av med hudar eller tyg.

Männen nickade men Napular sade:

– Det verkar bättre att vara ko på den här resan. De skall ju få egna rum.

– Ja, sade Sem. Det beror på att vi inte kan tala med djuren och be dem ta sitt förnuft till fånga.

– Det kan man inte med kvinnor heller, sade Napular. Är det ingen av er som kan föreställa sig hur det blir när tolv kvinnor blir hysteriska samtidigt? Eller bara så förbannade att de klöser ut ögonen på varandra.

Jafet skrattade högt men Sem blev arg och sade kort:

– Vi har tänkt på riskerna även om vi inte tror att de är så stora som du målar upp dem. Även kvinnor och barn ombord kommer att ställas under befäl. Som männen under Noa.

– Det var som satan, sade Napular. Får man fråga vem denna modiga befälhavare är?

– Jag har utsett Kreli, sade Noa som gjorde vad han kunde för att inte skratta.

Men Napular skrattade inte när han sade:

– Det kan gå. Hon är ett sjusärdeles fruntimmer.

Sem återgick till sin beskrivning. De verkstäder som måste fungera för skeppets reparationer skulle förläggas till långhusets andra del.

– Viktigast är repslagarbanan, sade Sem. Napular måste räkna ut hur mycket utrymme han behöver för sig och sina män.

Repslagaren var belåten.

– Vi har gott om utrymme, sade Sem. Jag tror att det är bra för humöret ombord om vi kan hålla både krukmakaren och snickarna sysselsatta.

– Och vävkammaren igång, sade Napular. Om Wanda inte får väva kommer någon att kasta henne överbord.

Sem fortsatte att redogöra för pumpanordningarna. Åsnor skulle dra pumparna uppe på huvuddäck. Rundgången skulle ordnas innanför barlasttankarna i för och akter.

– Vi kommer att ta in vatten, sade Sinar. Jag har sett på anslutningarna mellan botten och bord och trots att vi inte sparat på jordbeck...

– Vad tror du om Harans vinkelstänger?

– De verkar bra, sade Sinar. Men vi behöver tusentals. Hinner du, Haran?

– Jag tror nog det, sade den sotige smeden. Men du påminner mig om att jag har en ny smälta i jorden.

Han lämnade dem och kort efteråt avslutade Noa mötet och gick för att hälsa Wanda välkommen till varvet.

Kapitel 54

Den tidiga morgontimmen hade Kreli tillbringat tillsammans med Noa. Och Naema som satt vid samma bord lyssnade och teg som hon brukade.

Kreli hade snart förstått. Hon skulle ta emot varje ny familj som kom till varvet, bli vän med kvinnorna och lära känna vars och ens egenart. När slutligen alla var på plats skulle Noa kalla till möte och offentligt utnämna Kreli till ledare för hushållet ombord. Sedan fick hon handla efter eget huvud. Han och Naema skulle ge råd om hon fick svårigheter men helst inte ingripa.

— Jag tror nog du får folk att lyda, hade Noa sagt.

Men Kreli hade skakat på huvudet, inte var hon respektingivande.

— Respekt får den som vågar vara sig själv, sade Noa.

Kreli började med att städa huset som Napular valt för sig och sin familj. Det var en stor bostad med utsikt åt söder över bukten och varvet.

Här skulle behöva repareras, tänkte Kreli medan hon värmde vatten och hämtade skurborstar. Å andra sidan lägger man inte ner arbete på ett hus som snart skall förintas.

Hon knäskurade golvet, gjorde rent i de redan rena skåpen. Som alltid tänkte hon bäst när hon arbetade hårt. Allt hon hört om Wanda hade varit motsägelsefullt: en konstnär, ett ursinnigt barn. En kvinna från ett folk med andra seder.

Modern hade varit synsk med större förmåga än Naema, åtminstone om man fick tro Naema själv. Wanda var ett av tolv syskon och bara fyra hade överlevt. Så nog hade hon haft döden på nära håll.

Jag undrar hur hon träffade Napular, tänkte Kreli. Men mest tänkte hon på Liena, äldsta dottern som Napular redan från början haft med till varvet.

Hon var vacker med sina stora gasellögon och i början hade Kreli varit avvaktande. Sedan hade hon som de andra fått erkänna att flickan hade både styrka och värme. Nin Dada ansåg rentav att Liena hade gott huvud.

— Vad det nu innebär, sade Kreli högt.

När huset var städat var Kreli framme vid slutsatsen att Wanda var en bra mor. Och att en bra mor är en bra människa.

En stund senare hörde hon vakten blåsa för båten som närmade sig varvet. Kreli sprang hem, drog en ny klädnad över huvudet och hann kamma sig innan Napular lade till vid den nya storbryggan.

Så tjock hon är. Och ändå så tilldragande, läcker som ett bakverk. Och så rädd! Och vilket flyttlass!

Den långa båten var överlastad och Napular sade:

— Om man skall flytta på Wanda får man vara tacksam för att det inte blåser.

Han skrattade men Kreli var glad för att hon inte instämde i munterheten när hon såg att Wandas ögon gnistrade av ilska. De gick upp mot huset, Wanda tackade inte för städningen men sade till sin man:

— Du påstod att det var större än huset hemma. Men

du ljög som vanligt, din hund.

– Mamma, skrek de tre barnen och modern rodnade och bet ihop.

– Mina föräldrar har ett konstigt sätt att tala med varandra, sade Liena till Kreli. Ju mer de skäller desto bättre trivs de.

– Det var bra att veta, sade Kreli och menade det.

Så hälsade hon på de yngre flickorna, som var lika vackra som sin storasyster.

– Var finns Naema, viskade den minsta och Kreli log och sade:

– Spring mot det stora huset där borta. Där håller Naema och Milka på med välkomstmaten.

– Milka? Är det hon som är gift med Jafet? Finns han här?

– Ja, sade Kreli och kramade flickan.

– Jag kan alla hans sånger, sade barnet.

– Ge er iväg, sade Wanda och barnen försvann.

När de två kvinnorna blev ensamma samlade sig Kreli, såg stint på Wanda och sade:

– Här finns ingenting att vara rädd för, Wanda. Och du och jag skall bli vänner.

Nu sprutade tårarna ur Wandas ögon, hon grät som ett barn och kastade sig i Krelis armar. Kreli kramade och torkade tårar och tänkte: Men hon är ju ett barn.

De släpade möbler och packade upp. När Wandas vävnader kom fram ur en av de största kistorna blev Kreli stum, något liknande hade hon aldrig sett. Dova färger av ljung, ljust lila, skiftande nyanser av mörkaste svart och skimrande brunt, gult, från vete till lysande saffran, och överallt inslag av guldtråd.

Hon såg från tygerna till den tjocka lilla kvinnan, fortfarande utan ord, när det knackade på dörren. Det var Nin Dada som kom för att hälsa Napulars fru välkommen, bugade, sade vänligheter men avbröts av Kreli som sade: Titta, Nin Dada, titta!

Nin Dada saknade guskelov inte ord. Nästan tokig av glädje strök hon över tygerna: Det är underbart, jag har aldrig sett något liknande.

Wanda var röd av glädje och snart hade hon svept in både Nin Dada och Kreli i vävnaderna.

— En spegel, ropade Nin Dada. Jag blir galen om jag inte får se mig i en spegel.

— Här, sade Wanda och visade på ett stort paket. Men var försiktiga, det är det dyraste jag äger.

— Karlarna sammanträder som vanligt, sade Nin Dada. Vi har gott om tid.

De fick upp spegeln mot väggen och hade gudomligt roligt när de draperade de vackra tygerna på sig själva och varandra.

— Jag har sytt en dräkt till Naema, sade Wanda. Hon skall få den som gåva från mig. Noa hade inte råd.

De blev stående tysta mitt på golvet, försökte le mot varandra men visste alla tre att leken var slut. De var tillbaka i verkligheten och den hade ingen plats för vackra kläder.

— Jag vill egentligen inte med på resan, sade Wanda till sist. Jag vet vad som skall ske, mor talade inte om annat den sista tiden. Men jag har sett mycken död och är inte rädd.

— Varför följer du med?

— För flickornas skull. Och för att Napular säger att han inte kan leva utan mig.

Nu grät hon igen, Nin Dada blev förvånad men Kreli började vänja sig. Båda kände att det skulle bli svårt att begripa men lätt att tycka om Wanda.

302

Veckan efter kom Sinars brorson Eluti till varvet med hustru och tre småbarn, två flickor på fem och fyra år och en son som ännu låg i vaggan. Eluti liknade Sinar, en lång och praktisk man. Hustrun hette Ninurta, var ung och ödmjuk. Tacksam tydde hon sig till Kreli.

Och innan sommaren var slut skulle de finnas på plats, alla de femtiotre männen, kvinnorna och barnen som utvalts för resan.

Kapitel 55

En klar höstkväll låg Ham med sin båt och sina roddare strax söder om gränsen och väntade på soldaterna från Nord. De hade ankrat redan i solnedgången, mörkret föll, timmarna gick.

Ham hade god tid att tänka. Men som så ofta på sistone var tankarna motsägelsefulla och plågsamma. De surrade kring Nin Dada, ilskna som bin.

Gud som han hatade henne.

Hon hade suttit i ritverkstaden som vanligt när han gått för att ta farväl inför resan. Han kunde se henne framför sig, det mörka krusiga huvudet tätt intill Sems och den intensiva blicken riktad mot lertavlan med tecknen.

De hade roligt tillsammans, hans bror och hans hustru. Och mer gemensamt än han själv och hon någonsin haft.

En dag skall jag slå ihjäl Sem som har tagit ifrån mig både Nin Dada och Kreli, tänkte han och skakade på huvudet åt sig själv: Jag är inte klok.

En lång stund ägnade han sig åt självförakt, ältade sin uselhet och slutade som vanligt vid minnet av mötet med Kreli en kväll när hon gått bakom sydklippan för att bada.

Det har inte hänt, tänkte han. Det kan inte ha hänt. Jag är inget brunstigt djur.

Och hon hade varit som vanligt nästa dag, glad och vänlig. Att hon höll avstånd, att hon såg till att aldrig bli ensam med honom... nej, han inbillade sig.

Han älskade sin hustru som han alltid gjort.

Och allt var Nin Dadas fel, denna kvinna som höll tusen trådar i sin hand när det gällde det stora bygget. Alla, Noa, Sem, Napular, Sinar, vände sig till henne med sina frågor, hur mycket?, var finns?, i vilken ordning?

Det var ju inte bara detta med de förbaskade lertavlorna. Nin Dada hade ett klart huvud och ett minne som Gud själv. Hon skrämde honom.

Värst av allt var att han själv måste gå till henne inför varje resa till Eridu, få sina instruktioner, repetera minneslistan och göra beräkningar av kostnaderna. Varje dag på sistone hade Noa frågat henne hur mycket de hade kvar och fick alltid ett svar som var rätt på minsta sikel när.

Själv misslyckades han allt oftare. Malmen som Haran behövde hade Noa fått skaffa själv. Och med bergsmännen som fällde timret hade Noa förhandlat sedan Ham misslyckats att hyra slavar.

Nu äntligen dök tre figurer upp, tecknade mot himlen ovanför klippan. Noa och de två nya, tänkte Ham och slängde ny ved på lägerelden. De två flyktingarna skulle bjudas på varm soppa innan resan gick söderut.

De skakade hand. Till sin förvåning kände Ham igen dem från vakttornet.

– Har allt gått efter beräkning?

– Ja. Vi gick norrut efter avlösningen. Sedan väntade vi på mörkret innan vi tog oss tillbaka till muren, kröp genom hålet och fann kläderna. Vi hade lite svårt att hitta kullarna men Noa väntade oss...

Den unga rösten jublade.

Ham tyckte om dem, både öppenheten och glädjen. Och

hans känsla förstärktes när Noa sade:
— Nu står ni under Hams befäl. Lycka till.

Noa gick ensam hemåt i natten, nöjd. Del efter del av den stora planen gick mot sin fullbordan. Egentligen hade han bara ett problem och det gnagde honom.

Skulle deras tillgångar räcka?

Först hemma i byn på väg förbi Hams hus kändes han vid sin oro för sonen. Ham var sig inte lik.

Innan han somnade tog han upp saken med Naema: Vad är det för fel med Ham? Hon dröjde med svaret och han visste att hon rörde sig i sanningens utkanter när hon till sist sade:

— De har det inte bra, Nin Dada och Ham. Han har svårt också att stå ut med att hans hustru fått en viktig roll i planeringen. Hon är ju snart lika betydelsefull som Sem när det gäller skeppet.

— Ja, sade Noa. Jag borde tacka Gud varenda dag för hennes skicklighet och goda huvud. Och det borde Ham också.

— Det gör han nog om han tänker efter. Men det är känsligt, Noa.

Han teg, han funderade på vad det var Naema uteslöt. Och plötsligt visste han det:

Kreli, tänkte han. Den förbannade lymmeln är förälskad i Kreli.

Sedan tog han sina sista krafter för att tränga bort den insikten.

Arbetet på skeppet gick allt snabbare. De hade lärt av erfarenheten från de första delarna. De gigantiska lådorna reste sig över bergskammen i norr nu och Noa antog att det gick täta rapporter till Sinear. Det märkvärdiga bygget fick också många nyfikna i Syd att ta sig upp mot gränsen för att stå där och stirra, ställa frågor och skaka på huvudet. På varvet höll man envist fast vid sin förklaring: man byggde verkstäder, repslagarbana och smedja i en enda byggnad.

Somliga trodde dem, andra såg tveksamma ut. Men alla ryckte på axlarna till sist och Noa välsignade sydfolkets sätt att ta lätt på det mesta. Om Noa hade blivit tokig var det hans sak och inget som angick dem.

Tillsammans med Ham och Nin Dada räknade Noa kassan med tyngre hjärta för varje dag. Skulle de ha råd att hålla dubbla slavlag även under vintern? Napulars förmögenhet naggades nu, Harans guldtacka hade huggits i bitar.

Nin Dada reste med Ham över gränsen för att ta avsked av sin mor och förklara att hon och Ham bosatt sig på varvet för alltid. Det vita huset skulle inte byggas upp igen.

Modern sade trött att hon hade förstått det och att hon hoppades att de skulle hälsa på ibland. Men det var lätt att se att hon inte var särskilt angelägen och om barnbarnen sade hon:

— Ta inte med dem, jag orkar inte med småbarn.

Hon är kall som en fisk, tänkte Ham och tyckte synd om Nin Dada som kämpade med gråten men ändå måste komma ma till sak:

— Vi måste bygga ett nytt hus. Kan jag få ut mitt farsarv?

— Det får väl ordnas, sade modern och varken Nin Dada eller Ham trodde sina öron. De hade varit beredda på strid.

När de lämnade henne sade Nin Dada:

— Hon har redan givit upp.

Med sig hem hade Nin Dada också en kista som var viktigare för henne än guldet. I den fanns faderns lertavlor.

När Nin Dada lade sin förmögenhet i Noas kassakista räknade de ut att de skulle klara sig ytterligare några månader. Men vintern?

Det var Kreli som kom att tänka på Wandas vävnader. Hon visade dem för Ham som genast såg möjligheterna:

– Till vem hade Wanda sålt sina tyger tidigare? Vad hade hon fått betalt?

När han fick höra priset blev han rasande:

– Du blev lurad, Wanda.

Wanda skrek som hon brukade i högan sky, det hade hon nog anat, den satans tyghandlaren och den förbannade Napular som aldrig hjälpt henne. Hon blev så högljudd att Napular kom störtande för att få veta vad som hänt.

– Din hustru har blivit lurad, sade Ham lågmält och ilsket. Du borde ha hjälpt henne med försäljningen.

De hade alltid tyckt illa om varann, Ham och Napular. Nu var de nära slagsmålet, men Wanda skrek så att Noa kom springande och gick emellan.

En vecka senare sålde Ham alla Wandas vävnader i Eridu och kom hem stolt som en kung. Äntligen kunde de hyra dubbla arbetslag under hela vintern. Wanda firades med vin, Jafet skrev en sång om väverskan som räddade skeppet. Napular tjurade och Wanda växte.

– På en enda dag blev människan vuxen, sade Kreli efteråt.

Och Nin Dada nickade igenkännande.

Kreli kallade de tolv kvinnorna till möte. Med stor inlevelse beskrev hon hur deras liv ombord skulle gestalta sig, hur de skulle bo och leva och vilka faror som kunde hota barnen.

Alla lyssnade uppmärksamt. Men så fort hon tystnat talade de högt och ivrigt i mun på varandra. På kvinnors vis, som Napular skulle ha sagt om han fått vara med.

Ändå kom det fram bra förslag och viktiga synpunkter. Nin Dada var med och skrev ner det väsentliga, förslag till mathållning, hur tvätt och bak skulle ordnas, ansvar fördelas.

Den skarpa vasspennan som ristade i lertavlorna dämpade ivern, det blev viktigt och högtidligt. Och Kreli var noga med att ge alla tid att tänka efter.

– Vi håller möte varje morgon, sade hon. Nu slutar vi för i dag och när vi ses i morgon har ni hunnit tänka efter och säkert fått nya idéer.

– Kreli är förbaskat duktig, sade Nin Dada till Ham.

– Jag klarar det, sade Kreli till Sem.

Kapitel 56

Nu gick djuren på höstbete uppåt kullarna, kor, getter, får, grisar. Flest var åsnorna, de tåliga djuren som skulle hålla Sems pumpar igång.

Noa var nöjd med sitt folk men sade i hemlighet till Naema att han trivdes bäst med de två soldaterna från Nord. Och Naema såg att det fanns släktskap mellan Noa och hans unga landsmän.

Det var inte längre någon risk för att säden som nu skeppades till varvet hade någon dold sjukdom. Och de nya djuren var både friska och välväxta.

Den korta vintern gick och våren kom, i rätt tid. Solen blev varmare och vårregnen fuktade den torra jorden.

Återigen blommade markerna.

För- och akterskepp var för länge sedan färdiga, de väldiga barlasttankarna täta och fyllda med vatten. Åtta delar i det långa skeppet hade dragits ihop med trossar, fogarna hade förstärkts med Harans vinklade metallstänger och tätats med tjocka lager av jordbeck.

Långhuset var inrett med väggfasta sängar. Bord och skåp hade slagits fast i golven liksom Naemas sålådor. En vårvinterhelg när arbetsfolket var ledigt hade de sexton familjerna flyttat in och provbott ett dygn på skeppet.

Nu firade folket i söder sin stora vårfest och slavdrivarna hade rest med sitt folk till Eridu för att delta i högtiden. Det var helg i luften också här på byggplatsen, varvets män och kvinnor vilade och försökte njuta av tystnaden.

Endast Noa och hans söner fanns ombord. De stod i akterskeppet, högst upp, och gjorde fast trossarna till drivankaret när de fick se Naema komma springande.

Hon flög över marken, som hinden på flykt undan rovdjuren. Lika ung och lika smidig som när vi möttes en gång, tänkte Noa och hans hjärta blev varmt. Men i nästa ögonblick insåg han att hennes brådska hade en orsak och tillsammans med de andra sprang han utför lejdarna.

De möttes på nedre däck och Naema sade:

— Det är dags, Noa.

De fyra männen stelnade, såg mot himlen. Ett svagt duggregn var på väg från norr, ett vanligt vårregn.

— Du är säker?

Hon hejdade sig en stund, lyfte ansiktet mot de första regndropparna och nickade.

Bara Noa och Jafet, de som kände henne bäst, såg att det fanns ett stråk av tveksamhet i hennes ögon. Men Noa beslöt att handla — hade hon fel skulle de ändå få god övning.

Han nickade mot Jafet som lyfte det stora hornet från däcket och blåste av full kraft. Människorna började strömma ur husen.

— Vi har anledning att tro... att stunden är inne, sade Noa. Alla kvinnor och barn står nu under Krelis befäl och gör som hon säger. Alla män följer med mig. Vi måste hinna ansluta akterskeppet.

Innan Naema försvann med de andra kvinnorna frågade han tyst:

— Hur lång tid har vi på oss?

— Bara dagen, tror jag.

Noa svor, de hade ett drygt arbete framför sig.

– Det är ännu morgon, sade Naema.

Akterskeppet hade byggts på rullande stock, men det var tungt som sten och Noa förstod snart att han måste tömma barlasttanken. Medan vattnet rann ut spände de allt vad dragdjur de hade, åsnorna och de stora oxarna, framför skeppet och aln för aln rullades den höga akterdelen mot sista sektionen.

Det var ett ursinnigt arbete och Napular svor för dem alla. Men de fick aktern på plats och när rullstockarna dragits undan anslöt den sig exakt till det övriga skeppet. Nu hängde allt på Napulars rep och Harans vinkelstänger.

Medan repslagarna drog så att de riskerade sina stora spännare drev Haran och hans söner in stängerna i anslutningen. Ham och Jafet fanns redan på plats vid elden där jordbecket värmdes. Och Sem pumpade nytt vatten i barlasttanken.

Milka kom med bröd och öl till männen. Kvinnor och barn var ombord, varje familj i sitt rum, sade hon. Kunde de tända elden i kokhuset så att alla fick varm mat?

Noa nickade, javisst. Och medan Milka sprang vidare i regnet tänkte han att snart var det bara djuren kvar. Men han vågade inte lita på sitt minne.

– Be Nin Dada komma hit, ropade han efter Milka.

Hon kom efter en stund, drypande våt. Och han sade:

– Gå igenom alltsammans, Nin Dada, dra dina långa listor.

Gud välsigne hennes goda minne, tänkte Noa när hon rabblade: På första däck: Fyra mindre tunnor honung, femton tunnor salt, soda, tjugo väl tillslutna lerkärl med mjöl, tio med olja, tio med utsäde, varvets många verktyg, väl sorterade, koppar- och blandmalm, Napulars tågvirke, jordbeck, soltorkat tegel staplat i högar stora som berg...

Listan var lång: på mellandäck samtliga djur: Två tjurar, åtta kor, två oxar, tio getter, femton får, tio grisar varav två galtar, tolv åsnor, tjugo höns... och så det väldiga förrådet av foder. Ved och träkol i lådor, färskvattenkärl för djuren, varvets båtar, väl surrade.

Så småningom var hon framme vid förråden på övre däck, allt som hörde till köket och den stora växtodlingen. Nu hörde Noa inte längre på, han litade på Kreli. Hans tankar gick till lasten på de undre däcken och risken för förskjutning i hårt väder.

De hade diskuterat problemet i dagar. Till sist hade Sem tagit ansvar för stuvningen.

– Jag måste lita på honom, tänkte Noa.

Han tackade Nin Dada och när han hjälpte henne ner från akterskeppet såg han att regnet ökat till skyfall.

– Spring så fort du kan, flicka lilla. Sedan röt han sina order till Taran och hans bror.

– För hit djuren, vi drar ut landgången midskepps nu.

Skyfallet ökade och mörkret föll snabbt när djuren drevs ombord. Taran räknade dem och gjorde klartecken till Noa.

På övre däck lagade Wanda maten medan Kreli räknade människorna, kvinnor och barn. Hon hade gjort det två gånger redan men måste ändå göra det en sista gång.

– Gud i himlen, skrek hon den här gången. En fattas.

Naema kom springande från växthuset:

– Det är Milka. Hon skulle hämta katten.

– Men hur kunde du tillåta det, skrek Kreli och Naema hann aldrig säga att Milka inte gått att hejda. Kreli flög utför lejdarna och förbannade katten, som Milkas unge fått av Wanda. Jag visste det, tänkte hon. Katter för med sig olycka.

Männen hade inte dragit in landgången och Kreli sprang rakt ut i mörkret. Varför är de så tysta, tänkte hon förvirrat.

Sedan såg hon det. I det fladdrande ljuset från Noas olje-lampa stod Skuggan med Milka i ett hårt grepp framför sig. Han höll sin kniv över flickans strupe och hans röst var lugn och torr som vanligt när han sade:

— Jag ger dig flickan om du tar min son med dig på resan.

— Jag lovar.

— Och du svär vid din gud att ta väl hand om pojken.

— Jag svär vid Gud, Mahalaleel.

Noas röst ur mörkret var lugn och övertygande.

Det gick en minut, den längsta de väntande människorna upplevt. Sedan kastade Skuggan Milka till Noa, vände sig om och lyfte upp buren med barnet.

Noa lade Milka i Jafets famn och tog lugnt emot buren. Han lämnade den till Sem som stod närmast och sade:

— Bär honom ombord.

Skuggan stod kvar tills landgången dragits in. Sedan vände han och gick genom skyfallet tillbaka till sitt hem. Marken skalv under hans fötter, jordbeck sprutade ur sina källor. Men han tog sig fram, han kom hem. Tjänarnas hus hade slukats av jordskalvet, försvunnit i en krater vid boplatsens utkant. Han nickade, fann det gott.

Så gick han in till sin hustru, drog sin kniv och stötte den i hennes hjärta. När han dragit ut den såg han länge på den i ljuset av lyktan han tänt.

Men han brydde sig inte om att torka av den innan han drev in den mellan sina revben.

314

Kapitel 57

Milka var medvetslös när Jafet bar henne uppför lejdarna till Naema. När Naema rörde samman drycken som skulle ta flickan ur svimningen viskade han:

— Hon är med barn, mor.

— Jag vet, Jafet. Men hon blöder redan och jag tror inte hon får behålla barnet.

Medan Milka krystade fram sitt foster samlades männen på däck. Det regnade, ingen hade sett ett sådant skyfall tidigare.

— Vad gjorde du av... pojken?

— Jag ställde honom bland de andra djuren, sade Sem och hans röst var hård som flinta.

Noa satte ut vakter, Ham och Nekar på fördäck, Sem och Laios i aktern. I kokhuset fick han en tallrik varm soppa av Wanda, åt utan att smaka. Sedan gick han till sjukrummet där Jafet och Naema vakade hos Milka. Hon sov, trött efter missfallet.

— Hur är det med henne?

— Kroppen kommer att läka som den skall, sade Naema. Men hon är svårt förvirrad.

Jafet var vit som en död. Noa lade sin hand på hans axel men Jafet viskade:

— Du förstår inte, far. Hon har förlorat förståndet.

När Noa gick tillbaka till kokhuset hörde han Kreli säga att alla skulle gå till sängs och att de skulle väckas om någonting hände. Också Noa kastade sig på sängen i sin hytt, låg där med vidöppna ögon och väntade på tystnaden. När han var säker på att alla somnat steg han upp, drog livklädnaden över huvudet, spände bältet i midjan och fäste sin långa kniv innanför. Tyst klättrade han utför lejdarna, fann buren med barnet och bar den på ryggen ner till undre däck.

Han kunde känna att han var iakttagen och hörde de tysta stegen som följde efter honom. Men han lät sig inte bekomma, slog eld och tände sin lampa.

Det var, som han trott, Jafet.

– Det här är mitt uppdrag, Jafet, sade han. Så öppnade han burdörren, böjde knä framför det sovande barnet, drog hans huvud bakåt och skar av halsen.

Han såg inte på Jafet när han kröp ut ur buren med det döda barnet i armarna.

– Ta buren och följ efter, sade han.

Så klättrade de uppåt. Noa bar barnet över axeln och blodet rann över ryggen och droppade på Jafets huvud. På övre däck gick Noa mot relingen och kastade sin börda överbord.

Jafet slängde buren, ingen av dem sade ett ord och de vågade inte se på varann.

Noa tvättade blodet av sina händer i kokhuset innan han återvände till sjukrummet. Där var allt som förut, Milka sov, Naema vakade.

Jafet stannade strax innanför dörren, men Noa gick fram till sängen.

– Milka, hör på mig.

Flickan ryckte till när rösten trängde igenom hennes mörker. Ögonlocken fladdrade och han sade det igen:

– Milka, nu hör du på mig.

Hon kände igen hans röst och tänkte att hon aldrig tidiga-

316

re hört honom tala så hårt till någon.
— Ja, sade hon.
— Han är död nu, Skuggans son, sade Noa.
Milka slog upp ögonen.
— Ja, sade hon. Han är död. Hur kunde han dö?
— Jag dödade honom.
Hon var tyst länge, men ögonen var vidöppna och blicken klar. Till slut sade hon:
— Tack.

Noa måste ut ur sjukrummet. På däcket slet han av sig den blodiga livklädnaden, bältet, kniven. Allt kastade han över bord innan han gick till sin egen hytt.
Naema kom snart efter:
— Jafet får sova hos Milka, sade hon.

Noa såg på sin hustru, ögonen var stumma men hans armar grep efter henne. Han lade henne på sängen, rev av hennes kläder och tog henne. Gång på gång stötte han sin lem i henne, hårt och förtvivlat som om den sökte själva livet.

I gryningen bultade Ham på hans dörr:
— Vi flyter, far. Vi flyter.

Kapitel 58

De syner som mötte Noa från däcket på förskeppet var overkliga som bilder i en mardröm. Floden steg i rasande fart, stod säkert tio alnar över sina bräddar. Varvets bryggor hade dränkts i vattenmassorna, verkstäderna och boningshusen på sluttningen hade försvunnit i kratrar. Runt om dem rämnade marken som en lerkruka.

Inåt land böljade jorden som havet i storm. Vatten och jordbeck sprutade ur marken. Stora flammor steg mot skyn, blixtrade och försvann.

– Det är gas som exploderar, sade Sem. Men Noa hörde honom inte, han tänkte på Lameks stämma en dag för två år sedan:

– Jag skall utplåna alla varelser på jorden, både människor och djur...

Han hade lytt ordern som gavs, satt in alla sina krafter för att göra som Gud befallt. Ändå hade han egentligen inte trott att Gud skulle sätta sin plan i verket.

Nu såg han det ske och förstod vad som hände i Eridu och Sinear, där människorna försvann i kratrarna eller sveptes med av flodvågen. Många skulle kvävas långsamt i jordsprickorna, andra skulle kämpa i dagar i floden innan lungorna fylldes av vatten. Barn, kvinnor...

Hans Gud ägde ingen misskund.
Inte heller han när han skar halsen av Mahalaleels son.

Han tog sig samman och blev medveten om att skeppet långsamt rörde sig, att de flöt och drev mot flodfåran. Drivankaret?

Men han behövde inte oroa sig. Jafet, Napular och hans män stod färdiga i aktern. Aln för aln släppte de ut av de långa trossarna. Det skulle ta timmar. Ingen av dem kunde se det stora timmersläpet men det måste ju finnas där någonstans i det virvlande flodvattnet.

Låt trossarna hålla!

Wanda och Nin Dada bar varmt te och bröd till männen på däck.

– Håll er stilla. Inga småbarn får springa omkring, sade Noa och Nin Dada gick in i långhuset för att föra ordern vidare. Genom skyfallet kunde Noa höra hur barnen skrek i protest.

– Spring till Naema och säg henne att hon skall binda Milka i sängen.

Jafet nickade men hann inte till sjukrummet innan stöten kom. Arken ryckte som om den fått ett piskrapp, stöt efter stöt gick genom skrovet. Till slut gav hon upp, fann sig i att farten dämpats och drev i långsammare takt söderut. Över lagunen, mot havet, de ändlösa vattenvidderna.

Napular jublade, båda trossarna hade hållit.

Men skeppet lutade. Det hade satt sig på bakändan och Sem trimmade. Genom den långa trätrumman fördes vattnet från aktertanken föröver och långsamt fann arken balans.

Hur mycket fribord hade de? Ham och Sinar mätte, de flöt djupt, bara femton alnar över vattenytan. Noa såg frågande på Sem som villrådigt skakade på huvudet. Ju djupare de låg desto mindre fart, det var bra. Men när stormen kom?

— Vi sjunker som en sten, sade Napular. Vi måste ha högre fribord.

— Ju tyngre vi ligger desto stabilare är vi, sade Sinar. Och Noa litade på honom. De hade lagom fribord, inget dyrbart färskvatten skulle pumpas ut.

Taran dök upp ur arkens innandöme, en av tjurarna hade fallit omkull vid stöten från drivankaret. Båda frambenen var brutna. Noa svor långa ramsor, varför i helvete hade han inte tänkt på djuren när han gav order om att småbarnen skulle hållas fast?

— Hade det gällt ett ben hade vi kanske kunnat spjäla det, sade Taran. Men nu. Jag är rädd att vi måste ta till slakt.

— Jag förstår, sade Noa och försökte tänka på att de skulle få gott om kött för resan över havet. Ham sade det alla tänkte: nu har vi bara en tjur när...

Men Noa kunde inte föreställa sig ett nytt liv i ett land långt borta i framtiden. Han sade kort:

— Be Kreli hjälpa dig att ta hand om köttet när du styckar.

Det regnade oavbrutet. De var insvepta i ett regn så tätt att de knappt hade tio alnars sikt. Men på morgonen den sjunde dagen svepte molnen undan, för en kort stund fick världen ljus.

Milka var på benen, allvarligare och tyngre än förr. Tidigt denna morgon mötte hon Noa vid relingen.

Till en början stod de tysta, det fanns inte mycket att säga. Han lade sin hand över hennes, den var liten och kall och till slut måste han fråga:

320

– Sörjer du barnet du förlorade?

– Mitt eget? Jag tror inte det, det var bara i början... av livet och Naema säger att jag kommer att få många barn.

– Och det andra?

– Du vet ju, sade hon, att det var ett sådant misslyckande. Jag dög inte för uppgiften och du måste... ta ansvaret för det.

Han teg, vad skulle han säga?

Människorna samlades på däck för att vända sina ansikten mot den välsignade solen. Men glädjen dog bort i rädsla när de fick se vattenvidderna. Runt hela deras horisont mötte havet himlen.

Och på eftermiddagen hörde de utkiken i förskeppet ropa: Oväder på väg!

Nu gav Noa order i snabb takt. Allt löst ombord skulle surras. Varje person skulle bindas fast i de väggfasta sängarna, barnen i mödrarnas famn. Elden och alla oljelampor skulle släckas, lerkärlen i kokhuset skulle ner i skåpen, packas så hårt det var möjligt. Dörrar skulle låsas med rep och kilar.

Alla skulle få två bröd och ett krus vatten. De fick spara på maten så gott de förmådde eftersom ingen visste hur länge ovädret skulle vara.

– Taran, skrek Noa. För hit Taran och hans bror.

När männen kom gav Noa snabba besked: Varje djur skulle tvingas ner i liggande ställning och bindas.

Men det viktigaste återstod. Luckorna måste slutas så väl att inte ens den kraftigaste stormvåg skulle slå igenom. Noa och hans söner hade sett över skalkningarna under veckan som gått, provstängt gång efter gång, tätat varje synlig springa.

Napular och hans män visste vad som väntade, de var

redan i akterskeppet för att bevaka drivankaret. De surrade sig med linor om midjorna och gjorde fast repen i samma stock som höll trossarna till timmersläpet.

Noa, hans söner och sjömän gjorde på samma sätt i förskeppet. De var tysta och sammanbitna där de stod och såg på den svarta molnbanken i söder. Den närmade sig i rasande fart.

Det blir värre än vi någonsin kunnat föreställa oss, tänkte Noa och såg på Jafet, som nickade, sammanbiten och blek. Han hade tänkt samma tanke.

Ögonblicket efter rusade vattenväggen mot dem, arken reste sig nästan lodrätt och föll rätt ner med ett dån som kunnat väcka de döda.

Hon går i bitar, tänkte Noa. Och Ham sade:

— Detta klarar hon aldrig.

— Det tror jag nog att hon gör, sade Sem lugnt och Noa fick hoppet tillbaka. Men i samma stund kom nästa våg, och nästa. I långa stunder var arken försvunnen i vattnet som spolade över henne, hon stampade som en galning, steg mot himlen, dök mot djupen och reste sig igen.

Varje gång, oförtrutet, reste hon sig igen. Stadig och tung, rakt mot vinden. Efter varje våg tappade hon kurs men snart kom rycket från drivankaret och tvingade henne tillbaka.

— Utan Jafets ankare hade vi varit förlorade för länge sedan, sade Sem. Orden var avsedda att uppmuntra, men Noas tankar gick till aktertrossarna. Hur länge skulle de hålla? Om de brast skulle timmerbröten driva mot arken och slå henne läck. Och det kunde göra detsamma, för vid det laget hade skeppet lagt långsidan mot stormen och kantrat.

Men trossarna höll, våg efter våg, timma efter timma höll rep och ark. Noa försökte låta bli att tänka på barnen

322

och kvinnorna, fastbundna och instängda i långhuset. Många var säkert sjösjuka. Han såg Ham böja sig över relingen och kräkas, hans ansikte var nästan grönt och hans ögon svarta av förtvivlan.

– Vi klarar det, Ham.

Noas röst var inte övertygande och Ham orkade inte nicka.

Dagen gick, natten kom, stormen röt, skeppet stampade. Så plötsligt blev det stilla. Var det över?

Noa ville tro det men vågade inte lita på sina sinnen.

– Jafet. Tror du att du kan ta dig akteröver och be Naema...

Jafet förstod, sprang, kastade sig ner när vattnet spolade över honom, kröp vidare. De sjöar som slog över nu var inte större än hus, han skulle klara det.

När han kom tillbaka sade han kort:

– Vi är i stormens mitt nu och där är det alltid stilla. Snart är andra omgången här och den blir lika lång. Men vi kommer att klara oss.

Noa tänkte på repslagarna i aktern och skräcken tog struptag på honom:

– Napular vet inte, Jafet, du måste.

Jafet var redan på väg och Noa skrek:

– Se upp, Jafet, för Guds skull, akta dig. Och stanna där om nästa storm kommer.

Men Jafet hann tillbaka. Napular hade förstått, hade själv tänkt på att han hört gamla sjömän tala om orkanens stilla öga.

Nu var det som om himmel och hav höll andan. Väntan var outhärdlig. När vinden röt till igen och den första vågen reste sig framför dem kände de sig nästan lättade.

Halva natten gick, arken stampade, reste sig och föll, res-

323

te sig på nytt. De trötta männen kände vördnad för henne, hennes viljekraft och styrka.

Så mitt i natten stillnade det, lika plötsligt som förra gången. Det var över, det var över. Nu gällde det drivankaret.

Noa sprang akteröver i vatten som gick högt upp på benen. Napular och de två repslagarna stod stilla som stenstoder vid trossarna, försökte med hjälp av repens sträckning avgöra var timmersläpet fanns. Natten var utan ljus, svart som en gravkammare.

Repslagaren nickade mot Noa: Vi klarar det. Efter en stund drog trossarna kraftigt åt babord och Napular skrek:

– Hugg!

Med fyra snabba hugg befriades arken från släpet, ryckte till, tog fart. De väntade andlösa, rädda trots allt för en kollision med timret. Men inget hände, arken drev i god fart med vind och vågor tillbaka mot det översvämmade landet.

– Det var satan så fort det gick att göra aktern till förskepp på den här resan, sade Napular och skrattade som en galning. Till sist kunde också Noa stämma in i skrattet, känna den stora lättnaden.

Det var över.

Kapitel 59

Noa gick igenom sitt skepp från för till akter, från nedre däck till övre. Naturligtvis hade de tagit in vatten, annat var inte möjligt. I bostäder och kokhus var allt genomblött.

Alla ombord hade blåmärken, många hade sår på armar och ben. De minsta barnen hade klarat sig bäst, somnat i mödrarnas armar. Nästan alla hade varit sjösjuka, det stank i långhuset där bleka människor befriade sig ur sina selar och försökte sträcka på armar och ben.

– Långsamt, rör er mycket långsamt och mjukt, ropade Naema i samma stund som Noa öppnade dörren.

– Vi öppnar luckorna nu så att ni får frisk luft, sade Noa. Till Milka som stod närmast sade han:

– Försök göra upp eld. Det blir inte lätt för allt är vått i kokhuset. Men vi måste få värme och torra kläder.

Långsamt började kvinnorna röra på sig, komma igång. Också barnen kvicknade till när den svala nattluften strömmade genom de öppnade luckorna.

På vägen ut mötte han Sem, som frågade:

– Hur är det med Kreli?

– Jag såg henne inte, sade Noa förvånat men i nästa stund förstod han Sems oro. Kreli var havande i åttonde månaden.

Noa följde med Sem tillbaka till boningshuset. De fann Kreli i sjukrummet med värkar.

Naema satt vid hennes sida och sade lugnt:

— Hon skall föda nu. Det är tidigt men det kommer att gå bra både för henne och barnet. Gå och vila, Sem, det tar lång tid för en förstföderska.

Men Sem stannade hos sin hustru och Noa gick ensam ut till de andra.

— Nin Dada?

— Här, sade den lugna rösten och Noa fortsatte högt så att alla skulle höra:

— Nin Dada övertar ansvaret här.

— Kan vi tända lamporna, frågade flickan och för första gången såg Noa hur svart mörkret var.

— Var försiktiga bara, sade han. Och vänta med att städa tills gryningen kommer.

När han gick nerför lejdaren till mellandäck tänkte han förvånad att det borde ha varit morgon nu, gryning över havet.

Djuren hade klarat stormen utan missöden, de flesta hade gjort som småbarnen och somnat när arken rullade som värst. Tjuren röt av ilska och djurskötaren fick väja för hornen när djuret skulle befrias från repen som hållit honom liggande.

Noa fortsatte med sin oljelampa till undre däck. Det tog honom bara ett ögonblick att se att två trossar slitits av och att de tog in vatten.

— Gode Gud, sade han där han sprang uppför lejdarna. Gång på gång sade han det: gode Gud.

Napular sov redan och Noa hann tänka att den mannen om någon förtjänade sin sömn. Men han ruskade repslagaren vaken och snart var Napular och hans män i arbete på undre däck. Nya rep spändes.

326

På övre däck drog åsnorna pumparna och långsamt hissades slagvattnet från båtens botten upp och ut.

Med Harans hjälp hade Milka fått eld i spisen, människorna samlades runt brasan, värmde sina stela leder. Noa fick en mugg hett te och sade till Haran:

– Jag undrar just om inte dina vinkelstänger räddat livet på oss i natt.

Han fortsatte ut på däck för att ensam tänka igenom det stora och oväntade problemet. Det kom ingen dag, det ljusnade inte över havet.

Han gick föröver, till Sinar och Ham som hade vakten. Tillsammans försökte de tre männen begripa, räkna de timmar som måste ha gått.

– Tiden har stannat, sade Ham.

– Tiden kan inte stanna, sade Sinar.

– Vi är kanske döda, sade Ham, men då blev Noa arg och skickade sin son till sängs.

De stod där länge, Sinar och Noa. Det regnade. Så småningom blev mörkret gråaare.

Det var dag men på skeppet hade man endast ledljus.

Kapitel 60

Mörkret varade i fyrtio dagar. När gråheten svartnade mot kvällen försökte människorna tänka att det var natt på jorden. Men de kunde inte sova. Bara korta stunder och när som helst på dygnet flydde de in i sömnen, överväldigade av trötthet och oro.

De hade förlorat tiden och var vilsna som gengångare.

Det regnade oavbrutet.

Det fanns inte längre några ljud i världen, ingen vind som ven, ingen fågel som sjöng. Och tystnaden berövade dem rummet. Ett slag var barnen och de unga högljudda, deras sånger steg till rop och allt oftare hände det att de skrek mot tystnaden som om det varit möjligt att besegra den.

Men efter en tid tystnade även människorna som om de själva sjunkit in i stillheten. Och de viskade till varann att de var döda och seglade ett spökskepp utanför tid och rum.

Även Noa var påverkad av tidlösheten. Men han höll sig med förtvivlad beslutsamhet fast vid Sems tidmätare och kungjorde att nu var det förmiddag den trettionde dagen eller kväll den trettioförsta. Somliga trodde honom och kunde hålla sig kvar i verkligheten. Men de flesta gav upp.

Lättast var det för de kvinnor som hade små barn. De nyföddas kroppar hade inte förlorat kunskapen om dygnet, de sov under den tid det skulle ha varit natt på jorden och vaknade och skrek efter mat när det skulle ha varit gryning. På det sättet hölls mödrarna kvar i tiden och visste att de inte var döda, att barnens kroppar var varma, levande och krävande.

Men nu var det den fyrtionde dagen och Noa kom upp på övre däck när världen gick från svart till grått runt om dem. Jafet hade vakten men han sjöng inte som han brukade. I första ögonblicket oroade det Noa, han var rädd att hans yngste son skulle falla ner i den tystnad som besegrade den ene efter den andre ombord. Både Sem och Ham hade tigit i dagar nu, inte ens barnen gav ljud ifrån sig, Nin Dadas röst hade tystnat liksom Wandas. Bara Jafet hade behållit sitt tal och sin sång på samma självklara sätt som Naema och Milka. Och som Kreli förstås, som skrattade med sin nyfödde son.

När Noa kom närmare kunde han känna en spänning hos Jafet:

– Far, det sker någonting där ute.

Det var ovanligt tyst och Noa blev rädd. Han mindes stillheten före stormen och tänkte att de onda krafterna kunde vara på väg tillbaka. Men Jafet viskade:

– Kan du ana det. Där borta. Far, jag tror att det ljusnar.

Då såg Noa att regnet upphörde vid horisonten och att det fanns ett silver i det grå, ett skimmer.

Han lade sin hand på sonens axel och tillsammans, i andlöshet, väntade de. Och ljuset växte och blev varmare, silver blev guld.

Sedan, mycket fort, var det som om en väldig hand sopat himlen ren, de såg den, de såg äntligen den blå himlen och solskivan, livgivaren, gå upp över horisonten.

– Gud, sade Noa, Gud i himlen.

Medan Jafet dansade skogsfolkets soldans i vild upphets-

329

ning gick Noa till hornet och blåste signalen som betydde att alla skulle samlas på däck. De kom som ljusskygga råttor ur sina hål, de såg på sin värld som var vatten åt alla håll, ett väldigt vatten utan slut. Någon grät, andra skrek i rädsla, men Jafet överröstade dem med sitt jubel och sitt budskap:

— Hör ni! Hör vinden som blåser.

Och de hörde och lät vinden och ljuset fylla sig.

Och Noa talade:

— Det är morgon den första dagen. Gud har räddat sitt folk. Vi har inget att frukta, vårt skepp kan inte sänkas ens av den svåraste storm och vi har vatten och mat för år framåt. Nu beror det bara på oss, på vår styrka och värdighet.

Och de såg på varann och skämdes för sin ynkedom och sin smuts. Som djur, som vanvårdade djur såg de ut.

— Gå och gör i ordning ert morgonmål, sade Noa. Sedan ni ätit skall ni göra rent skeppet i varje vrå, ni skall tvätta och raka er och klä er i rena kläder. Vid middagstid skall vi samlas igen för att gemensamt tacka Gud och äta en festmåltid.

Noa pytsade upp vatten. Han ville veta om det kunde användas, om de döda kropparna och annat mänskligt skräp förgiftat havet.

Det vatten han fick upp var kristallklart, rent, renare än någonsin flodvattnet. Och det dröjde en stund innan han förstod att det berodde på saltet.

— Havsvatten, sade Sem. Vi är långt ut till havs!

De såg på varann och försökte erinra sig historierna de hört om länderna på andra sidan havet, om folken som levde vid klipporna där världen tog slut.

— Vi kan driva mot avgrunden, sade Ham.

— Nej, sade Sem, världen är rund som månen och har därför inget slut.

Noa fann båda utsagorna skrämmande och genomfors av längtan efter floden, det avgränsade och välkända. Men han svalde och sade:

– Stormen kom från söder. Vi måste ha drivit mot land, nordost mot bergen.

De nickade, de försökte tro honom. I nästa stund dök Napular upp. Repslagaren smakade på vattnet och sade:

– Det är inte så salt som havsvattnet. Jag skulle vilja säga att det är bräckt som i lagunen.

En stund senare hade de tagit ut väderstrecken. Repslagaren lade ut släploggen men farten var svår att beräkna.

– Det är som om vi låg stilla, sade han.

Men så småningom kunde de mäta, de drev mycket sakta, knappt märkbart, men de drev. Nordost ut, som Noa sagt.

– Förr eller senare når vi bergen, sade Noa och försökte låta bli att tänka på vad som skulle ske när det väldiga skeppet, som inte kunde styras, skulle slå mot klipporna. Men tanken släppte inte taget om honom och på eftermiddagen sade han till sina söner:

– Jag vill att vi sjösätter alla båtar vi har ombord. Och bemannar dem. Tror ni att ni kan dyka från däcket och simma ut till båtarna?

De nickade, det var lugnt väder. De blev rentav entusiastiska, svårt plågade som de varit av overksamheten.

– Vad jag vill veta, sade Noa, är om vi har någon möjlighet att hålla emot. Om vi kan dämpa farten, förstår ni.

Hela eftermiddagen prövade de, man efter man tog sig över till de mindre båtarna. Till slut hade Noa tolv roddare fördelade på sex skepp men farten minskade inte.

– Det går aldrig om vi har pålandsvind som nu, sade Noa men Naema skrattade åt honom.

– Det värsta jag kan tänka mig är frånlandsvind, sade

hon. Föreställ dig det, vi ser land, sedan blåser det upp och vi driver bort igen.

— Naema, sade Noa barskt men log för han förstod vad hon ville säga.

— Du har rätt, sade han. Vi måste lita på Gud. Det är bara så sorgligt med mig att jag inte riktigt orkar det.

— Jag gör det, sade hon. Alla ombord lever i tron att du är utvald och att Gud inte sviker dig.

— Och om de har fel, sade Noa.

— Tro flyttar berg, sade Naema och log igen.

— Jag behöver inte tro själv, menar du?

— Än behöver du din vrede, Noa.

— Du är glad, sade han.

— Ja, detta välsignade ljus, sade hon och vände ansiktet mot solen. Nog kan du glädja dig i dag, du också.

Efter en stund kom roddarna simmande tillbaka till arken och båtarna togs ombord igen.

Jafets ögon var mörka av sorg när han berättade vad han sett genom vattnet:

— Skogen, far, vi flyter bara tio alnar över trädens toppar.

— Berätta det inte för Naema, sade Noa tyst. Hon är glad, hon behöver en dag av glädje.

Men Jafet visade mot relingen dit Naema gått.

— Det är för sent, sade han. Hon har redan sett.

Och Naema såg sin barndoms skog förvandlad till en vattenvärld och tänkte på de slingrande stigarna, ängarnas alla blommor och de ljusa gläntorna där hon lekt.

Hennes folk hade gått nu, västerut så som de bestämt. Hon var ensam kvar och det var dags att tänka på det sista samtalet:

"Ingen, varken djur eller människa, inga berg och inga

332

blommor, blir till eller försvinner. Allt som lämnar tiden är varaktigt. Förgängelsen är bara sken. I verklighetens kärna har allt bevarats så som det alltid varit."

Hon grät inte när hon vände sig mot Noa och Jafet och sade att det var fullbordat nu.

Men de såg att hon åldrats. På den korta stunden vid relingen hade åren hunnit ifatt Naema och hon såg ut att vara den hon var, en medelålders kvinna.

Mor har gått in under tidens välde, tänkte Jafet.

När Naema gick akterut och klättrade uppför trappan till växthuset kunde hon själv känna att hennes kropp var underligt främmande, benen var tunga och ryggen böjd.

Jag är väl trött, tänkte hon.

Och tröttheten överväldigade henne när hon stängde dörren om det stora växtrummet och såg ut över förödelsen. För att finna någon tröst lyfte hon Jafets flicka från golvet, kramade henne och njöt en stund av den blå blicken och de mjuka lockarna.

– Det var väldigt vad du har blivit stor och tung, sade hon när hon med barnet i famnen gick fram till såningsbäddarna, där Milka arbetade.

Milka var nästan gråtfärdig. Deras vackra och omsorgsfullt sammansatta trädgård såg rent bedrövlig ut i dagsljuset. Det långa mörkret hade gått hårt fram med träden och örterna, de vedartade hade tappat alla bladknoppar och örterna hade ränt i väg i långa stjälkar som brutits av och tagit rötterna med sig i fallet.

Milka pressade tillbaka de döda rötterna, vattnade och läste skogsfolkets böner för dem. Men Naema sade:

– Det är meningslöst, Milka. Vi får slänga alltsammans och sätta nya frön.

Båda tänkte de på att de hade frön av nästan varje växt.

333

Nu gällde det grobarheten, men den hade i vart fall inte försämrats av mörkret.

Medan Milka slängde de döda plantorna och redde ny jord för fröna gick Naema från krukträd till krukträd. Vinstockarna såg döda ut men under den torra barken fanns levande ved. Och på samma vis var det med sykomoren, fikonen och de andra fruktträden. Även äppelträden hade överlevt.

Resten måste slängas.

– Guskelov att vi har dubbel uppsättning lökar, sade Naema när hon dragit upp den cyklamen som ränt iväg i långa stjälkar, tömt sina lökar på all kraft och dött.

Hon satte sig på en pall och tänkte på att allt arbete med försiktig vattning och ljus från små oljelampor under de fyrtio långa dagarna varit förgäves.

– Men Naema, sade Milka. Du är... alldeles blek.

– Jag är så trött, sade Naema. Jag måste få sova, du får arbeta ensam en stund.

De hade fått ljuset tillbaka. Och natten med stjärnorna och månen. Sömnen, dygnets rytm. Alla ombord återtog sina sysslor, snart var arken åter ett välskött skepp. Kreli skrattade med sin baby, pojken som var så lik Nin Dadas yngste att alla förundrades.

De slaktade ett lamm och ställde till fest.

Men när månen gått från ny till nedan grep håglösheten omkring sig igen. Skulle det fortsätta så här i evighet, skulle de tvingas leva hela sitt liv på skeppet?

Nin Dada lärde alla som ville att skriva och fann på nya lekar för barnen. Och Wanda vävde och lockade kvinnorna att sy sig nya dräkter.

Men glädjen höll inte i sig mer än några dagar åt gången.

De lärde sig frukta solen. När några barn blivit brännskadade lät Noa sätta upp segel för skugga och svalka. Det gick åt mycket färskvatten och Sem som mätte förråden varje dag ville införa ransonering. Till slut fick Noa ge med sig. När han meddelade beslutet blev det dödstyst ombord, för ett ögonblick begrep de allesamman hur oviss deras situation var.

Det gick ännu ett månvarv. Och ännu ett, tre, fyra. Noa tvingades ta till hårda åtgärder, männen sattes att splitsa rep och skrubba däck och de kvinnor som klagade mest högljutt kördes ner till djurstallarna där de måste mocka gödsel och skura bås.

Om nätterna väcktes de allt oftare av stötar i botten, det tunga skrovet slog i berg och sten. Och de dränkta träden reste sig allt högre över vattenytan, utan knopp och löv, döda som allt annat i deras värld.

— Vattnet sjunker, sade Noa.

En morgon kom måsarna flygande över skeppet, vita fåglar slog ner på däck. Barnen jublade och matade besökarna med fiskrens och bröd, fåglarna tackade med höga skrän innan de flög vidare. Mot nordost.

De kom tillbaka varje morgon men efter någon vecka ändrade de sina vanor. Nu slog de inte ner på däck längre utan valde att följa arken i kölvattnet, på jakt efter avfall från hushållet ombord.

— Förstår ni vad det innebär, frågade Napular med jubel i rösten.

— Ja, sade Naema och skrattade mot honom. De har en annan plats att vila på.

En morgon slog en korp ner på taket till vattentanken i fören. Noa stod själv på vakt, han och korpen såg länge på varandra som om de hade en överenskommelse. Till sist sträckte Noa fram sin arm och korpen satte sig utan betänkligheter på hans axel.

Och korpen stannade hos Noa som trodde att det var ett gott tecken.

Kapitel 61

En natt när månen stod halv för tionde gången sedan ljuset återvänt väcktes Noa av Napular, som hade vakten på fördäck.

– Jag kanske inbillar mig, sade repslagaren, men jag tycker mig känna en egendomlig lukt.

Noa var ur sängen på ögonblicket, skräckslagen.

– Brand?

– Nej, nej, något annat.

Naema följde med dem ut, Noa vädrade, kände inget, det luktade som det brukade av saltvatten och trä. Och av mänskligt liv, svett, oroliga drömmar, barnbajs och matrester. Men Naema blev stilla som en stenstod där hon stod och vände ansiktet mot norr. Till slut sade hon:

– Det luktar land.

– Du misstar dig inte?

Hon vädrade, hennes näsvingar rörde sig som hos ett djur i skogen. Och hon var säker när hon sade:

– Nej, Noa, jag misstar mig inte. Vi har land rakt för över.

I nästa stund lämnade korpen Noas axel, flög ett varv över förskeppet och satte kurs mot nordost. Då gick Noa till sitt duvslag och släppte fåglarna fria.

I gryningen kunde de ana silhuetten av berget mot horisonten, i soluppgången såg de se klipporna resa sig ur havet.

Det var vindstilla.

– Gud, sade Noa. Nu håller Du vinden borta.

Folk vaknade, jublade. Bara Noa, hans söner och hans sjömän var allvarliga och illa till mods. Napular var blek, han sade som det var:

– Jag är rädd.

– Vi klarar det, sade Noa och försökte låta säker.

Det väldiga skeppet tycktes inte röra sig ur fläcken, men berget framför dem växte, blev större för varje timma som gick. Noa samlade folket i kokhuset. De måste förbereda sig för grundstötningen, sade han. Alla skulle binda fast sig i selarna i kojerna ännu en gång.

En timma gick, nu kunde de urskilja branter och grus, klyftor och klipputsprång. Så plötsligt kom blåsten, en hård vind från väster. Den varade bara en kort stund men det var nog för att de skulle driva förbi berget. Från folket ombord steg en kör av förtvivlade skrik och Noa sade till Gud i tyst raseri:

– Vad i helvete menar Du? Men sedan såg han. De kom i lä under den första klippan och bakom den dök nästa topp upp. Och den sluttade mjukt ner mot havet och bildade strand, en sandstrand.

– Tack, sade han. Tack och förlåt mig.

Nu gick det fort. Noa stod längst fram i stäven och såg botten närma sig, långsamt, aln för aln.

Sedan kom den första stöten, med ett öronbedövande brak gick arken på grund. Borden i botten slogs i småbitar och vatten och slam forsade in. De långa stockarna bröts som pinnar och hela det väldiga skrovet skakade som i en jordbävning och skrek som om det hade svåra plågor. Men arken fortsatte, stöt efter stöt skakade henne när hon pressade sig framåt, fick en ny stöt, fastnade, gick loss och löpte ännu några alnar. Till slut gav hon upp, stod där.

Hon lutade, stod i uppförsbacke. Det skulle ta dem några timmar att flytta lasten på mellandäck och trimma över vattnet från akter till för.

Långsamt rätade arken på sig.

Hålen i botten var så stora att man kunde gå genom dem. Männen prövade, det kändes underligt i benen att ha mark under fötterna.

– Tack skall Du ha, sade Noa tyst innan han klättrade uppåt i skeppet.

Hans män stod snart vid hans sida, såg ut över det land som Gud anvisat dem. Det var långa sluttningar, sten och klippor, inte ett grönt strå, än mindre en buske eller ett träd. Men det var gott om slam längs stränderna, en ny vår var på väg och de hade utsäde.

Noa gav order om middag och tidig sömn.

Kapitel 62

De hade ätit gott. De hade lagt sig tidigt, men de hade svårt att somna.

De var trygga. De hade fast mark under sig. En ny jord och ett nytt liv väntade på dem.

De ville vara tacksamma. Men glädjen kunde inte ta sig in till dem, i tomheten och ensamheten.

– Jag borde vara lycklig, sade Nin Dada till Ham när hon stoppade om sina pojkar på kvällen. Men det är som om det bara var ett skal kvar av mig.

– Det är nog tröttheten, sade Ham som kände på samma sätt. Den tar väl ut sin rätt nu när vi äntligen kan slappna av.

Men den natten fick människorna på skeppet sin första kunskap om vad som stod i vägen för deras glädje. I drömmarna kom de döda på besök till de överlevande, de många döda från de myllrande städerna med sina tempel och hus, sina skratt och sånger.

Den unga Ninurta skrek i sömnen till sin mor: Förlåt mig, förlåt. Några vaknade och tänkte att de kände samma skuld som hon, den pinande skammen för att de överlevt. Men de flesta hölls kvar i sina egna drömmar och sin sorg för det förlorade.

På morgonen tittade de skyggt på varann. Det var som

om de skämdes för nattens bilder och sin förtvivlan. De skötte sina sysslor som de brukade, tvättade och klädde barnen och sig själva och lagade frukost. Men ingen såg mot landet som skulle bli deras och Jafet fick inget svar när han sade att han hört fågelsång i gryningen.

Det dröjde fram till middagstid innan duvan som Noa väntat på kom tillbaka och hade den gröna kvisten i näbben. Det var en olivkvist och Naema blev varm av glädje. De urgamla träden växte här och minst ett hade överlevt.

Under morgontimmarna hade Noa hållit möte ombord. Alla var förberedda på vad de skulle göra när det efterlängtade tecknet kom, de visste att Sem och de två bönderna från Nord skulle gå i land för att i första hand söka betesmarker. Boskapen skulle föras mot de ängar de hoppades finna uppe i berget.

Viktigast var att oxarna fick friskt bete och tillbaka den styrka de förlorat.

Så fort de funnit jord skulle de plöja.

– Nu är åkermarken viktigare än husen, hade Noa sagt. Till en början får vi bo kvar på skeppet. Först när vi fått kornet i jorden skall vi bygga våra nya hus.

– Vi har ju gott om virke, hade han sagt och låtit blicken vandra runt skeppet.

Men allra först skulle Noa själv gå i land, ensam mot berget där han skulle tacka Gud för räddningen och be Honom välsigna landet.

Nu gick han uppför sluttningen, beslutsam och tung av vrede. Han skulle möta sin Gud och stå till svars utan att rentvå eller förklara sig.

Det var inte brant. Ändå blev han andfådd och när han nådde toppen hade han hjärtklappning. Han såg länge mot himlen innan han började sitt tal:

341

– Du har hållit Ditt löfte. Vi har förts levande till ett nytt land. Jag däremot höll inte min del av överenskommelsen. Jag sökte aldrig de renhjärtade som Du avsåg att rädda. De människor som finns med mig på arken är som människor är, svaga och falska.

Själv började jag resan med ett svek mot en bror vars onda öde jag hade skuld i, Mahalaleel, översteprästens son, kallad Skuggan.

Han gjorde ett uppehåll som om han väntade på svar. Men han fick inget och fortsatte:

– Jag dödade hans son, med egna händer gjorde jag det. Så kom mordet med på resan. Med ombord finns också svartsjukan som ställer bror mot bror. Jag vet inte om mina söner begått äktenskapsbrott, men hor har förekommit på mellandäck under den svåra tiden när Du tog ifrån oss ljuset.

Hat och avund har vi också med. Det har funnits stunder när människorna varit nära att sticka ut ögonen på varandra. Lögnaren finns mitt ibland oss, skryt och ont skvaller frodas ombord.

Han gjorde ännu en paus innan han sade:

– Högmod och vrede tar jag själv med till det nya livet.

Ännu syntes inget tecken på att Gud lyssnade och när Noa fortsatte var rösten hård:

– Jag försvarar mig inte, men det händer att jag tänker att mina brott är små i jämförelse med Dina. Jag dödade ett barn, Du dödade tusentals.

Han gjorde ännu ett uppehåll och drog djupt efter luft:

– Jag ser därför inget skäl att be Dig om förlåtelse. Själv kommer jag aldrig att förlåta Dig för det Du gjorde med de många människorna, det sköna landet och de ståtliga städerna.

342

Han slog ut med handen mot arken nere vid stranden:

— Om Ditt mål var att det skulle byggas ett bättre samhälle på jorden så har Du misslyckats. Jag fruktar att människan blir än ondare nu, när hon förlorat sin tro och sin tillit. Ingen av de räddade kommer att glömma det som hänt. Vi får leva våra avskurna liv, utan rötter och samband. De svåra minnena och skulden för att ha överlevt kommer att följa oss och våra barn i generation efter generation.

— Människorna kommer aldrig mer att lita på Dig.

Han teg igen som om han väntat på Guds vrede. Men tystnaden härskade på berget, inte ens vinden rörde sig.

— Dina vägar är outgrundliga och går bortom vårt förstånd, säger min hustru. Men med mig är det så att jag måste förstå.

— Ibland har jag tänkt att Du inte har begripit hur det är att vara människa. Jag kan förstå det. Hur skulle Du kunna veta något om kampen för livet, hur tung och ensam den är? Och vad kan Du begripa av rädslan, Du som är odödlig?

Det var fortfarande tyst men ljuset ökade, fick lyskraft och färg. Det var ett starkt och vänligt ljus som om det fanns ett leende i det.

Den stora makten i himlen skrattar åt mig, tänkte Noa rasande, vände och började gå tillbaka till skeppet.

Men ljuset kring honom samlades till en båge över hela himlavalvet och ljuset tog färg och lyste över landet.

I det väldiga spannet fanns skapelsens alla skiftande toner, hatets och kärlekens färg, blå längtan och gult trots...

Bron hade båda sina fästen på jorden.

343

Litteraturlista

Samuel Noah Kramers bok From the Tablets of Sumer, svensk översättning: Så levde sumererna (Norstedts 1974) har givit viktig bakgrundsinformation för romanen. Dikterna på sidorna 93, 94 och 99 är original från sumerisk tid, översatta till engelska av Kramer och till svenska av Gunilla och Stig Roswall.

Vidare har jag haft stor glädje av den svenske geologen Bengt Lobergs bok Syndafloden (Norstedts, 1980) där jämförelser mellan de tre versionerna av myten görs, den urgamla sumeriska, den som ett halvt årtusende senare återges i Gilgamesheposet och Bibelns betydligt yngre version. Lobergs teori att "syndafloden" åstadkoms av en kombination av en jordbävning i Mesopotamien och en cyklon i Persiska viken, har i romanen tagits till utgångspunkt för händelserna under katastrofen.

Annan litteratur:
Bibeln, Första Mosebok
Cotrell, Leonard m fl: The Past, a concise encyclopedia of Archeology
Deursen, A van: Seder och bruk i Bibeln
The Epic of Gilgamesh
Flavius, Josephus: Judarnas Gamla Historia
Grollenberg, Luc. H: Atlas of the Bible
Handens redskap och verktyg, Norstedts När Var och Hur-serie

Hawkes, Jaczuetta: Atlas of Ancient Archeology
Holst, Barry W m fl: Back to the Sources
Mineral och bergarter. Svenska Turistföreningen nr 6, 1980
Oates, David och Joan: The Rice of civilization
Strand, Sigvard: Maskinen genom tiderna
The Times: Atlas of World History
Täckholm, Vivi: Faraos blomster

Personförteckning

Följande personer räddades ombord på arken:

Noa, skeppsbyggare i gränslandet
    Noas hustru, Naema (Tapimana)
    Sem, Noas äldste son, ett barn
    Ham, Noas andre son. Gift med Nin Dada
    Hams söner: Kus, Misraim, Fut, Kanaan
    Jafet, Noas yngste son, ett barn

Haran, smed i Sinear
    Milka, Harans dotter
    Anamin, Kaptorin. Harans söner
    Kreli, Harans systerdotter

Sinar, skeppsbyggare, anställd hos Noa
    Sinars hustru, Koria

Napular, repslagare i Eridu
    Napulars hustru, Wanda
    Napulars barn: Liena, Kita, Solina

Eluti, krukmakare i Eridu
    Elutis hustru, Ninurta
    Tre barn

Taran, bonde i Sinear, ungkarl
hans bror, djurskötare i Sinear, ungkarl

Repslagare 1
    hustru och tre barn
Repslagare 2
    hustru och två barn
Repslagare 3, ungkarl

Sjöman 1
    hustru och fyra barn
Sjöman 2
    hustru och tre barn
Sjöman 3
    hustru och ett barn
Sjöman 4, ungkarl

I handlingen deltar också: Mahalaleel, kallad Skuggan
Lamek, Noas fader, avrättad präst i Sinear
Bontato, kallad Den Galne, kung i Sinear
Solina, sierska från bergsfolket
Ormdrottningen och andra seende från Skogsfolket
Köpmän, präster, soldater, officerare, astronomer och
matematiker